Emilia Pardo Bazán:
Los Pazos de Ulloa

El Libro de Bolsillo
Alianza Editorial
Madrid

Primera edición en "El Libro de Bolsillo": 1966
Décimonovena reimpresión en "El Libro de Bolsillo": 1996

© Real Academia Gallega
© Alianza Editorial, S. A., Madrid, 1966, 1969, 1971, 1974, 1976,
   1977, 1978, 1980, 1981, 1982, 1983, 1985, 1991, 1992, 1993, 1994,
   1995, 1996
   Calle Juan Ignacio Luca de Tena, 15; 28027 Madrid; teléf. 393 88 88
   ISBN: 84-206-1042-9
   Depósito legal: M. 30.684-1996
   Impreso en Lavel, S. A., Pol. Ind. Los Llanos
   C/ Gran Canaria, 12. Humanes (Madrid)
   Printed in Spain

Uno

Por más que el jinete trataba de sofrenarlo agarrándose con todas sus fuerzas a la única rienda de cordel y susurrando palabrillas calmantes y mansas, el peludo rocín seguía empeñándose en bajar la cuesta a un trote cochinero que desencuadernaba los intestinos, cuando no a trancos desigualísimos de loco galope. Y era pendiente de veras aquel repecho del camino real de Santiago a Orense, en términos que los viandantes, al pasarlo, sacudían la cabeza murmurando que tenía bastante más declive del no sé cuántos por ciento marcado por la ley, y que sin duda, al llevar la carretera en semejante dirección, ya sabrían los ingenieros lo que se pescaban, y alguna quinta de personaje político, alguna influencia electoral de grueso calibre, debía de andar cerca.

Iba el jinete colorado, no como un pimiento, sino como una fresa, encendimiento propio de

7

personas linfáticas. Por ser joven y de miembros
delicados, y por no tener pelo de barba, parecie-
ra un niño, a no desmentir la presunción sus
trazas sacerdotales. Aunque cubierto del amarillo polvo que levantaba el trote del jaco, bien se
advertía que el traje del mozo era de paño negro liso, cortado con la flojedad y poca gracia
que distingue a las prendas de ropa de seglar
vestidas por clérigos. Los guantes, despellejados
ya por la tosca brida, eran asimismo negros y
nuevecitos, igual que el hongo, que llevaba calado hasta las cejas, por temor a que los zarandeos
de la trotada se lo hiciesen saltar al suelo, que
sería el mayor compromiso del mundo. Bajo el
cuello del desairado levitín asomaba un dedo del
alzacuello, bordado de cuentas de abalorio. Demostraba el jinete escasa maestría hípica: incli-
nado sobre el arzón, con las piernas encogidas y
a dos dedos de salir despedido por las orejas,
leíase en su rostro tanto miedo al cuartago como
si fuese algún corcel indómito rebosando fiereza
y bríos.

Al acabarse el repecho volvió el jaco a la sose-
gada andadura habitual, y pudo el jinete endere-
zarse sobre el aparejo redondo, cuya anchura
inconmensurable le había descoyuntado los huesos todos de la región sacroilíaca. Respiró, qui-
tóse el sombrero y recibió en la frente, sudorosa,
el aire frío de la tarde. Caían ya oblicuamente
los rayos del sol en los zarzales y setos, y un
peón caminero, en mangas de camisa, pues tenía
su chaqueta colocada sobre un mojón de granito, daba lánguidos azadonazos en las hierbecillas
nacidas al borde de la cuneta. Tiró el jinete del
ramal para detener a su cabalgadura, y ésta, que
se había dejado en la cuesta abajo las ganas de
trotar, paró inmediatamente. El peón alzó la ca-

beza, y la placa dorada de su sombrero relució
un instante.

—¿Tendrá usted la bondad de decirme si falta
mucho para la casa del señor marqués de Ulloa?

—¿Para los pazos de Ulloa? —contestó el peón
repitiendo la pregunta.

—Eso es.

—Los pazos de Ulloa están allí —murmuró,
extendiendo la mano para señalar a un punto del
horizonte—. Si la bestia anda bien, el camino
que queda pronto se pasa. Ahora, que tiene que
seguir hasta aquel pinar, ¿ve?, y luego *cumple*
torcer a mano izquierda, y luego *cumple* bajar
a mano derecha, por un atajillo, hasta el crucero... En el crucero ya no tiene pérdida, porque
se ven los pazos, una construcción *muy* gran-
dísima.

—Pero... ¿como cuánto faltará? —preguntó
con inquietud el clérigo.

Meneó el peón la tostada cabeza.

—Un *bocadito*, un *bocadito*...

Y, sin más explicaciones, emprendió otra vez
su desmayada faena, manejando el azadón lo
mismo que si pesase cuatro arrobas.

Se resignó el viajero a continuar, ignorando
las leguas de que se compone un *bocadito*, y ta-
loneó el rocín. El pinar no estaba muy distante,
y por el centro de su sombría masa serpenteaba
una trocha angostísima, en la cual se colaron
montura y jinete. El sendero, sepultado en las
oscuras profundidades del pinar, era casi imprac-
ticable; pero el jaco, que no desmentía aptitudes
especiales de la raza caballar gallega para andar
por mal piso, avanzaba con suma precaución, cabizbajo, tanteando con el casco para sortear cautelosamente las zanjas producidas por la llanta
de los carros, los pedruscos, los troncos de pino,
cortados y atravesados donde hacían menos fal-

ta. Adelantaban poco a poco, y ya salían de las
estrecheces a más desahogada senda, abierta entre pinos nuevos y montes poblados de aliaga,
sin haber tropezado con una sola heredad labra-
día, un plantío de coles que revelase la vida humana. De pronto los cascos del caballo cesaron
de resonar y se hundieron en blanda alfombra:
era una camada de estiércol vegetal, tendida, según costumbre en el país, ante la casucha de un
labrador. A la puerta, una mujer daba de mamar
a una criatura. El jinete se detuvo.

—Señora, ¿sabe si voy bien para la casa del
marqués de Ulloa?

—Va bien, va...

—¿Y falta mucho?

Enarcamiento de cejas, mirada apática y cu-
riosa, respuesta ambigua en dialecto:

—La carrerita de un can...

—«¡Estamos frescos!», pensó el viajero, que si
no acertaba a calcular lo que anda un can en una
carrera, barruntaba que debe de ser bastante
para un caballo. En fin, llegando al crucero vería
los pazos de Ulloa... Todo se le volvía buscar el
atajo, a la derecha... Ni señales. La vereda, en-
sanchándose, se internaba por tierra montañosa,
salpicada de manchones de robledal y algún que
otro castaño todavía cargado de fruta; a derecha e izquierda, matorrales de brezo crecían desparramados y oscuros. Experimentaba el jinete
indefinible malestar, disculpable en quien, nacido y criado en un pueblo tranquilo y soñoliento,
se halla por vez primera frente a frente con la
ruda y majestuosa soledad de la Naturaleza y
recuerda historias de viajeros robados, de gentes
asesinadas en sitios desiertos.

—«¡Qué país de lobos!», dijo para sí, tétrica-
mente impresionado.

Alegrósele el alma con la vista del atajo, que

a su derecha se columbraba, estrecho y pendiente, entre un doble vallado de piedra, límite de dos montes. Bajaba fiándose en la maña del jaco para evitar tropezones, cuando divisó casi al alcance de su mano algo que le hizo estremecerse: una cruz de madera, pintada de negro con filetes blancos, medio caída ya sobre el murallón que la sustentaba. El clérigo sabía que estas cruces señalan el lugar donde un hombre pereció de muerte violenta; y persignándose, rezó un padrenuestro, mientras el caballo, sin duda por olfatear el rastro de algún zorro, temblaba levemente, empinando las orejas, y adoptaba un trotecillo medroso, que en breve lo condujo a una encrucijada. Entre el marco que le formaban las ramas de un castaño colosal erguíase el crucero.

Tosco, de piedra común, tan mal labrado, que a primera vista parecía monumento románico, por más que en realidad sólo contaba un siglo de fecha, siendo obra de algún cantero con pujos de escultor, el crucero, en tal sitio y a tal hora, y bajo el dosel natural del magnífico árbol, era poético y hermoso. El jinete, tranquilizado y lleno de devoción, pronunció, descubriéndose: «Adorámoste, Cristo, y bendecímoste, pues por tu santísima Cruz redimiste al mundo», y de paso que rezaba, su mirada buscaba a lo lejos los pazos de Ulloa, que debían de ser aquel gran edificio cuadrilongo, con torres, allá en el fondo del valle. Poco duró la contemplación, y a punto estuvo el clérigo de besar la tierra, merced a la huída que pegó el rocín, con las orejas enhiestas, loco de terror. El caso no era para menos: a cortísima distancia habían retumbado dos tiros.

Quedóse el jinete frío de espanto, agarrado al arzón, sin atreverse ni a registrar la maleza para averiguar dónde estarían ocultos los agresores; mas su angustia fue corta, porque ya del ribazo

situado a espaldas del crucero descendía un grupo de tres hombres, antecedidos por otros tantos
canes perdigueros, cuya presencia bastaba para
demostrar que las escopetas de sus amos no ame-
nazaban sino a las alimañas monteses.

El cazador que venía delante representaba
veintiocho o treinta años: alto y bien barbado,
tenía el pescuezo y rostro quemados del sol; pero
por venir despechugado y sombrero en mano, se
advertía la blancura de la piel no expuesta a la
intemperie, en la frente y en la tabla del pecho,
cuyos diámetros indicaban complexión robusta,
supuesto que confirmaba la isleta de vello rizoso
que dividía ambas tetillas. Protegían sus piernas
recias polainas de cuero, abrochadas con hebi-
llaje hasta el muslo; sobre la inglé derecha flotaba la red de bramante de un repleto morral, y
en el hombro izquierdo descansaba una escopeta
moderna de dos cañones. El segundo cazador parecía hombre de edad madura y condición baja,
criado o colono: ni hebillas en las polainas, ni
más morral que un saco de grosera estopa; el
pelo, cortado al rape; la escopeta de pistón, vie-
jísima y atada con cuerdas, y en el rostro, afeitado y enjuto y de enérgicas facciones rectilíneas,
una expresión de encubierta sagacidad, de astu-
cia salvaje, más propia de un piel roja que de un
europeo. Por lo que hace al tercer cazador, sorprendióse el jinete al notar que era un sacerdote.
¿En qué se le conocía? No ciertamente en la tonsura, borrada por una selva de pelo gris y cer-
doso, ni tampoco en la rasuración, pues los duros cañones de su azulada barba contarían un
mes de antigüedad; menos aún en el alzacuello,
que no traía, ni en la ropa, que era semejante a
la de sus compañeros de caza, con el aditamento de unas botas de montar de charol de vaca,
muy descascaradas y cortadas por las arrugas.
Y, no obstante, trascendía a clérigo, revelándose

el sello formidable de la ordenación, que ni aun
las llamas del infierno consiguen cancelar, en no
sé qué expresión de la fisonomía, en el aire y
posturas del cuerpo, en el mirar, en el andar, en
todo. No cabía duda: era un sacerdote.

Aproximóse al grupo el jinete, y repitió la con-
sabida pregunta:

—¿Pueden ustedes decirme si voy bien para
casa del señor marqués de Ulloa?

El cazador alto se volvió hacia los demás con
familiaridad y dominio.

—¡Qué casualidad! —exclamó—. Aquí tenemos al forastero... Tú, Primitivo... Pues te cayó
la lotería; mañana pensaba yo enviarte a Cebre
a buscar al señor... Y usted, señor abad de
Ulloa...: ¡ya tiene usted aquí quien le ayude a
arreglar la parroquia!

Como el jinete permanecía indeciso, el cazador añadió:

—Supongo que es usted el recomendado de mi
tío, el señor De la Lage.

—Servidor y capellán... —respondió, gozoso, el
eclesiástico, tratando de echar pie a tierra, ar-
dua operación en que le ayudó el abad—. ¿Y usted... —exclamó, encarándose con su interlocutor— es el señor marqués?

—¿Cómo queda el tío? Usted..., a caballo desde Cebre, ¿eh? —repuso éste, evasivamente,
mientras el capellán le miraba con interés raya-
no en viva curiosidad.

No hay duda que así, varonilmente desaliñado,
húmeda la piel de transpiración ligera, terciada
la escopeta al hombro, era un cacho de buen
mozo el marqués; y, sin embargo, despedía su
arrogante persona cierto tufillo bravío y monta-
raz, y lo duro de su mirada contrastaba con lo
afable y llano de su acogida.

El capellán, muy respetuoso, se deshacía en
explicaciones.

—Sí, señor; justamente... En Cebre he dejado
la diligencia, y me dieron esta caballería, que
tiene unos arreos, que vaya todo por Dios... El
señor De la Lage, tan bueno, y con el humor
aquel de siempre... Hace reír a las piedras... Y
guapote para su edad... Estoy reparando que si
fuese su señor papá de usted, no se le parecería
más... Las señoritas, muy bien, muy contentas y
muy saludables... Del señorito, que está en Segovia, buenas noticias. Y antes que se me ol-
vide...

Buscó en el bolsillo interior de su levitón, y fue
sacando un pañuelo muy planchado y doblado,
un Semanario chico y, por último, una cartera
de tafilete negro, cerrada con elástico, de la cual
extrajo una carta, que entregó al marqués. Los
perros de caza, despeados y anhelantes de fati-
ga, se habían sentado al pie del crucero; el abad
picaba con la uña una tagarnina para liar un pitillo, cuyo papel sostenía adherido por una punta
al borde de los labios; Primitivo, descansando
la culata de la escopeta en el suelo, y en el cañón
de la escopeta la barba, clavaba sus ojuelos negros en el recién venido, con pertinacia escrutadora. El sol se ponía lentamente en medio de
la tranquilidad otoñal del paisaje. De improviso,
el marqués soltó una carcajada. Era su risa,
como suya, vigorosa y pujante, y, más que co-
municativa, despótica.

—El tío —exclamó, doblando la carta— siempre tan guasón y tan célebre... Dice que aquí me
manda un santo para que me predique y me con-
vierta... No parece sino que tiene uno pecados,
¿eh, señor abad? ¿Qué dice usted a esto? ¿Verdad que ni uno?

—Ya se sabe, ya se sabe —masculló el abad,
en voz bronca—. Aquí todos conservamos la inocencia bautismal.

Y, al decirlo, miraba al recién llegado al través

de sus erizadas y salvajinas cejas, como el veterano al inexperto recluta, sintiendo allá en su
interior profundo desdén hacia el curita barbi-
lindo, con cara de niña, donde sólo era sacerdo-
tal la severidad del rubio entrecejo y la expresión ascética de las facciones.

—¿Y usted se llama Julián Alvarez? —interrogó el marqués.

—Para servirle a usted muchos años.

—¿Y no acertaba usted con los pazos?

—Me costaba trabajo el acertar. Aquí los paisanos no le sacan a uno de dudas ni le dicen ca-
tegóricamente las distancias. De modo que...

—Pues ahora ya no se perderá usted. ¿Quiere
montar otra vez?

—¡Señor! ¡No faltaba más!

—Primitivo —ordenó el marqués—, coge del
ramal a esa bestia.

Y echó a andar, dialogando con el capellán,
que le seguía. Primitivo, obediente, se quedó re-
zagado, y lo mismo el abad, que encendía su pitillo con un mixto de cartón. El cazador se arrimó al cura.

—¿Y qué le parece el rapaz, diga? ¿Verdad
que no mete respeto?

—¡Bah!... Ahora se estila ordenar mequetre-
fes... Y luego, mucho de alzacuellitos, guanteci-
tos, perejiles con escarola... ¡Si yo fuera arzobispo, ya le daría el demontre de los guantes!

Dos

Era noche cerrada, sin luna, cuando desembo-
caron en el soto, tras del cual se elevaba la ancha
mole de los pazos de Ulloa. No consentía la oscuridad distinguir más que sus imponentes proporciones, escondiéndose las líneas y detalles en
la negrura del ambiente. Ninguna luz brillaba en

el vasto edificio, y la gran puerta central parecía cerrada a piedra y lodo. Dirigióse el marqués a un postigo lateral muy bajo, donde al punto apareció una mujer corpulenta alumbrando con un candil.

Después de haber cruzado varios corredores sombríos, penetraron todos en una especie de sótano con piso terrizo y bóveda de piedra, que, a juzgar por las hileras de cubas adosadas a sus paredes, debía de ser bodega, y desde allí llegaron presto a la espaciosa cocina, alumbrada por la claridad del fuego que ardía en el hogar, consumiendo lo que se llama arcaicamente un mediano monte de leña y no es sino varios gruesos cepos de roble, avivados, de tiempo en tiempo, con rama menuda.

Adornaban la elevada campana de la chimenea ristras de chorizos y morcillas, con algún jamón de añadidura, y a un lado y otro sendos bancos brindaban asiento cómodo para calentarse, oyendo hervir el negro pote, que, pendiente de los llares, ofrecía a los ósculos de la llama su insensible vientre de hierro.

A tiempo que la comitiva entraba en la cocina, hallábase acurrucada junto al pote una vieja, que sólo pudo Julián Alvarez distinguir un instante —con greñas blancas y rudas como cerro, que le caían sobre los ojos, y cara rojiza al reflejo del fuego—, pues no bien advirtió que venía gente, levantóse más de lo que permitían sus años, y murmurando en voz quejumbrosa y humilde: «¡Buenas *nochinas* nos dé Dios!», se desvaneció como una sombra, sin que nadie pudiese notar por dónde. El marqués se encaró con la moza.

—¿No tengo dicho que no quiero aquí pendones?

Y ella contestó apaciblemente, colgando el candil en la pilastra de la chimenea:

—No hacía mal...; me ayudaba a pelar castañas.

Tal vez iba el marqués a echar la casa abajo
si Primitivo, con mayor imperio y enojo que su
amo mismo, no terciase en la cuestión, repren-
diendo a la muchacha:

—¿Qué estás parolando ahí?... Mejor fuera
tener la comida lista. ¡A ver cómo nos la das co-
rriendito! Menéate, despabílate.

En el esconce de la cocina, una mesa de roble,
denegrida por el uso, mostraba extendido un
mantel grosero, manchado de vino y grasa. Primitivo, después de soltar en un rincón la escopeta, vaciaba su morral, del cual salieron dos
perdigones y una liebre muerta, con los ojos em-
pañados y el pelaje maculado de sangraza. Apartó la muchacha a un lado el botín, y fue colocando platos de peltre, cubiertos de antigua y ma-
ciza plata, un mollete enorme en el centro de la
mesa y un jarro de vino proporcionado al pan;
luego se dio prisa a revolver y destapar tarteras,
y tomó del vasar una sopera magna.

De nuevo la increpó, airadamente, el marqués:

—¿Y los perros, vamos a ver? ¿Y los perros?

Como si también los perros comprendiesen su
derecho a ser atendidos antes que nadie, acudieron desde el rincón más oscuro, y, olvidando el
cansancio, exhalaron famélicos bostezos, menean-
do la cola y husmeando con el partido hocico.
Julián creyó al pronto que se había aumentado
el número de canes, tres antes y cuatro ahora;
pero al entrar el grupo canino en el círculo de
viva luz que proyectaba el fuego, advirtió que
lo que tomaba por otro perro no era sino un
rapazuelo de tres a cuatro años, cuyo vestido,
compuesto de chaquetón acastañado y calzones
de blanca estopa, podía desde lejos equivocarse
con la piel bicolor de los perdigueros, con quienes parecía vivir el chiquillo en la mejor inteli-

gencia y más estrecha fraternidad. Primitivo y
la moza disponían en cubetas de palo el festín
de los animales, entresacado de lo mejor y más
grueso del pote; y el marqués, que vigilaba la
operación, no dándose por satisfecho, escudriñó
con una cuchara de hierro las profundidades del
caldo, hasta sacar a luz tres gruesas tajadas de
cerdo, que fue distribuyendo en las cubetas. Lan-
zaban los perros alaridos entrecortados, de inte-
rrogación y deseos, sin atreverse aún a tomar
posesión de la pitanza; a una voz de Primitivo,
sumieron de golpe el hocico en ella, oyéndose el
batir de sus apresuradas mandíbulas y el chas-
queo de su lengua glotona. El chiquillo gateaba
por entre las patas de los perdigueros, que, con-
vertidos en fieras por el primer impulso del hambre no saciada todavía, le miraban de reojo,
regañando los dientes y exhalando ronquidos ame-
nazadores; de pronto, la criatura, incitada por
el tasajo que sobrenadaba en la cubeta de la
perra *Chula*, tendió la mano para cogerlo, y la
perra, torciendo la cabeza, lanzó una feroz den-
tellada, que, por fortuna, sólo alcanzó la manga
del chico, obligándole a refugiarse más que de
prisa, asustado y lloriqueando, entre las sayas
de la moza, ya ocupada en servir caldo a los ra-
cionales. Julián, que empezaba a descalzarse los
guantes, se compadeció del chiquillo, y, baján-
dose, le tomó en brazos, pudiendo ver que, a pesar de la mugre, la roña, el miedo y el llanto, era
el más hermoso angelote del mundo.

—¡Pobre! —murmuró cariñosamente—. ¿Te
ha mordido la perra? ¿Te hizo sangre? Dónde
te duele, ¿me lo dices? Calla, que vamos a re-
ñirle a la perra nosotros. ¡Pícara, malvada!

Reparó el capellán que estas palabras suyas
produjeron singular efecto en el marqués. Se
contrajo su fisonomía, sus cejas se fruncieron, y
arrancándole a Julián el chiquillo con brusco

movimiento, le sentó en sus rodillas, palpándole
las manos, a ver si las tenía mordidas o lastima-
das. Seguro ya de que sólo el chaquetón había
padecido, soltó la risa.

—¡Farsante! —gritó—. Ni siquiera te ha tocado la *Chula*. Y tú ¿para qué vas a meterte con
ella? Un día te come media nalga, y después la-
grimitas. ¡A callarse y a reírse ahora mismo!
¿En qué se conocen los valientes?

Diciendo así, colmaba de vino su vaso y se lo
presentaba al niño, que, cogiéndolo sin vacilar, lo
apuró de un sorbo. El marqués aplaudió:

—¡Requetebién! ¡Viva la gente templada!

—No, lo que es el rapaz..., el rapaz sale de
punto —murmuró el abad de Ulloa.

—¿Y no le hará daño tanto vino? —objetó Julián, que sería incapaz de bebérselo él.

—¡Daño! Sí, buen daño nos dé Dios —respondió el marqués con no sé qué inflexiones de orgullo en el acento—. Déle otros tres, y ya verá...
¿Quiere usted que hagamos la prueba?

—Los chupa, los chupa —afirmó el abad.

—No, señor; no, señor... Es capaz de morirse
el pequeño... He oído decir que el vino es un ve-
neno para las criaturas... Lo que tendrá será
hambre.

—Sabel, que coma el chiquillo —ordenó, im-
periosamente, el marqués dirigiéndose a la criada.

Esta, silenciosa e inmóvil durante la anterior
escena, sacó un repleto cuenco de caldo, y el niño
fue a sentarse en el borde del llar, para engullir-
lo sosegadamente.

En la mesa, los comensales mascaban un buen
ánimo. Al caldo, espeso y harinoso, siguió un
cocido sólido, donde abundaba el puerco; los
días de caza, el imprescindible puchero se tomaba de noche, pues al monte no había medio de
llevarlo. Una fuente de chorizos y huevos fritos

desencadenó la sed, ya alborotada con la sal del cerdo. El marqués dio al codo a Primitivo.

—Tráenos un par de botellitas... Del año cincuenta y nueve.

Y, volviéndose hacia Julián, dijo muy obsequioso:

—Va usted a beber el mejor tostado que por aquí se produce... Es de la casa de Molende; se corre que contiene un secreto para que, sin perder el gusto de la pasa, empalague menos y se parezca al mejor jerez... Cuanto más va, más gana: no es como los de otras bodegas, que se vuelven azúcar.

—Es cosa de gusto —aseveró el abad, rebañando con una miga de pan lo que restaba de yema en su plato.

—Yo —declaró, tímidamente, Julián— poco entiendo de vinos... Casi no bebo sino agua.

Y al ver brillar bajo las cejas hirsutas del abad una mirada compasiva, de puro desdeñosa, rectificó:

—Es decir..., con el café, ciertos días señalados, no me disgusta el anisete.

—El vino alegra el corazón... El que no bebe, no es hombre —pronunció el abad, sentenciosamente.

Primitivo volvía ya de su excursión, empuñando en cada mano una botella cubierta de polvo y telarañas. A falta de «tirabuzón» se descorcharon con un cuchillo, y a un tiempo se llenaron los vasos chicos, traídos *ad hoc*. Primitivo empinaba el codo con sumo desparpajo, bromeando con el abad y el señorito. Sabel, por su parte, a medida que el banquete se prolongaba y el licor calentaba las cabezas, servía con familiaridad mayor, apoyándose en la mesa, para reír algún chiste de los que hacían bajar los ojos a Julián, bisoño en materia de sobremesas de cazadores. Lo cierto es que Julián bajaba la vis-

ta, no tanto por lo que oía como por no ver a
Sabel, cuyo aspecto, desde el primer instante, le
había desagradado de extraño modo, a pesar o
quizá a causa de que Sabel era un buen pedazo
de lozanísima carne. Sus ojos azules, húmedos
y sumisos; su color animado, su pelo castaño,
que se rizaba en conchas paralelas y caía en dos
trenzas hasta más abajo del talle, embellecían
mucho a la muchacha y disimulaban sus defectos: lo pomuloso de su cara, lo tozudo y bajo de
su frente, lo sensual de su respingada y abierta
nariz. Por no mirar a Sabel Julián se fijaba en
el chiquillo, que, envalentonado con aquella ojeada simpática, fue, poco a poco, deslizándose hasta llegar a introducirse en las rodillas del capellán. Instalado allí, alzó la cara desvergonzada
y risueña y, tirando a Julián del chaleco, murmuró, en tono suplicante:

—¿Me lo da?

Todo el mundo se reía a carcajadas; el capellán no comprendía.

—¿Qué pide? —preguntó.

—¿Qué ha de pedir? —respondió el marqués,
festivamente—. ¡El vino, hombre! ¡El vaso de
tostado!

—¡Mamá! —exclamó el abad.

Antes que Julián se resolviese a dar al niño su
vaso, casi lleno, el marqués había aupado al
mocoso, que sería realmente una preciosidad a
no estar tan sucio. Parecíase a Sabel, y aun se
le aventajaba en la claridad y alegría de sus ojos
celestes, en lo abundante del pelo ensortijado y
especialmente en el correcto diseño de las facciones. Sus manitas, morenas y hoyosas, se ten-
dían hacia el vino color topacio; el marqués se
lo acercó a la boca, divirtiéndose un rato en
quitárselo cuando ya el rapaz creía ser dueño
de él. Por fin, consiguió el niño atrapar el vaso,

y en un decir Jesús trasegó el contenido, rela-
miéndose.

—¡Este no se anda con requisitos! —exclamó
el abad.

—¡Quiá! —confirmó el marqués—. ¡Si es un
veterano! ¿A que te zampas otro vaso, Perucho?

Las pupilas del angelote rechispeaban; sus
mejillas despedían lumbre, y dilataba la clásica
naricilla con inocente concupiscencia de Baco
niño. El abad, guiñando picarescamente el ojo
izquierdo, escancióle otro vaso, que él tomó a
dos manos y se embocó sin perder gota; en seguida soltó la risa, y antes de acabar el redoble
de su carcajada báquica, dejó caer la cabeza,
muy descolorido, en el pecho del marqués.

—¿Lo ven ustedes? —gritó Julián, angustia-
dísimo—. Es muy chiquito para beber así, y va
a ponerse malo. Estas cosas no son para criaturas.

—¡Bah! —intervino Primitivo—. ¿Piensa que
el rapaz no puede con lo que tiene dentro? ¡Con
eso y con otro tanto! Y si no, verá.

A su vez, tomó en brazos al niño, y, mojando
en agua fresca los dedos, se los pasó por las
sienes. Perucho abrió los párpados, miró a su
alrededor con asombro, y su cara se sonroseó.

—¿Qué tal? —le preguntó Primitivo—. ¿Hay
ánimos para otra *pinguita* de tostado?

Volvióse Perucho hacia la botella, y luego,
como instintivamente, dijo que no con la cabeza,
sacudiendo la poblada zalea de sus rizos. No
era Primitivo hombre de darse por vencido tan
fácilmente: sepultó la mano en el bolsillo del
pantalón y sacó una moneda de cobre.

—De ese modo... —refunfuñó el abad.

—No seas bárbaro, Primitivo —murmuró el
marqués, entre placentero y grave.

—¡Por Dios y por la Virgen! —imploró Julián—. ¡Van a matar a esa criatura! Hombre,

no se empeñe en emborrachar al niño; es un pecado, un pecado tan grande como otro cualquiera. ¡No se pueden presenciar ciertas cosas!

Al protestar, Julián se había incorporado, encendido de indignación, echando a un lado su mansedumbre y timidez congénitas. Primitivo, en pie también, mas sin soltar a Perucho, miró al capellán fría y socarronamente, con el desdén de los tenaces por los que se exaltan un momento. Y metiendo en la mano del niño la moneda de cobre y entre sus labios la botella destapada y terciada aún de vino, la inclinó y la mantuvo así hasta que todo el licor pasó al estómago de Perucho. Retirada la botella, los ojos del niño se cerraron, se aflojaron sus brazos, y no ya descolorido, sino con la palidez de la muerte en el rostro, hubiera caído redondo sobre la mesa, a no sostenerle Primitivo. El marqués, un tanto serio, empezó a inundar de agua fría la frente y los pulsos del niño; Sabel se acercó y ayudó también a la aspersión; todo inútil: lo que es por esta vez, Perucho «la tenía».

—Como un pellejo —gruñó el abad.

—Como una cuba —murmuró el marqués—. A la cama con él en seguida. Que duerma, y mañana estará más fresco que una lechuga. Esto no es nada.

Sabel se acercó cargada con el niño, cuyas piernas se balanceaban inertes a cada movimiento de su madre. La cena se acabó menos bulliciosa de lo que empezara: Primitivo hablaba poco, y Julián había enmudecido por completo. Cuando terminó el convite y se pensó en dormir, reapareció Sabel armada de un velón de aceite, de tres mecheros, con el cual fue alumbrando por la ancha escalera de piedra que conducía al piso alto y ascendía a la torre en rápido caracol.

Era grande la habitación destinada a Julián,

y la luz del velón apenas disipaba las tinieblas,
de entre las cuales no se destacaba más que la
blancura del lecho. A la puerta del cuarto se
despidió del marqués, deseándole buenas noches,
y añadiendo con brusca cordialidad:

—Mañana tendrá usted su equipaje... Ya irán
a Cebre por él... ¡Ea!, descansar, mientras yo
echo de casa al abad de Ulloa... Está un poco...,
¿eh? ¡Dificulto que no caiga en el camino y no
pase la noche al abrigo de un vallado!

Solo ya, sacó Julián de entre la camisa y el
chaleco una estampa grabada, con marco de len-
tejuela, que representaba a la Virgen del Carmen, y la colocó en pie sobre la mesa, donde
Sabel acababa de depositar el velón. Arrodillóse,
y rezó la media corona, contando por los dedos
de la mano cada diez. Pero el molimiento del
cuerpo le hacía apetecer las gruesas y frescas
sábanas, y omitió la letanía, los actos de fe y
algún padrenuestro. Desnudóse honestamente,
colocando la ropa en una silla a medida que se
la quitaba, y apagó el velón antes de echarse.
Entonces empezaron a danzar en su fantasía los
sucesos todos de la jornada: el caballejo, que
estuvo a punto de hacerle besar el suelo; la cruz
negra, que le causó escalofríos; pero, sobre todo,
la cena, la bulla, el niño borracho. Juzgando a
las gentes con quienes había trabado conocimiento en pocas horas, se le figuraba Sabel provocativa; Primitivo, insolente; el abad de Ulloa, sobrado bebedor y nimiamente amigo de la caza;
los perros, excesivamente atendidos, y en cuanto
al marqués... En cuanto al marqués, Julián recordaba unas palabras del señor De la Lage:

—Encontrará usted a mi sobrino bastante
adocenado... La aldea, cuando se cría uno en
ella y no sale de ella jamás, envilece, empobrece
y embrutece.

Y casi al punto mismo en que acudió a su me-

moria tan severo dictamen, arrepintióse el capellán, sintiendo cierta penosa inquietud que no
podía vencer. ¿Quién le mandaba formar jui-
cios temerarios? El venía allí para decir misa y
ayudar al marqués en la administración, no para
fallar acerca de su conducta y su carácter... Conque... a dormir...

Tres

Despertó Julián cuando entraba de lleno en la
habitación un sol de otoño, dorado y apacible.
Mientras se vestía, examinaba la estancia con
algún detenimiento. Era vastísima, sin cielo raso;
alumbrábanla tres ventanas guarnecidas de anchos poyos y de vidrieras, faltosas de vidrios
cuanto abastecidas de remiendos de papel pe-
gados con obleas.

Los muebles no pecaban de suntuosos ni de
abundantes, y en todos los rincones permane-
cían señales evidentes de los hábitos del último
inquilino, hoy abad de Ulloa y antes capellán
del marqués; puntas de cigarros adheridas al
piso, dos pares de botas, inservibles, en un rincón; sobre la mesa, un paquete de pólvora, y
en un poyo, varios objetos cinegéticos, gayolas
(jaulas) para codornices, collares de perros, una
piel de conejo mal curtida y peor oliente. Amén
de estas reliquias, entre las vigas pendían pálidas telarañas, y por todas partes descansaba
tranquilamente el polvo, enseñoreado allí desde
tiempo inmemorial.

Miraba Julián las huellas de la incuria de su
antecesor, y, sin querer acusarle ni tratarle en
sus adentros de cochino, el caso es que tanta
porquería y rusticidad le infundían grandes deseos de primor y limpieza, una aspiración a la
pulcritud en la vida como a la pureza en el alma.

Julián pertenecía a la falange de los pacatos, que
tienen la virtud espantadiza, con repulgos de
monja y pudores de doncella intacta. No habiéndose descosido jamás de las faldas de su madre
sino para asistir a cátedra, en el Seminario, sabía de la vida lo que enseñan los libros piadosos.
Los demás seminaristas le llamaban *San Julián*,
añadiendo que sólo le faltaba la palomita en la
mano. Ignoraba cuándo pudo venirle la vocación; tal vez su madre, ama de llaves de los señores De la Lage, mujer que pasaba por beatona,
le empujó suavemente, desde la más tierna edad,
hacia la Iglesia, y él se dejó llevar de buen grado.
Lo cierto es que de niño jugaba a cantar misa,
y de grande no paró hasta conseguirlo. La con-
tinencia le fue fácil, casi insensible, por lo mismo
que la guardó incólume, pues sienten los mora-
listas que es más hacedero no pecar una vez
que pecar una sola. A Julián le ayudaba en su
triunfo, amén de la gracia de Dios, que él solici-
taba muy de veras, la endeblez de su temperamento linfático-nervioso, puramente femenino,
sin ardores ni rebeldías, propenso a la ternura,
dulce y benigno como las propias malvas, pero
no exento en ocasiones de esas energías súbitas
que también se observan en la mujer, el ser que
posee menos fuerza en estado normal y más cantidad de ella desarrolla en las crisis convulsivas.
Julián, por su compostura y hábitos de pulcritud
—aprendidos de su madre, que le sahumaba toda
la ropa con espliego y le ponía entre cada par
de calcetines una manzana camuesa—, cogió fama
de seminarista *pollo*, máxime cuando averigua-
ron que se lavaba mucho manos y cara. En efecto, era así, y a no mediar ciertas ideas de devota
pudicia, él extendería las abluciones frecuentes
al resto del cuerpo, que procuraba traer lo más
aseado posible.

El primer día de su estancia en los pazos bien

necesitaba chapuzarse un poco, quitándose el polvo de la carretera, que traía adherido a la piel; pero, sin duda, el actual abad de Ulloa consideraba artículo de lujo los enseres de tocador, pues no vio Julián por allí más que una palangana de hojalata, a la cual servía de palanganero el poyo. Ni jarra, ni toalla, ni jabón, ni cubo. Quedóse parado delante de la palangana, en mangas de camisa y sin saber qué hacer, hasta que, convencido de la imposibilidad de refrescarse con agua, quiso al menos tomar un baño de aire, y abrió la vidriera.

Lo que abarcaba su vista le dejó encantado. El valle ascendía en suave pendiente, extendiendo ante los pazos toda la lozanía de su ladera más feraz. Viñas, castañares, campos de maíz granados o ya segados y tupidas robledas se escalonaban, subían trepando hasta un montecillo, cuya falda gris parecía al sol de un blanco plomizo. Al pie mismo de la torre, el huerto de los pazos semejaba verde alfombra con cenefas amarillentas, en cuyo centro se engastaba la luna de un gran espejo, que no era sino la superficie del estanque. El aire, oxigenado y regenerador, penetraba en los pulmones de Julián, que sintió disiparse inmediatamente parte del vago terror que le infundía la gran casa solariega y lo que de sus moradores había visto. Como para renovarlo, entreoyó detrás de sí rumor de pisadas cautelosas, y, al volverse, vio a Sabel, que le presentaba con una mano platillo y jícara, y con la otra, en plato de peltre, un púlpito de agua fresca y una servilleta gorda muy doblada encima. Venía la moza arremangada hasta el codo, con el pelo alborotado, seco y volandero, del calor de la cama, sin duda; y a la luz del día se notaba más la frescura de su tez, muy blanca y como infiltrada de sangre. Julián se apresuró a ponerse el levitín, murmurando:

—Otra vez haga el favor de dar dos golpes en la puerta antes de entrar... Conforme estoy levantado, pudo cuadrar que estuviese en la cama todavía..., o vistiéndome.

Mirole Sabel de hito en hito, sin turbarse, y exclamó:

—Disimule, señor... Yo no sabía... El que no sabe, hace como el que no ve.

—Bien, bien... Yo querría decir misa antes de tomar el chocolate.

—Hoy no podrá, porque tiene la llave de la capilla el señor abad de Ulloa, y Dios sabe hasta qué horas dormirá, ni si habrá quien vaya allá por ella.

Julián contuvo un suspiro. ¡Dos días ya sin misa! Cabalmente, desde que era presbítero se había redoblado su fervor religioso, y sentía el entusiasmo juvenil del nuevo misacantano, conmovido aún por la impresión de la augusta investidura; de suerte que celebraba el sacrificio esmerándose en perfilar la menor ceremonia, temblando cuando alzaba, anonadándose cuando consumía, siempre con recogimiento indecible. En fin: si no había remedio...

—Ponga el chocolate ahí —dijo a Sabel.

Mientras la moza ejecutaba esta orden, Julián alzaba los ojos al techo y los bajaba al piso, y tosía, tratando de buscar una fórmula, un modo discreto de explicarse.

—¿Hace mucho que no duerme en este cuarto el señor abad?

—Poco... Hará dos semanas que bajó a la parroquia.

—¡Ah!... Por eso... Esto está algo... sucio, ¿no le parece? Sería bueno barrer... y pasar también la escoba por entre las vigas.

Sabel se encogió de hombros.

—El señor abad no me mandó nunca que le barriese el cuarto.

—Pues, francamente, la limpieza es una cosa que a todo el mundo gusta.

—Sí, señor; ya se sabe... No pase cuidado, que yo lo arreglaré muy arregladito.

Lo pronunció con tanta sumisión, que Julián, a su vez, quiso mostrarle un poco de caritativo interés.

—¿Y el niño? —preguntó—. ¿No le hizo mal lo de ayer?

—No, señor... Durmió como un *santiño*, y ya anda corriendo por la huerta. ¿Ve? Allí está.

Mirando por la abierta ventana, y haciéndose una pantalla con la mano, Julián divisó a Perucho, que, sin sombrero, con la cabeza al sol, arrojaba piedras al estanque.

—Lo que no sucede en un año sucede en un día, Sabel —advirtió, gravemente, el capellán—. No debe consentir que le emborrachen al chiquillo; es un vicio muy feo hasta en los grandes, cuanto más en un inocente así. ¿Para qué le aguanta a Primitivo que le dé tanta bebida? Es obligación de usted el impedirlo.

Sabel fijaba pesadamente en Julián sus azules pupilas, siendo imposible discernir en ellas el menor relámpago de inteligencia o de convencimiento. Al fin articuló con pausa:

—Yo qué quiere que haga... No me voy a reponer contra mi señor padre.

Julián calló un momento, atónito. ¡De modo que quien había embriagado a la criatura era su propio abuelo! No supo replicar nada oportuno, ni siquiera lanzar una exclamación de censura. Llevose la taza a la boca para encubrir la turbación, y Sabel, creyendo terminado el coloquio, se retiraba despacio, cuando el capellán le dirigió una pregunta más:

—¿El señor marqués anda ya levantado?

—Sí, señor... Debe de estar por la huerta o por los alpendres.

—Haga el favor de llevarme allí —dijo Julián, levantándose y limpiándose apresuradamente los labios sin desdoblar la servilleta.

Antes de dar con el marqués recorrieron el capellán y su guía todo el huerto. Aquella vasta extensión de terreno había sido en otro tiempo cultivada con primor y engalanada con los adornos de la jardinería simétrica y geométrica cuya moda nos vino de Francia. De todo lo cual apenas quedaban vestigios; las armas de la casa, trazadas con mirto en el suelo, eran ahora intrincado matorral de bojes, donde ni la vista más lince distinguiría rastro de los lobos, pinos, torres almacenadas, roeles y otros emblemas que campeaban en el preclaro blasón de los Ulloas; y. sin embargo, persistía en la confusa masa no sé qué aire de cosa plantada con estudio y con arte. El borde de piedra del estanque estaba semiderruido, y las gruesas bolas de granito que lo guarnecían andaban rodando por la hierba, verdosas de musgo, esparcidas aquí y acullá como gigantescos proyectiles en algún desierto campo de batalla. Obstruido por el limo, el estanque parecía charca fangosa, acrecentando el aspecto de descuido y abandono de la huerta, donde los que ayer fueron cenadores y bancos rústicos se habían convertido en rincones poblados de maleza, y los tablares de hortaliza, en sembrados de maíz, a cuya orilla, como tenaz reminiscencia del pasado, crecían libres, espinosos y desparramados, algunos rosales de variedad selecta, que iban a besar con sus ramas más altas la copa del ciruelo o peral que tenían enfrente. Por entre estos residuos de pasada grandeza andaba el último vástago de los Ulloas, con las manos en los bolsillos, silbando distraídamente como quien no sabe qué hacer del tiempo. La presencia de Julián le dio la solución del problema. Señorito y capellán emparejaron, y, alabando la hermosura del día, acabaron de visitar el huerto al pormenor, y aun alargaron el paseo hasta el soto y los robledales que limitaban, hacia la parte Norte, la extensa posesión del marqués. Julián abría mucho los ojos, deseando que por ellos le entrase de sopetón toda la ciencia rústica, a fin de entender bien las explicaciones relativas a la calidad del terreno o al desarrollo del arbolado; pero, acostumbrado a la vida claustral del seminario y de la metrópoli compostelana, la Naturaleza le parecía difícil de comprender, y casi le infundía temor por la vital impetuosidad que sentía palpitar en ella, en el espesor de los matorrales, en el áspero vigor de los troncos, en la fertilidad de los frutales, en la picante pureza del aire libre. Exclamó con desconsuelo sincerísimo:

—Yo confieso la verdad, señorito... De estas cosas de aldea, no entiendo jota.

—Vamos a ver la casa —indicó el señor de Ulloa—. Es la más grande del país —añadió con orgullo.

Mudaron de rumbo, dirigiéndose al enorme caserón, donde penetraron por la puerta que daba al huerto, y habiendo recorrido el claustro, formado con arcadas de sillería, cruzaron varios salones con destartalado moblaje, sin vidrios en las vidrieras, cuyas descoloridas pinturas maltratara la humedad, no siendo más clemente la polilla con el maderaje del piso. Pararon en una habitación relativamente chica, con ventana de reja, donde las negras vigas del techo semejaban remotísimas, y asombraban la vista grandes estanterías de castaño sin barnizar, que en vez de cristales tenían enrejado de alambre grueso. Decoraba tan tétrica pieza una mesa-escritorio, y sobre ella, un tintero de cuerno, un viejísimo vade de suela, no sé cuántas plumas de ganso y una caja de obleas vacía.

Las estanterías entreabiertas dejaban asomar

legajos y protocolos en abundancia; por el suelo, en las dos sillas de vaqueta, encima de la mesa, en el alféizar mismo de la enrejada ventana, había más papeles, más legajos, amarillentos, vetustos, carcomidos, arrugados y rotos; tanta papelería exhalaba un olor a humedad, a rancio, que cosquilleaba en la garganta desagradablemente.

El marqués de Ulloa, deteniéndose en el umbral y con cierta expresión solemne, pronunció:

—El archivo de la casa.

Desocupó en seguida las sillas de cuero, y explicó muy acalorado que aquello estaba revueltísimo —aclaración de todo punto innecesaria—, y que semejante desorden se debía al descuido de fray Venancio, administrador de su padre, y del actual abad de Ulloa, en cuyas manos pecadoras había venido el archivo a parar en lo que Julián veía.

—Pues así no se puede seguir —exclamaba el capellán—. ¡Papeles de importancia tratados de este modo! Hasta es muy fácil que alguno se pierda.

—¡Naturalmente! Dios sabe los desperfectos que ya me habrán causado, y cómo andará todo, porque yo ni mirarlo quiero... Esto es lo que usted ve: ¡un desastre, una perdición! ¡Mire usted..., mire usted lo que tiene ahí a sus pies! ¡Debajo de una bota!

Julián levantó el pie, muy asustado, y el marqués se bajó, recogiendo del suelo un libro delgadísimo, encuadernado en badana verde, del cual pendía rodado sello de plomo. Tomolo Julián con respeto, y al abrirlo, sobre la primera hoja de vitela, se destacó una soberbia miniatura heráldica, de colores vivos y frescos a despecho de los años.

—¡Una ejecutoria de nobleza! —declaró el señorito gravemente.

Por medio de su pañuelo doblado, la limpiaba Julián del moho, tocándola con manos delicadas. Desde niño le había enseñado su madre a reverenciar la sangre ilustre, y aquel pergamino escrito con tinta roja, miniado, dorado, le parecía cosa muy venerable, digna de compasión por haber sido pisoteada, hollada bajo la suela de sus botas. Como el señorito permanecía serio, de codos en la mesa, las manos cruzadas bajo la barba, otras palabras del señor De la Lage acudieron a la memoria del capellán: «Todo eso de la casa de mi sobrino debe de ser un desbarajuste... Haría usted una obra de caridad si lo arreglase un poco.» La verdad es que él no entendía gran cosa de papelotes; pero con buena voluntad y cachaza...

—Señorito —murmuró—, ¿y por qué no nos dedicamos a ordenar esto como Dios manda? Entre usted y yo, mal sería que no acertásemos. Mire usted: primero apartamos lo moderno de lo antiguo; de lo que esté muy estropeado se podría sacar copia; lo roto se pega con cuidadito con unas tiras de papel transparente...

El proyecto le pareció al señorito de perlas. Convinieron en ponerse al trabajo desde la mañana siguiente. Quiso la desgracia que al otro día Primitivo descubriese en un maizal próximo un bando entero de perdices entretenido en comerse la espiga madura. Y el marqués se terció la carabina y dejó para siempre jamás amén a su capellán bregar con los documentos.

Cuatro

Y el capellán lidió con ellos a brazo partido, sin tregua, tres o cuatro horas todas las mañanas. Primero limpió, sacudió, planchó, sirviéndose de la palma de la mano; pegó papelitos de cigarro, a fin de juntar los pedazos rotos de alguna escritura. Parecíale estar desempolvando, encolando y poniendo en orden la misma casa de Ulloa, que iba a salir de sus manos hecha una plata. La tarea, en apariencia fácil, no dejaba de ser enfadosa para el aseado presbítero: le sofocaba una atmósfera de mohosa humedad; cuando alzaba un montón de papeles depositados desde tiempo inmemorial en el suelo, caía a veces la mitad de los documentos hecha añicos por el diente menudo e incansable del ratón; las polillas, que parecen polvo organizado y volante, agitaban sus alas y se le metían por entre la ropa; las correderas, perseguidas en sus más secretos asilos, salían ciegas de furor o de miedo, obligándole, no sin gran repugnancia, a despachurrarlas con los tacones, tapándose los oídos para no percibir el «¡chac!» estremecedor que produce el cuerpo estrujado del insecto; las arañas, columpiando su hidrópica panza sobre sus descomunales zancos, solían ser más listas y refugiarse prontísimamente en los rincones oscuros, adonde las guía misterioso instinto estratégico.

De tanto asqueroso bicho, tal vez el que más repugnaba a Julián era una especie de lombriz o gusano de humedad, frío y negro, que se encontraba siempre inmóvil y hecho una rosca debajo de los papeles, y al tocarlo producía la sensación de un trozo de hielo blando y pegajoso.

Al cabo, a fuerza de paciencia y resolución, triunfó Julián en su batalla con aquellas alimañas impertinentes, y en los estantes, ya despejados, fueron alineándose los documentos, ocupando, por efecto milagroso del buen orden, la mitad menos que antes, y cabiendo donde no cupieron jamás. Tres o cuatro ejecutorias, todas con su colgante de plomo, quedaron apartadas, envueltas en paños limpios. Todo estaba arreglado ya,

excepto un tramo de la estantería donde Julián
columbró los lomos oscuros, fileteados de oro,
de algunos libros antiguos. Era la biblioteca de
un Ulloa, un Ulloa de principios del siglo; Julián
extendió la mano, cogió un tomo al azar, lo abrió,
leyó la portada...: «*La Henriada*, poema francés,
puesto en verso español; su autor, el señor de
Voltaire...» Volvió a su sitio el volumen, con los
labios contraídos y los ojos bajos, como siempre que algo le hería o escandalizaba; no era en
extremo intolerante; pero lo que es a Voltaire,
de buena gana le haría lo que a las cucarachas;
no obstante, limitose a condenar la biblioteca, a
no pasar ni un mal paño por el lomo de los libros; de suerte que polillas, gusanos y arañas,
acosados en todas partes, hallaron refugio a la
sombra del risueño Arouet y su enemigo el sen-
timental Juan Jacobo, que también dormía allí
sosegadamente desde los años de 1816.

No era tortas y pan pintado la limpieza material del archivo; sin embargo, la verdadera obra
de romanos fue la clasificación. «¡Aquí te quiero!», parecían decir los papelotes así que Julián
intentaba separarlos. Un embrollo, una madeja
sin cabo, un laberinto sin hilo conductor. No
existía faro que pudiese guiar por el piélago insondable: ni libros becerros, ni estados, ni nada:
dos únicos documentos que encontró fueron dos
cuadernos mugrientos y apestando a tabaco, donde su antecesor el abad de Ulloa apuntaba los
nombres de los pagadores y arrendatarios de la
casa, y al margen, con un signo inteligible para
él solo, o con palabras más enigmáticas aún, el
balance de sus pagos. Los unos tenían una cruz;
los otros, un garabato; los de más allá, una llamada, y los menos, las frases «no paga», «paga-
rá», «va pagando», «ya pagó». ¿Qué significaban,
pues, el garabato y la cruz? Misterio insondable.
En una misma página se mezclaban gastos e in-

gresos: aquí aparecía Fulano como deudor insol-
vente, y dos renglones más abajo, como acreedor
por jornales. Julián sacó del libro del abad una
jaqueca tremebunda. Bendijo la memoria de fray
Venancio, que, más radical, no dejara ni rastro
de cuentas, ni el menor comprobante de su larga
gestión.

Había puesto Julián manos a la obra con sumo
celo, creyendo no le sería imposible orientarse
en semejante caos de papeles. Se desojaba para
entender la letra antigua y las enrevesadas rú-
bricas de las escrituras; quería al menos separar
lo correspondiente a cada uno de los tres o cuatro principales partidos de renta con que contaba la casa, y se asombraba de que para cobrar
tan poco dinero, tan mezquinas cantidades de
centeno y trigo, se necesitase tanto fárrago de
papelotes, tanta documentación indigesta. Per-
díase en un dédalo de foros y subforos, prorra-
teos, censos, pensiones, vinculaciones, cartas do-
tales, diezmos, tercios, pleitecillos menudos de
atrasos y pleitazos gordos de partijas. A cada
paso se le confundía más en la cabeza toda aquella papelería trasconejada; si las obras de repa-
ración, como poner carpetas de papel fuerte y
blanco a las escrituras que se deshacían de puro
viejas, le eran ya fáciles, no así el conocimiento
científico de los malditos papelorios indescifra-
bles para quien no tuviese inteligencia y práctica.
Ya desalentado, se lo confesó al marqués:

—Señorito, yo no salgo del paso... Aquí convenía un abogado, una persona entendida.

—Sí, sí; hace mucho tiempo que lo pienso yo
también... Es indispensable tomar mano de eso,
porque la documentación debe de andar perdida... ¿Cómo la ha encontrado usted? ¿Hecha
una lástima? Apuesto que sí.

Dijo esto el marqués con aquella entonación
vehemente y sombría que adoptaba al tratar de

sus propios asuntos, por insignificantes que fuesen; y mientras hablaba, entretenía las manos ciñendo su collar de cascabeles a la *Chula*, con la cual iba a salir a matar unas codornices.

—Sí, señor... —murmuró Julián—. No está nada bien, no... Pero la persona acostumbrada a estas cosas se desenreda de ellas de un soplo... Y tiene que venir pronto quien sea, porque los papeles no ganan así.

La verdad era que el archivo había producido en el alma de Julián la misma impresión que toda la casa: la de una ruina, ruina vasta y amenazadora, que representaba algo grande en lo pasado, pero en la actualidad se desmoronaba a toda prisa. Era esto en Julián aprensión no razonada, que se transformaría en convicción si conociese bien algunos antecedentes de familia del marqués.

*

Don Pedro Moscoso de Cabreira y Pardo de la Lage quedó huérfano de padre muy niño aún. A no ser por semejante desgracia, acaso hubiera tenido carrera: los Moscosos conservaban, desde el abuelo afrancesado, enciclopedista y francmasón que se permitía leer al «señor de Voltaire», cierta tradición de cultura trasañeja, medio extinguida ya, pero suficiente todavía para empujar a un Moscoso a los bancos del aula. En los Pardos de la Lage era, al contrario, axiomático que más vale asno vivo que doctor muerto. Vivían entonces los Pardos en su casa solariega, no muy distante de la de Ulloa; al enviudar la madre de don Pedro, el mayorazgo De la Lage iba a casarse en Santiago con una señorita de distinción, trasladando sus reales al pueblo; y don Gabriel, el segundón, se vino a los pazos de Ulloa para acompañar a su hermana, según decía, y servirle

de amparo; en realidad, afirmaban los maldicientes, para disfrutar a su talante las rentas del
cuñado difunto. Lo cierto es que don Gabriel en
poco tiempo asumió el mando de la casa: él descubrió y propuso para administrador a aquel
bendito exclaustrado fray Venancio, medio cho-
cho desde la exclaustración, medio idiota de nacimiento ya, a cuya sombra pudo manejar a su
gusto la hacienda del sobrino, desempeñando la
tutela. Una de las habilidades de don Gabriel fue
hacer partijas con su hermana, cogiéndole ma-
ñosamente casi toda su legítima, despojo a que
asintió la pobre señora, absolutamente inepta en
materia de negocios, hábil sólo para ahorrar el
dinero que guardaba con sórdida avaricia, y que
tuvo la imprudente niñería de ir poniendo en
onzas de oro de las más antiguas, de premio.
Cortos eran los réditos del caudal de Moscoso
que no se deslizaban de entre los dedos temblones de fray Venancio a las robustas palmas del
tutor; pero si lograban pasar a las de doña Micaela, ya no salían de allí sino en forma de pelu-
conas, camino de cierto escondrijo misterioso,
acerca del cual iba poco a poco formándose una
leyenda en el país. Mientras la madre atesoraba,
don Gabriel educaba al sobrino a su imagen y
semejanza, llevándole consigo a ferias, cazatas,
francachelas rústicas y acaso distracciones menos
inocentes, y enseñándole, como decían allí, a
cazar la perdiz blanca; y el chico adoraba en
aquel tío jovial, vigoroso y resuelto, diestro en
los ejercicios corporales, groseramente chistoso,
como todos los De la Lage, en las sobremesas;
especie del señor feudal acatado en el país, que
enseñaba prácticamente al heredero de los Ulloas
el desprecio de la Humanidad y el abuso de la
fuerza. Un día que tío y sobrino se deportaban,
según costumbre, a cuatro o seis leguas de distancia de los pazos, habiéndose llevado consigo

al criado y al mozo de cuadra, a las cuatro de
la tarde, y estando abiertas todas las puertas del
caserón solariego, se presentó en él una gavilla
de veinte hombres enmascarados o tiznados de
carbón, que maniataron y amordazaron a la criada, hicieron echarse boca abajo a fray Venancio
y, apoderándose de doña Micaela, le intimaron
que enseñase el escondrijo de las onzas; y como
la señora se negase, después de abofetearla, empezaron a mecharla con la punta de una navaja,
mientras unos cuantos proponían que se calen-
tase aceite para freírle los pies. Así que le acribi-
llaron un brazo y un pecho, pidió compasión, y
descubrió, debajo de un arca enorme, el famoso
escondrijo, trampa hábilmente disimulada por
medio de una tabla igual a las demás del piso,
pero que subía y bajaba a voluntad. Recogieron
los ladrones las hermosas medallas, apoderándose también de la plata labrada que hallaron a
mano, y se retiraron de los pazos a las seis, antes
que anocheciese del todo. Algún labrador o jornalero los vio salir; pero ¿qué había de hacer?
Eran veinte, bien armados con escopetas, pistolas y trabucos.

Fray Venancio, que sólo había recibido tal cual
puntapié o puñada despreciativa, no necesitó más
pasaporte para irse al otro mundo, de puro miedo, en una semana; la señora se apresuró menos; pero, como suele decirse, no levantó cabeza, y de allí a pocos meses una apoplejía se-
rosa le impidió seguir guardando onzas en un
agujero mejor disimulado. Del robo se habló
largo tiempo en el país, y corrieron rumores muy
extraños: se afirmó que los criminales no eran
bandidos de profesión, sino gentes conocidas y
acomodadas, alguna de las cuales desempeñaba
cargo público, y entre ellas se contaban personas
relacionadas de antiguo con la familia de Ulloa,
que, por tanto, estaban al corriente de las cos-

tumbres de la casa, de los días en que se quedaba sin hombres y de la insaciable constancia
de doña Micaela en recoger y conservar la más
valiosa moneda de oro. Fuese lo que fuese, la
Justicia no descubrió a los autores del delito, y
don Pedro quedó en breve sin otro pariente que
su tío Gabriel. Este buscó para el sitio de fray
Venancio a un sacerdote brusco, gran cazador,
incapaz de morirse de miedo ante los ladrones.
Desde tiempo atrás los ayudaba en sus expedicio-
nes cinegéticas Primitivo, la mejor escopeta fur-
tiva del país, la puntería más certera y el padre
de la moza más guapa que se encontraba en diez
leguas a la redonda. El fallecimiento de doña
Micaela permitió que la hija y el padre se insta-
lasen en los pazos, ella a título de criada, él a
título de... montero mayor, diríamos hace siglos;
hoy no hay nombre adecuado para el empleo.
Don Gabriel los tenía muy a raya a entrambos,
olfateando en Primitivo un riesgo serio para su
influencia; pero tres o cuatro años después de
la muerte de su hermana, don Gabriel sufrió
ataques de gota que pusieron en peligro su vida,
y entonces se divulgó lo que ya se susurraba
acerca de su casamiento secreto con la hija del
carcelero de Cebre. El hidalgo se trasladó a vivir,
mejor dicho, a rabiar, en la villita; otorgó testa-
mento, legando a tres hijos que tenía sus bienes
y caudal, sin dejar al sobrino don Pedro ni el
reloj en memoria; y habiéndole subido la gota
al corazón, entregó su alma a Dios de malísima
gana; con lo cual hallose el último de los Moscosos dueño de sí por completo.

Gracias a todas estas vicisitudes, socaliñas y
pellizcos, la casa de Ulloa, a pesar de poseer dos
o tres decentes núcleos de renta, estaba enmarañada y desangrada; era lo que presumía Julián:
una ruina. Dada la complicación de la red, la
subdivisión atomística que caracteriza a la pro-

piedad gallega, un poco de descuido o mala administración basta para minar los cimientos de la más importante hacienda territorial. La necesidad de pagar ciertos censos atrasados y sus intereses había sido causa de que la casa se gravase con una hipoteca no muy cuantiosa; pero la hipoteca es como un cáncer: empieza atacando un punto del organismo y acaba por inficionarlo todo. Con motivo de los susodichos censos, el señorito buscó asiduamente las onzas del nuevo escondite de su madre; tiempo perdido; o la señora no había atesorado más desde el robo, o lo había ocultado tan bien, que no diera con ello el mismo diablo. La vista de tal hipoteca contristó a Julián, pues el buen clérigo empezaba a sentir la adhesión especial de los capellanes por las casas nobles en que entran; pero más le llenó de confusión encontrar, entre los papelotes, la documentación relativa a un pleitecillo de partijas, sostenido por don Alberto Moscoso, padre de don Pedro, con... el marqués de Ulloa.

Porque ya es hora de decir que el marqués de Ulloa auténtico y legal, el que constaba en la *Guía de forasteros*, se paseaba tranquilamente en carretela por la Castellana durante el invierno de 1866 a 1867, mientras Julián exterminaba correderas en el archivo de los pazos. Bien ajeno estaría él de que el título de nobleza, por cuya carta de sucesión había pagado religiosamente su impuesto de «lanzas y medias anatas», lo disfrutaba gratis un pariente suyo en un rincón de Galicia. Verdad que al legítimo marqués de Ulloa, que era grande de España de primera clase, duque de algo, marqués tres veces y conde dos lo menos, nadie le conocía en Madrid sino por el ducado, por aquello de que «baza mayor quita menor», aun cuando el título de Ulloa, radicado en el claro solar de Cabreira de Portugal, pudiese ganar en antigüedad y estimación a los más

eminentes. Al pasar a una rama colateral la hacienda de los pazos de Ulloa, fue el marquesado
adonde correspondía por rigurosa agnación; pero
los aldeanos, que no entienden la agnaciones, hechos a que los pazos de Ulloa diesen nombre al
título, siguieron llamando marqueses a los dueños de la gran huronera. Los señores de los pazos no protestaban: eran marqueses por derecho
consuetudinario; y cuando un labrador, en un
camino hondo, se descubría respetuosamente
ante don Pedro, murmurando: «Vaya usía muy
dichoso, señor marqués», don Pedro sentía un
grato cosquilleo en la epidermis de la vanidad, y
contestaba con voz sonora: «Felices tardes.»

Cinco

Del famoso arreglo del archivo sacó Julián los
pies fríos y la cabeza caliente; él bien quisiera
despabilarse, aplicar prácticamente las nociones
adquiridas acerca del estado de la casa, para empezar a ejercer con inteligencia sus funciones de
administrador, mas no acertaba, no podía; su
inexperiencia en cosas rurales y jurídicas se traslucía a cada paso. Trataba de estudiar el mecanismo interior de los pazos; tomábase el trabajo
de ir a los establos, a las cuadras, de enterarse
de los cultivos, de visitar la granera, el horno,
los hórreos, las eras, las bodegas, los alpendres,
cada dependencia y cada rincón; de preguntar
para qué servía esto y aquello y lo de más allá,
y cuánto costaba y a cómo se vendía, labor inútil, pues olfateando por todas partes abusos y
desórdenes, no conseguía nunca, por su carencia
de malicia y «gramática parda», poner el dedo
sobre ellos y remediarlos. El señorito no le acompañaba en semejantes excursiones: harto tenía
que hacer con ferias, caza y visitas a gentes de

Cebre o del señorío montañés, de suerte que el
guía de Julián era Primitivo. Guía pesimista, si
los hay. Cada reforma que Julián quería implan-
tar, la calificaba de imposible, encogiéndose de
hombros; cada superfluidad que intentaba su-
primir, la declaraba el cazador indispensable al
buen servicio de la casa. Ante el celo de Julián
surgían montones de dificultades menudas, im-
pidiéndole realizar ninguna modificación útil. Y
lo más alarmante era observar la encubierta, pero
real, omnipotencia de Primitivo. Mozos, colonos,
jornaleros y hasta el ganado en los establos, parecían estarle supeditados y propicios; el respeto
adulador con que trataban al señorito; el saludo,
mitad desdeñoso y mitad indiferente, que diri-
gían al capellán, se convertía en sumisión absoluta hacia Primitivo, no manifestada por fórmulas exteriores, sino por el acatamiento instantáneo de su voluntad, indicada a veces con sólo el
mirar directo y frío de sus ojuelos sin pestañas.

Y Julián se sentía humillado en presencia de
un hombre que mandaba allí como indiscutible
autócrata, desde su ambiguo puesto de criado con
ribetes de mayordomo. Sentía pesar sobre su alma la ojeada escrutadora de Primitivo, que avi-
zoraba sus menores actos y estudiaba su rostro,
sin duda para averiguar el lado vulnerable de
aquel presbítero, desinteresado, que apartaba los
ojos de las jornaleras garridas. Tal vez la filoso-
fía de Primitivo era que no hay hombres sin vicio, y no había de ser Julián la excepción.

Corría entre tanto el invierno, y el capellán se
habituaba a la vida campestre. El aire vivo y puro
le abría el apetito; no sentía ya las efusiones de
devoción que al principio, y sí una especie de caridad humana que le llevaba a interesarse en lo
que veía a su alrededor, especialmente los niños
y los irracionales, con quienes desahogaba su instintiva ternura. Aumentábase su compasión hacia

Perucho, el rapaz embriagado por su propio abuelo; le dolía verle revolcarse constantemente en el lodo del patio, pasarse el día hundido en el estiércol de las cuadras, jugando con los becerros, mamando del pezón de las vacas leche caliente o durmiendo en el herbal, entre la hierba destinada al pienso de la borrica; y detcrminó consagrar algunas horas de las largas noches de invierno a enseñar al chiquillo el abecedario, la doctrina y los números. Para realizarlo, se acomodaba en la vasta mesa, no lejos del fuego del hogar, cebado por Sabel con gruesos troncos, y cogiendo al niño en sus rodillas, a la luz del triple mechero del velón, le iba guiando pacientemente el dedo sobre el silabario, repitiendo la monótona salmodia por donde empieza a saber: «be-a, ba; be-e, be; be-i, bi...»; el chico se deshacía en bostezos enormes, en muecas risibles, en momos de llanto, en chillidos de estornino preso; se acorazaba, se defendía contra la ciencia de todas las maneras imaginables, pateando, gruñendo, escondiendo la cara, escurriéndose al menor descuido del profesor, para ocultarse en cualquier rincón o volverse al tibio abrigo del establo.

En aquel tiempo frío, la cocina se convertía en tertulia, casi exclusivamente compuesta de mujeres. Descalzas y pisando de lado, como recelosas, iban entrando algunas, con la cabeza resguardada por una especie de mandilón de picote; muchas gemían de gusto al acercarse a la deleitable llama; otras, tomando de la cintura el huso y el copo de lino, hilaban después de haberse calentado las manos, o, sacando del bolsillo castañas, las ponían a asar entre el rescoldo; y todas, empezando por cuchichear bajito, acababan por charlotear como urracas. Era Sabel la reina de aquella pequeña corte; sofocada por la llama, con los brazos arremangados, los ojos húmedos, recibía el incienso de las adulaciones, hundía el cucharón

de hierro en el pote, llenaba cuencos de caldo, y
al punto una mujer desaparecía del círculo, refu-
giándose en la esquina o en un banco, donde se
la oía mascar ansiosamente, soplar el hirviente
bodrio y lengüetear contra la cuchara. Noches
había en que no se daba la moza punto de reposo en colmar tazas ni las mujeres en entrar, comer y marcharse para dejar a otras el sitio; allí
desfilaba, sin duda, como por un mesón barato,
la parroquia entera. Al salir cogían aparte a Sabel, y si el capellán no estuviese tan distraido con
su rebelde alumno, vería algún trozo de tocino,
pan o lacón, rápidamente escondido en un justillo, o algún chorizo, cortado con prontitud de las
ristras pendientes de la chimenea, que no menos
velozmente pasaba a las faltriqueras. La última
tertuliana que se quedaba, la que secreteaba más
tiempo y más íntimamente con Sabel, era la vieja
de las greñas de estopa entrevista por Julián la
noche de su llegada a los pazos. Era imponente
la fealdad de la bruja: tenía las cejas canas, y de
perfil le sobresalían, como también las cerdas de
un lunar; el fuego hacía resaltar la blancura del
pelo, el color atezado del rostro y el enorme bocio o papera, que deformaba la garganta del modo
más repulsivo. Mientras hablaba con la fresca-
chona Sabel, la fantasía de un artista podía evo-
car los cuadros de tentaciones de San Antonio,
en que aparecen juntas una asquerosa hechicera
y una mujer hermosa y sensual, con pezuña de
cabra.

Sin explicarse el porqué, empezó a desagradar
a Julián la tertulia y las familiaridades de Sabel,
que se le arrimaba continuamente, a pretexto de
buscar en el cajón de la mesa un cuchillo, una
taza, cualquier objeto indispensable. Cuando la
aldeana fijaba en él sus ojos azules, anegados en
caliente humedad, el capellán experimentaba malestar violento, comparable sólo al que le causa-

ban los de Primitivo, que a menudo sorprendía
clavados a hurtadillas en su rostro. Ignorando en
qué fundar sus recelos, creía Julián que medita-
ban alguna asechanza. Era Primitivo, salvo tal
cual momentáneo acceso de brusca y selvática
alegría, hombre taciturno, a cuya faz de bronce
asomaban rara vez los sentimientos; y, con todo
eso, Julián se juzgaba blanco de hostilidad encubierta por parte del cazador; en rigor, ni hostilidad podía llamarse; más bien tenía algo de
observación y acecho, la espera tranquila de una
res a quien, sin odiarla, se desea cazar cuanto antes. Semejante actitud no podía definirse ni
expresarse apenas. Julián se refugió en su cuarto,
adonde hizo subir, medio a rastras, al niño para
la lección acostumbrada. Así como así, el invierno había pasado, y el calor de la *lareira* no era
apetecible ya.

En su habitación pudo el capellán notar, mejor que en la cocina, la escandalosa suciedad del
angelote. Media pulgada de roña le cubría la piel,
y en cuanto al cabello, dormían en él capas geo-
lógicas, estratificaciones en que entraba tierra,
guijarros menudos, toda suerte de cuerpos extraños. Julián cogió a viva fuerza al niño, le arras-
tró hacia el aguamanil, que ya tenía bien abas-
tecido de jarras, toallas y jabón. Empezó a fro-
tar. ¡María Santísima, y qué primer agua la que
salió de aquella empecatada carita! Lejía pura,
de la más turbia y espesa. Para el pelo fue preciso
emplear aceite, pomada, agua a chorros, un bati-
dor de gruesas púas, que desbrozasen la virgen
selva. Al paso que adelantaba la faena, iban saliendo a la luz bellísimas facciones, dignas de un
cincel antiguo, coloreadas con la pátina del sol y
el aire; y los bucles, libres de estorbos, se colo-
caban artísticamente, como en una testa de Cu-
pido, y descubrían su matiz castaño dorado, que

acaba de entonar la figura. ¡Era pasmoso lo bonito que había hecho Dios a aquel muñeco!

Todos los días, que gritase o que se resignase el chiquillo, Julián le lavaba así antes de la lección. Por el respeto que profesaba a la carne humana, no se atrevía a bañarle el cuerpo, medida bien necesaria en verdad. Pero con los lavatorios y el carácter bondadoso de Julián, el diablillo iba tomándose demasiadas confianzas, y no dejaba cosa con vida en el cuarto. Su desaplicación, mayor a cada instante, desesperaba al pobre presbítero: la tinta le servía a Perucho para meter en ella la mano toda y plantarla después sobre el silabario; la pluma, para arrancarle las barbas y romperle el pico cazando moscas en los vidrios; el papel, para rasgarlo en tiritas o hacer con él cucuruchos; las arenillas, para volverlas sobre la mesa y figurar con ellas montes y collados, donde se complacía en producir cataclismos hundiendo el dedo de golpe. Además, revolvía la cómoda de Julián, deshacía la cama brincando encima, y un día llegó al extremo de prender fuego a las botas de su profesor, llenándolas de fósforos encendidos.

Bien aguantaría Julián estas diabluras con la esperanza de sacar algo en limpio de semejante hereje; pero se complicaron con otra cosa bastante más desagradable: las idas y venidas frecuentes de Sabel por su habitación. Siempre encontraba la moza algún pretexto para subir: que se le había olvidado recoger el servicio del chocolate; que se le había *esquecido* mudar la toalla. Y se endiosaba y tardaba un buen rato en bajar, entreteniéndose en arreglar cosas que no estaban revueltas, o poniéndose de pechos en la ventana, muy risueña y campechanota, alardeando de una confianza que Julián, cada día más reservado, no autorizaba en manera alguna.

Una mañana entró Sabel a la hora de costum-

bre, con las jarras de agua para las abluciones del
presbítero, que, al recibirlas, no pudo menos de
reparar, en una rápida ojeada, cómo la moza venía en justillo y enaguas, con la camisa entreabierta, el pelo destrenzado y descalzos un pie y
pierna blanquísimos, pues Sabel, que se calzaba
siempre y no hacía más que la labor de la cocina,
y ésa con mucha ayuda de criadas de campo y
comadres, no tenía la piel curtida ni deformados
los miembros. Julián retrocedió, y la jarra tembló
en su mano, vertiéndose un chorro de agua por
el piso.

—Cúbrase usted, mujer —murmuró con voz
sofocada por la vergüenza—. No me traiga nunca el agua cuando esté así... Ese no es modo de
presentarse a la gente.

—Me estaba peinando, y pensé que me llamaba... —respondió ella, sin alterarse, sin cruzar
siquiera las palmas sobre el escote.

—Aunque la llamase, no era regular venir en
ese traje... Otra vez que se esté peinando, que me
suba el agua Cristóbal..., o la chica del ganado...,
o cualquiera...

Y al pronunciar estas palabras, volvíase de espaldas para no ver más a Sabel, que se retiraba
lentamente.

Desde aquel punto y hora, Julián se desvió de
la muchacha como de un animal dañino e impú-
dico; no obstante, aún le parecía poco caritativo
atribuir a malos fines su desaliño indecoroso, prefiriendo achacarlo a ignorancia y rudeza. Pero ella
se había propuesto demostrar lo contrario. Poco
tiempo iba transcurrido desde la severa repriman-
da, cuando una tarde, mientras Julián leía tranquilamente la *Guía de pecadores*, sintió entrar a
Sabel, y notó sin levantar la cabeza que algo arreglaba en el cuarto. De pronto oyó un golpe, como
caída de persona contra algún mueble, y vio a la
moza recostada en la cama, despidiendo lastime-

ros ayes y hondos suspiros. Se quejaba de una
aflición, una cosa repentina, y Julián, turbado,
pero compadecido, acudió a empapar una toalla
para humederle las sienes, y a fin de ejecutarlo
se acercó a la acongojada enferma. Apenas se inclinó hacia ella, pudo —a pesar de su poca experiencia y ninguna malicia— convencerse de que
el supuesto ataque no era sino bellaquería gran-
dísima y sin vergüenza calificada. Una ola de
sangre encendió a Julián hasta el cogote: sintió
la cólera repentina, ciega, que rarísima vez fustigaba su linfa, y señalando a la puerta, exclamó:

—Se me va usted de aquí ahora mismo, o la
echo a empellones..., ¿entiende usted? No me
vuelva usted a cruzar esa puerta... Todo, todo lo
que necesite me lo traerá Cristóbal... ¡Largo inmediatamente!

Retiróse la moza cabizbaja y mohina, como
quien acaba de sufrir pesado chasco. Julián, por
su parte, quedó tembloroso, agitado, descontento
de sí mismo, cual suelen los pacíficos cuando ce-
den a un arrebato de ira: hasta sentía dolor físico
en el epigastrio. A no dudarlo, se había excedido;
debió dirigir a aquella mujer una exhortación
fervorosa, y no palabras de menosprecio. Su obligación de sacerdote era enseñar, corregir, perdo-
nar, no pisotear a la gente como a los bichos del
archivo. Al cabo Sabel tenía un alma, redimida
por la sangre de Cristo, igual que otra cualquiera. Pero ¿quién reflexiona? ¿Quién se modera
ante tal descaro? Hay un movimiento que llaman
los escolásticos *primo primis*: fatal e inevitable.
Así se consolaba el capellán. De todos modos, era
triste cosa tener que vivir con aquella mala hembra, no más púdica que las vacas. ¿Cómo podía
haber mujeres así? Julián recordaba a su madre,
tan modosa, siempre con los ojos bajos y la voz
almibarada y suave, con su *casabé* abrochado
hasta la nuez, sobre el cual, para mayor recato,

caía liso, sin arrugas, un pañolito de seda negra.
¡Qué mujeres! ¡Qué mujeres se encuentran por
el mundo!

Desde el funesto lance, tuvo Julián que barrer-
se el cuarto y subirse el agua, porque ni Cristobo
ni las criadas hicieron caso de sus órdenes, y a
Sabel no quería verla ni en pintura. Lo que más
extrañeza y susto le causó fue observar que Primitivo, después del suceso, no se recataba ya
para mirarle con fijeza terrible, midiéndole con
una ojeada que equivalía a una declaración de
guerra. Julián no podía dudar que estorbaba en
los pazos: ¿por qué? A veces meditaba en ello,
interrumpiendo la lectura de fray Luis de Grana-
da y de los seis libros de San Juan Crisóstomo
sobre el sacerdocio; pero al poco rato, descorazo-
nado por tanta mezquina contrariedad, desespe-
ranzado de ser útil jamás a la casa de Ulloa, se
enfrascaba nuevamente en las páginas místicas.

Seis

De los párrocos de las inmediaciones, con ninguno había hecho Julián tan buenas migas como
con don Eugenio, el de Naya. El abad de Ulloa,
al cual veía con más frecuencia, no le era simpá-
tico, por su desmedida afición al jarro y a la escopeta; y al abad de Ulloa, en cambio, le exas-
peraba Julián, a quien solía apodar *Mariquitas*,
porque para el abad de Ulloa la última de las de-
gradaciones en que podía caer un hombre era
beber agua, lavarse con jabón de olor y cortarse
las uñas: tratándose de un sacerdote, el abad ponía estos delitos en parangón con la simonía.
«Afeminaciones, afeminaciones», gruñía entre
dientes, convencidísimo de que la virtud en el
sacerdote, para ser de ley, ha de presentarse bronca, montuna y cerril, aparte de que un clérigo no

pierde, *ipso facto,* los fueros de hombre, y el hombre debe oler a bravío desde una legua. Con los demás curas de las parroquias cercanas tampoco frisaba mucho Julián; así es que, convidado a las funciones de iglesia, acostumbraba retirarse tan pronto como se acababan las ceremonias, sin aceptar jamás la comida, que era su complemento indispensable. Pero cuando don Eugenio le invitó con alegre cordialidad a pasar en Naya el día del patrón, aceptó de buen grado, comprometiéndose a no faltarle.

Según lo convenido, subió a Naya la víspera, rehusando la montura que le ofrecía don Pedro. ¡Para legua y media escasa! ¡Y con una tarde hermosísima! Apoyándose en un palo, dando tiempo a que anocheciese, deteniéndose a cada rato para recrearse mirando el paisaje, no tardó en llegar al cerro que domina el caserío de Naya, tan oportunamente, que vino a caer en medio del baile, que, al son de la gaita, bombo y tamboril, a la luz de los *fachones* de paja de centeno, encendidos y agitados alegremente, preludiaba a los regocijos patronales. Poco tardaron los bailarines en bajar hacia la rectoral, cantando y *atruxando* como locos, y con ellos descendió Julián.

El cura esperaba en la portalada misma; recogidas las mangas de su chaqueta, levantaba en alto un jarro de vino, y la criada sostenía la bandeja con vasos. Detúvose el grupo; el gaitero, vestido de pana azul, en actitud de cansancio, dejando desinflar la gaita, cuyo *punteiro* caía sobre los rojos flecos del roncón, se limpiaba la frente sudorosa con un pañuelo de seda, y los reflejos de la paja ardiendo y de las luces que alumbraban la casa del cura permitían distinguir su cara guapota, de correctas facciones, realzada por arrogantes patillas castañas. Cuando le sirvieron el vino, el rústico artista dijo cortésmente:

—¡A la salud del señor *abade* y la compañí·

Y después de echárselo al coleto, aún murmuró con mucha política, pasándose el revés de la mano por la boca:

—De hoy en veinte años, señor *abade*.

Las libaciones consecutivas no fueron acompañadas de más fórmulas de atención.

Disfrutaba el párroco de Naya de una rectoral espaciosa, alborozada a la sazón con los preparativos de la fiesta, y asistía impávido a los preliminares del saco y ruina de su despensa, bodega, leñera y huerto. Era don Eugenio joven y alegre como unas pascuas, y su condición, más que de padre de almas, de pilluelo revoltoso y ladino; pero bajo la corteza infantil se escondía singular don de gentes y conocimientos de la vida práctica. Sociable y tolerante, había logrado no tener un solo enemigo entre sus compañeros. Le conceptuaban un rapaz inofensivo.

Tras el pocillo de aromoso chocolate, dio a Julián la mejor cama y habitación que poseía, y le despertó cuando la gaita floreaba la alborada, rayando ésta apenas en los cielos. Fueron juntos los dos clérigos a revisar el decorado de los altares, compuestos ya para la misa solemne.

Julián pasaba la revista con especial devoción, puesto que el patrón de Naya era el suyo mismo, el bienaventurado San Julián, que allí estaba, en el altar mayor, con su carita inocentona, su extática sonrisilla, su chupa y calzón corto, su paloma blanca en la diestra, y la siniestra delicadamente apoyada en la chorrera de la camisola. La imagen modesta, la iglesia desmantelada y sin más adorno que algún rizado cirio y humildes flores aldeanas puestas en toscos cacharros de loza, todo excitaba en Julián tierna piedad, la efusión que le hacía tanto provecho, ablandándole y desentumeciéndole el espíritu. Iban llegando ya los curas de las inmediaciones, y en el atrio, tapizado de hierba, se oía al gaitero templar prolija-

mente el instrumento, mientras en la iglesia, el
hinojo, esparcido por las losas y pisado por los
que iban entrando, despedía olor campestre y
fresquísimo. La procesión se organizaba: San Julián había descendido del altar mayor; la cruz
y los estandartes oscilaban sobre el remolino de
gentes amontonadas ya en la estrecha nave, y los
mozos, vestidos de fiesta, con su pañuelo de seda
en la cabeza, en forma de burlete, se ofrecían a
llevar las insignias sacras. Después de dar dos
vueltas por el atrio y de detenerse breves instantes frente al crucero, el santo volvió a entrar en
la iglesia, y fue pujado, con sus andas, a una me-
silla, al lado del altar mayor, muy engalanada y
cubierta con antigua colcha de damasco y carmesí. La misa empezó, regocijada y rústica, en armonía con los demás festejos. Más de una docena
de curas la cantaban a voz en cuello, y el desven-
cijado incensario iba y venía, con retintín de ca-
denillas viejas, soltando un humo espeso y aro-
mático, entre cuya envoltura algodonosa parecía
suavizarse el desentono del *Introito*, la aspereza
de las broncas laringes eclesiásticas. El gaitero,
prodigando todos sus recursos artísticos, acompañaba con el *puntero* desmangado de la gaita
y haciendo oficios de clarinete. Cuando tenía que
sonar entera la orquesta, mangaba otra vez el
punteiro en el *fol*; así podía acompañar la eleva-
ción de la hostia con una solemne marcha real,
y el *Postcommunio* con una *muñeira* de las más
recientes y brincadoras, que, ya terminada la
misa, repetía en el vestíbulo, donde tandas de
mozos y mozas se desquitaban, bailando a su sabor, de la compostura guardada por espacio de
una hora en la iglesia. Y el baile en el atrio lleno
de luz; el templo sembrado de hojas de hinojo y
espadaña, que magullaron los pisotones; alumbrado, más que por los cirios, por el sol que puertas y ventanas dejaban entrar a torrentes; los

curas, jadeantes, pero satisfechos y habladores;
el santo, tan currutaco y lindo, muy risueño en
sus andas, con una pierna casi en el aire para
empezar un minueto, y la cándida palomita pron-
ta abrir las alas, todo era alegre, terrenal; nada
inspiraba la augusta melancolía que suele impe-
rar en las ceremonias religiosas. Julián se sentía
tan muchacho y contento como el santo bendito,
y salía ya a gozar el aire libre, acompañado de
don Eugenio, cuando en el corro de los bailado-
res distinguió a Sabel, lujosamente vestida de do-
mingo, girando con las demás mozas al compás
de la gaita. Esta vista le aguó un tanto la fiesta.

Era a semejante hora la rectoral de Naya un
infierno culinario, si es que los hay. Allí se reunían una tía y dos primas de don Eugenio —a
quienes por ser muchachas y frescas no quería
el párroco tener consigo a diario en la rectoral—;
el ama, viejecilla llorona, estorbosa e inútil, que
andaba dando vueltas como un palomino aton-
tado, y otra ama bien distinta, de rompe y rasga,
la del cura de Cebre, que en sus mocedades había servido a un canónigo compostelano, y era
célebre en el país por su destreza en batir man-
tequillas y asar capones. Esta fornida guisandera,
un tanto bigotuda, alta de pecho y de ademán
brioso, había vuelto la casa de arriba abajo en
pocas horas, barriéndola desde la víspera a grandes y furibundos escobazos, retirando al desván
los trastos viejos y empezando a poner en marcha el formidable ejército de guisos, echando a
remojo los lacones y garbanzos y revistando, con
rápida ojeada de general en jefe, la hidrópica despensa, atestada de dádivas de feligreses: cabritos, pollos, anguilas, truchas, ollas de vino, manteca y miel; perdices, liebres y conejos, chorizos
y morcillas. Conocido ya el estado de las provisiones, ordenó las maniobras del ejército: las
viejas se dedicaron a desplumar aves; las mozas,

a fregar y dejar como el oro peroles, cazos y sartenes, y un par de mozancones, uno de ellos idiota de oficio, a desollar reses y limpiar piezas de caza.

Si se encontrase allí algún maestro de la escuela pictórica flamenca, de los que han derramado la poesía del arte sobre la prosa de la vida doméstica y material, ¡con cuánto placer vería el espectáculo de la gran cocina, la hermosa actividad del fuego de leña, que acariciaba la panza reluciente de los peroles; los gruesos brazos del ama confundidos con la carne, no menos rolliza y sanguínea, del asado que aderezaba; las rojas mejillas de las muchachas, entretenidas en retozar con el idiota, como ninfas con un sátiro atado, arrojándole entre el cuero y la camisa puñados de arroz y cucuruchos de pimiento! Y momentos después, cuando el gaitero y los demás músicos vinieron a reclamar su parva o desayuno, el guiso de intestinos de castrón, hígado y bofes, llamado en el país *mataburrillo*, ¡cuán digna de su pincel encontraría la escena del rozagante apetito, de expansión del estómago, de carrillos hinchados y tragos de mosto despabilados al vuelo, que allí se representó entre bromas y risotadas!

¿Y qué valía todo ello en comparación del festín homérico preparado en la sala de la rectoral? Media docena de tablas, tendidas sobre otros tantos cestos, ayudaban a ensanchar la mesa cotidiana; por encima, dos limpios manteles de lamanisco sostenían grandes jarros rebosando tinto añejo; y haciéndoles frente, en una esquina del aposento, esperaban turno ventrudas ollas henchidas del mismo líquido. La vajilla era mezclada, y entre el estaño y barro vidriado descollaba algún talavera legítimo, capaz de volver loco a un coleccionista de los muchos que ahora se consagran a la arcana ciencia de los pucheros. Ante la mesa y sus apéndices, no sin mil cumplimientos y ceremonias, fueron tomando asiento los padres curas, porfiando bastante para ceder los asientos de preferencia, que al cabo tocaron al obeso arcipreste de Loiro —la persona más respetable en años y dignidad de todo el clero circunvecino, que no había asistido a la ceremonia por no ahogarse con las apreturas del gentío en la misa— y a Julián, en quien don Eugenio honraba a la ilustre casa de Ulloa.

Sentóse Julián avergonzado, y su confusión subió de punto durante la comida. Por ser nuevo en el país y haber rehusado siempre quedarse a comer en las fiestas, era blanco de todas las miradas. Y la mesa estaba imponente. La rodeaban unos quince curas y sobre ocho seglares, entre ellos el médico, notario y juez de Cebre, el señorito de Limioso, el sobrino del cura de Boán y el famosísimo cacique, conocido por el apodo de *Barbacana*, que, apoyándose en el partido moderado, a la sazón en el Poder, imperaba en el distrito y llevaba casi anulada la influencia de su rival, el cacique *Trampeta*, protegido por los unionistas y mal visto por el clero. En suma: allí se juntaba lo más granado de la comarca, faltando tan sólo el marqués de Ulloa, que vendría de fijo a los postres. La monumental sopa de pan, rehogada en grasa, con chorizo, garbanzos y huevos cocidos cortados en ruedas, circulaba ya en gigantescos tarterones, y se comía en silencio, jugando bien las quijadas. De cuando en cuando se atrevía algún cura a soltar frases de encomio a la habilidad de la guisandera; y el anfitrión, observando con disimulo quiénes de los convidados andaban remisos en mascar, los instaba a que se animasen, afirmando que era preciso aprovecharse de la sopa y del cocido, pues apenas había otra cosa. Creyéndolo así Julián, y no pareciéndole cortés desairar a su huésped, cargó la mano en la sopa y el cocido. Grande fue su terror cuando empezó a desfilar interminable serie de platos, los veintiséis tradicionales en la comida del patrón de Naya, no la más abundante que se servía en el arciprestazgo, pues Loiro se le aventajaba mucho.

Para llegar al número prefijado, no había recurrido la guisandera a los artificios con que la cocina francesa disfraza los manjares, bautizándolos con nombres nuevos o adornándolos con arambeles y engañifas. No, señor; en aquellas regiones vírgenes no se conocía, ¡loado sea Dios!, ninguna salsa o pebre de origen gabacho, y todo era neto, varonil y clásico, como la olla. ¿Veintiséis platos? Pronto se hace la lista: pollos asados, fritos, en pepitoria, estofados, con guisantes, con cebollas, con patatas y con huevos; apliquese el mismo sistema a la carne, al puerco, al pescado y al cabrito. Así, sin calentarse los cascos, presenta cualquiera veintiséis variados manjares.

¡Y cómo se burlaría la guisandera si, por arte de magia, apareciese allí un cocinero francés empeñado en redactar un *menú*, en reducirse a cuatro o seis principios, en alternar los fuertes con los ligeros y en conceder honroso puesto a la hortaliza! «¡Hortalizas a mí!», diría el ama del cura de Cebre, riéndose con toda su alma y todas sus caderas también. ¡Verduras el día del patrón! Son buenas para los cerdos.

Ahíto y mareado, Julián no tenía fuerzas sino para rechazar con la mano las fuentes, que no cesaban de circular, pasándoselas los convidados unos a otros: a bien que ya le observaban menos, pues la conversación se calentaba. El médico de Cebre, atrabiliario, magro y disputador; el notario, coloradote y barbudo, osaban decir chistes, referir anécdotas; el sobrino del cura de Boán, estudiante de Derecho, muy enamorado de condición, hablaba de mujeres, ponderaba la gracia de las señoritas de Molende y la lozanía de una panadera de Cebre, muy nombrada en el país; los curas al pronto no tomaron parte, y como Julián bajase la vista, algunos comensales, después de observarle de reojo, se hicieron los desentendidos. Mas duró poco la reserva; al ir vaciándose los jarros y desocupándose las fuentes, nadie quiso estar callado, y empezaron las bromas a echar chispas.

Máximo Juncal, el médico, recién salido de las aulas compostelanas, soltó varias puntadas sobre política, y también malignas pullas referentes al grave escándalo que a la sazón traía muy preocupados a los revolucionarios de provincias: sor Patrocinio, sus manejos, su influencia en Palacio. Alborotáronse dos o tres curas, y el cacique *Barbacana*, con suma gravedad, volviendo hacia Juncal su barba florida y luenga, díjole, desdeñosamente, una verdad como un templo: «que muchos hablaban de lo que no entendían», a lo cual el médico replicó, vertiendo bilis por ojos y labios, «que pronto iba a llegar el día de la gran barredura; que luego se armaría el tiberio del siglo, y que los *neos* irían a contarlo a casa de su padre Judas Iscariote».

Afortunadamente, profirió estos tremendos vaticinios a tiempo que la mayor parte de los párrocos se hallaban enzarzados en la discusión teológica, indispensable complemento de todo convite patronal. Liados en ella, no prestaron atención a lo que el médico decía ninguno de los que podían volvérsele al cuerpo: ni el bronco abad de Ulloa, ni el belicoso de Boán, ni el arcipreste, que, siendo más sordo que una tapia, resolvía las discusiones políticas a gritos, alzando el índice de la mano derecha como para invocar la cólera del cielo. En aquel punto y hora, y mientras corrían las fuentes de arroz con leche, canela y azúcar, y se agotaban las copas de tostado, llegaba a su período culminante la disputa, y se entreoían argumentos, proposiciones, objeciones y silogismos.

—*Nego majorem...*

—*Probo minorem...*

—¡Eh..., Boán! Que con mucho disimulo me estás echando abajo la gracia...

—Compadre, cuidado... Si adelanta usted un poquito más, nos vamos a encontrar con el libre albedrío perdido.

—Cebre, mira que vas por mal camino; ¡mira que te marchas con Pelagio!

—Yo a San Agustín me agarro y no le suelto.

—Esa proposición puede admitirse *simpliciter;* pero tomándola en otro sentido..., no cuela.

—Citaré autoridades, todas las que se me pidan. ¿A que no me citas tú ni media docena? A ver.

—Es sentir común de la Iglesia desde los primeros concilios.

—Es punto opinable, ¡*quoniam!* A mí no me vengas a asustar con concilios ni concilias.

—¿Querrás saber más que Santo Tomás?

—¿Y tú querrás ponerte contra el Doctor de la Gracia?

—¡Nadie es capaz de rebatirme esto! Señores..., la gracia...

—¡Que nos despeñamos de una vez! ¡Eso es herejía formal; es pelagianismo puro!

—¿Qué entiendes tú, qué entiendes tú?... Lo que tú censures, que me lo claven...

—Que diga el señor arcipreste... Vamos a aventurar algo a que no me deja mal el señor arcipreste.

El arcipreste era respetado más por su edad que por su ciencia teológica; y se sosegó un tanto el formidable barullo cuando se incorporó difícilmente, con ambas manos puestas tras los oídos, vertiendo sangre por la cara, a fin de dirimir, si cabía lograrlo, la contienda. Pero un incidente distrajo los ánimos: el señorito de Ulloa entraba seguido de dos perros perdigueros, cuyos cascabeles acompañaban su aparición con jubiloso repique. Venía, según su promesa, a tomar una copa a los postres; y la tomó en pie, porque le aguardaba un bando de perdices allá en la montaña.

Hízosele muy cortés recibimiento, y los que no pudieron agasajarle a él, agasajaron a la *Chula* y al *Turco*, que iban apoyando la cabeza en todas las rodillas, lamiendo aquí un plato y zampándose un bizcocho allá. El señorito de Limioso se levantó, resuelto a acompañar al de Ulloa en la excursión cinegética, para lo cual tenía prevenido lo necesario, pues rara vez salía del pazo de Limioso sin echarse la escopeta al hombro y el morral a la cintura.

Cuando partieron los dos hidalgos ya se había calmado la efervescencia de la discusión sobre la gracia, y el médico, en voz baja, le recitaba al notario ciertos sonetos satírico-políticos que entonces corrían bajo el nombre de belenes. Celebrábalos el notario, particularmente cuando el médico recalcaba los versos esmaltados de alusiones verdes y picantes. La mesa en desorden, manchada de salsas, ensangrentada de vino tinto, y el suelo lleno de huesos arrojados por los comensales menos pulcros, indicaban la terminación del festín. Julián hubiera dado algo bueno por poderse retirar; sentíase cansado, mortificado por la repugnancia que le inspiraban las cosas exclusivamente materiales; pero no se atrevía a interrumpir la sobremesa, y menos ahora, que se entregaban al deleite de encender algún pitillo y murmurar de las personas más señaladas en el país. Se trataba del señorito de Ulloa, de su habilidad para tumbar perdices, y sin que Julián adivinase la causa, se pasó inmediatamente a hablar de Sabel, a quien todos habían visto por la

mañana en el corro de baile; se encomió su palmito, y al mismo tiempo se dirigieron a Julián
señas y guiños, como si la conversación se rela-
cionase con él. El capellán bajaba la vista, según
costumbre, y fingía doblar la servilleta; mas de
improviso, sintiendo uno de aquellos chispazos
de cólera repentina y momentánea, que no era
dueño de refrenar, tosió, miró en derredor y soltó unas cuantas asperezas y severidades, que hicieron enmudecer a la asamblea. Don Eugenio, al
ver aguada la sobremesa, optó por levantarse,
proponiendo a Julián que saliesen a tomar el fresco en la huerta; algunos clérigos se alzaron también, anunciando que iban a echar Completas;
otros se escurrieron en compañía del médico, el
notario, el juez y *Barbacana*, a menear los naipes
hasta la noche.

Refugiáronse en el huerto el cura de Naya y
Julián, pasando por la cocina, donde la algazara
de los criados, primas del cura, cocineras y músicos era formidable, y los jarros se evaporaban,
y la comilona amenazaba durar hasta el sol puesto. El huerto, en cambio, permanecía en su tranquilo y poético sosiego primaveral, con una brisa
fresquita que columpiaba las últimas flores de
los perales y los cerezos y acariciaba el recio follaje de las higueras, a cuya sombra, en un ribazo
de mullida grama, se tendieron ambos presbíte-
ros, no sin que don Eugenio, sacando un pañuelo
de algodón a cuadros, se tapase con él la cabeza
para resguardarla de las importunidades de alguna mosca precoz. A Julián todavía le duraba el
sofoco, la llamarada de indignación; pero ya le
pesaba de su impaciencia, y resolvía ser más sufrido en lo venidero. Aunque bien mirado...

—¿Quiere *escotar* un sueño? —preguntó el de
Naya, al verle tan cabizbajo y mustio.

—No; lo que yo quería, Eugenio, era pedirle
que me dispensase el enfado que tomé allá en la

mesa... Conozco que soy a veces así..., un poco vivo..., y luego hay conversaciones que me sacan de tino, sin poderlo remediar. Usted póngase en mi caso.

—Pongo, pongo... Pero a mí me están embromando también a cada rato con las primas..., y hay que aguantar, que no lo hacen con mala intención: es por reírse un poco.

—Hay bromas de bromas, y a mí me parecen delicadas para un sacerdote las que tocan a la honestidad y a la pureza. Si aguanta uno por respetos humanos esos dichos, acaso pensarán que ya tiene medio perdida la vergüenza para los hechos. ¿Y qué sé yo si algunos, no digo de los sacerdotes..., no quiero hacerles tal ofensa..., pero de los seglares, creerá que en efecto...?

El de Naya aprobó con la cabeza, como quien reconoce la fuerza de una observación; pero, al mismo tiempo, la sonrisa con que lucía la desigual dentadura era suave e irónica protesta contra tanta rigidez.

—Hay que tomar el mundo según viene... —murmuró filosóficamente—. Ser bueno es lo que importa, porque ¿quién va a tapar la boca a los demás? Cada uno habla de lo que le parece y gasta las guasas que quiere... En teniendo la conciencia tranquila...

—No, señor; no, señor; poco a poco —replicó, acaloradamente, Julián—. No sólo estamos obligados a ser buenos, sino a parecerlo; y aún es peor en un sacerdote, si me apuran, el mal ejemplo y el escándalo que el mismo pecado. Usted bien lo sabe, Eugenio; lo sabe mejor que yo, porque tiene cura de almas.

—También usted se apura ahí por una chanza, por una tontería, lo mismo que si ya todo el mundo le señalase con el dedo. Se necesita una vara de correa para vivir entre gentes... A este paso, no le arriendo la ganancia, porque no va a sacar para disgustos.

Caviloso y cejijunto, había cogido Julián un palito que andaba por el suelo, y se entretenía en clavarlo en la hierba. Levantó la cabeza de pronto.

—Eugenio, ¿es mi amigo?

—Siempre, hombre, siempre —contestó, afable y sinceramente, el de Naya.

—Pues séame franco. Hábleme como si estuviésemos en el confesonario. ¿Se dice por ahí... eso?

—¿Lo qué?

—Lo de que yo... tengo algo que ver con esa muchacha. ¿Eh? Porque puede usted creerme, y se lo juraría, si fuese lícito jurar; bien sabe Dios que la tal mujer hasta me es aborrecible, y que no la habré mirado a la cara media docena de veces desde que estoy en los pazos.

—No, pues a la cara se la puede mirar, que la tiene como una rosa... ¡Ea!, sosiéguese; a mí se me figura que nadie piensa mal de usted con Sabel. El marqués no inventó la pólvora, es cierto que no, y la moza se distraerá con los de su clase cuanto quiera..., dígalo el bailoteo en la gaita de hoy...; pero no iba a tener la desvergüenza de pegársela en sus barbas con el mismo capellán. Hombre, no hagamos tan estúpido al marqués.

Julián se volvió, más bien arrodillado que sentado en la grama, con los ojos abiertos de par en par.

—Pero... el señorito...; ¿qué tiene que ver el señorito...?

El cura de Naya saltó, a su vez, sin que ninguna mosca le picase, y prorrumpió en juvenil carcajada. Julián, comprendiendo, preguntó nuevamente:

—Luego el chiquillo..., el Perucho...

Tornó don Eugenio a reír, hasta el extremo de

limpiarse los lagrimales con el pañuelo de cuadros.

—No se ofenda... —murmuraba entre risa y llanto—. No se ofenda porque me río así... Es que, de veras, no me puedo contener cuando me pega la risa; un día hasta me puse malo... Esto es como las cosqui..., cosquillas..., involuntario...

Aplacado el acceso de risa, don Eugenio añadió:

—Es que yo siempre le tuve a usted por un bienaventurado, como nuestro patrón San Julián...; pero esto pasa de castaño oscuro... ¡Vivir en los pazos y no saber lo que ocurre en ellos! ¿O es que quiere hacerse el bobo?

—A fe, no sospechaba nada, nada, nada. ¿Usted piensa que iba a quedarme allí ni dos días, caso de averiguarlo antes? ¿Autorizar con mi presencia un amancebamiento? Pero... ¿usted está seguro de lo que dice?

—Hombre..., ¿tiene usted ganas de cuentos? ¿Es usted ciego? ¿No lo ha notado? Pues repárelo.

—¡Qué sé yo! ¡Cuando uno no está en la malicia! Y el niño..., ¡infeliz criatura! El niño me da tanta compasión... Allí se cría como un morito... ¿Se comprende que haya padres tan sin entrañas?

—¡Bah!... Esos hijos así, nacidos por detrás de la iglesia... Luego, si uno oye a los de aquí y a los de allá... Cada cual dice lo que se le antoja... La moza es alegre como unas castañuelas; todo el mundo en las romerías le debe dos cuartos: uno la convida a rosquillas; el otro, a *resolio*; éste la saca a bailar; aquél la empuja... Se cuentan mil enredos... ¿Usted se ha fijado en el gaitero que tocó en la misa?

—¿Un buen mozo con patillas?

—Cabal. Le llaman el *Gallo* de mote. Pues dicen si la acompaña o no por los caminos... ¡Historias!

Por detrás de la tapia del huerto se oyó entonces vocerío alegre y argentinas carcajadas.

—Son las primas... —dijo don Eugenio—. Van a la gaita, que está tocando en el crucero ahora. ¿Quiere usted venir un ratito? A ver si le pasa el disgusto... Ahí, en casa, unos rezan y otros juegan... Yo no rezo nunca sobre la comida.

—Vamos allá —contestó Julián, que se había quedado ensimismado.

—Nos sentaremos al pie del crucero.

Siete

Volvía Julián preocupado a la casa solariega, _ancestral_ acusándose de excesiva simplicidad por no haber reparado en cosas de tanto bulto. El era sencillo como la paloma; sólo que en este pícaro mundo también se necesita ser cauto _cautious_ como la serpiente... Ya no podía continuar en los pazos... ¿Cómo volvía a cuestas de su madre, sin más emolumentos que la misa? ¿Y cómo dejaba así, de golpe, al señorito don Pedro, que le trataba tan llanamente? ¿Y la casa de Ulloa, que necesitaba un restaurador celoso y adicto? Todo era verdad; pero ¿y su deber de sacerdote católico?

Le acongojaban estos pensamientos al cruzar un maizal, en cuyo lindero manzanillas y cabrifollos despedían grato aroma. Era la noche templada y benigna, y Julián apreciaba por primera vez la dulce paz del campo, aquel sosiego que derrama en nuestro combatido espíritu la madre Naturaleza. Miró al cielo, alto y oscuro.

—¡Dios sobre todo! —murmuró, suspirando, al pensar que tendría que habitar un pueblo de calles angostas y encontrarse con gente a cada paso.

Siguió andando, guiado por el ladrido lejano de los perros. Ya divisaba próxima la vasta mole de los pazos. El postigo debía de estar abierto. Julián distaba de él unos cuantos pasos no más, cuando oyó dos o tres gritos que le helaron la sangre; clamores inarticulados, como de alimaña herida, a los cuales se unía el desconsolado llanto de un niño.

Engolfóse el capellán en las tenebrosas profundidades de corredor y bodega, y llegó velozmente a la cocina. En el umbral se quedó paralizado de asombro ante lo que iluminaba la luz fuliginosa del candilón. Sabel, tendida en el suelo, aullaba desesperadamente; don Pedro, loco de furor, la abrumaba a culatazos; en una esquina, Perucho, con los puños metidos en los ojos, sollozaba. Sin reparar lo que hacía, arrojóse Julián hacia el grupo, llamando al marqués con grandes voces:

—¡Señor don Pedro!... ¡Señor don Pedro!

Volvióse el señor de los pazos, y se quedó inmóvil, con la escopeta empuñada por el cañón, jadeante, lívido de ira, los labios y las manos agitados por temblor horrible; y en vez de disculpar su frenesí o de acudir a la víctima, balbució roncamente:

—¡Perra..., perra..., condenada...; a ver si nos das pronto de cenar, o te deshago! ¡A levantarse..., o te levanto con la escopeta!

Sabel se incorporaba, ayudada por el capellán, gimiendo y exhalando entrecortados ayes. Tenía aún el traje de fiesta, con el cual la viera Julián danzar pocas horas antes junto al crucero y en el atrio; pero el mantelo de rico paño se encontraba manchado de tierra; el dengue de grana se le caía de los hombros, y uno de sus largos zarcillos, de filigrana de plata, abollado por un culatazo, se le había clavado en la nuca, por donde escurrían algunas gotas de sangre. Cinco verdugones rojos en la mejilla de Sabel contaban bien a las claras cómo había sido derribada la intrépida bailadora.

—¡La cena, he dicho! —repitió, brutalmente, don Pedro.

Sin contestar, pero no sin gemir, dirigióse la muchacha hacia el rincón donde hipaba el niño, y le tomó en brazos, apretándole mucho. El angelote seguía llorando a moco y baba. Don Pedro se acercó entonces, y, mudando de tono, preguntó:

—¿Qué es eso? ¿Tiene algo Perucho?

Púsole la mano en la frente y la sintió húmeda. Levantó la palma: era sangre. Desviando entonces los brazos, apretando los puños, soltó una blasfemia, que hubiera horrorizado más a Julián si no supiese, desde aquella tarde misma, que acaso tenía ante sí a un padre que acababa de herir a su hijo. Y el padre resurgía, maldiciéndose a sí propio, apartando los rizos del chiquillo, mojando un pañuelo en agua y atándolo con un cuidado indecible sobre la descalabradura.

—A ver cómo le cuidas... —gritó, dirigiéndose a Sabel—. Y cómo haces la cena en un vuelo... ¡Yo te enseñaré, yo te enseñaré a pasarte las horas en las romerías sacudiéndote, perra!

Con los ojos fijos en el suelo, sin quejarse ya, Sabel permanecía parada, y su mano derecha tentaba suavemente su hombro izquierdo, en el cual debía de tener alguna dolorosa contusión. En voz baja y lastimera, pero con suma energía, pronunció, sin mirar al señorito:

—Busque quien le haga la cena... y quien esté aquí... Yo me voy, me voy, me voy, me voy...

Y lo repetía obstinadamente, sin entonación, como el que afirma una cosa natural e inevitable.

—¿Qué dices, bribona?

—Que me voy, que me voy... A mi casita pobre... ¿Quién me trajo aquí?... ¡Ay mi madre de mi alma!

Rompió la moza a llorar amarguísimamente, y el marqués, requiriendo su escopeta, rechinaba los dientes de cólera, dispuesto ya a hacer alguna barrabasada notable, cuando un nuevo personaje entró en escena. Era Primitivo, salido de un rincón oscuro; diríase que estaba allí oculto hacía rato. Su aparición modificó instantáneamente la actitud de Sabel, que tembló, calló y contuvo sus lágrimas.

—¿No oyes lo que te dice el señorito? —preguntó, sosegadamente, el padre a la hija.

—Oi-go, sii-señooor, oi-go... —tartamudeó la moza, comiéndose los sollozos.

—Pues a hacer la cena en seguida. Voy a ver si volvieron ya las otras muchachas para que te ayuden. La *Sabia* está ahí fuera: te puede encender la lumbre.

Sabel no replicó nada. Arremangóse la camisa y bajó de la espetera una sartén. Como evocada por alguna de sus compañeras en hechicerías, entró en la cocina entonces, pisando de lado, la vieja de las greñas blancas, la *Sabia*, que traía el enorme mandil atestado de leña. El marqués tenía aún la escopeta en la mano; cogiósela respetuosamente Primitivo y la llevó al sitio de costumbre. Julián, renunciando a consolar al niño, creyó llegada la ocasión de dar un golpe diplomático.

—Señor marqués..., ¿quiere que tomemos un poco el aire? Está la noche muy buena... Nos pasearemos por el huerto...

Y para sus adentros pensaba: «En el huerto le digo que me voy también... No se ha hecho para mí esta vida ni esta casa.»

Salieron al huerto. Oíase el croar de las ranas en el estanque, pero ni una hoja de los árboles se movía: tal estaba la noche de serena. El capellán cobró ánimos, pues la oscuridad alienta mucho a decir cosas difíciles.

—Señor marqués, yo siento tener que advertirle...

Volvióse el marqués bruscamente.

—¡Ya sé!... ¡Chis!... No necesitamos gastar saliva. Me ha pescado usted en uno de esos momentos en que el hombre no es dueño de sí... Dicen que no se debe pegar nunca a las mujeres... Francamente, don Julián, según ellas sean... Hay mujeres de mujeres, ¡caramba!..., y ciertas cosas acabarían con la paciencia del santo Job que resucitase. Lo que siento es el golpe que le tocó al chiquillo.

—Yo no me refería a eso... —murmuró Julián—. Pero si quiere que le hable con el corazón en la mano, como es mi deber, creo no está bien maltratar así a nadie..., y por la tardanza de la cena no merece...

—¡La tardanza de la cena! —prorrumpió el señorito—. ¡La tardanza! A ningún cristiano le gusta pasarse el día en el monte, comiendo frío, y llegar a casa y no encontrar bocado caliente; pero ¡si esa mala hembra no tuviese otras mañas! ¿No la ha visto usted? ¿No la ha visto usted todo el día, allá en Naya, bailoteando como una descosida, sin vergüenza? ¿No la ha encontrado usted a la vuelta, bien acompañada? ¡Ah!... ¿Usted cree que se vienen solitas las mozas de su calaña? ¡Ja, ja, ja! Yo la he visto, con estos ojos, y le aseguro a usted que si tengo algún pesar es el de no haberle roto una pierna, para que no baile más por unos cuantos meses.

Guardó silencio el capellán, sin saber qué responder a la inesperada revelación de celos feroces. Al fin calculó que se le abría camino para soltar lo que tenía atravesado en la garganta.

—Señor marqués —murmuró—, dispénseme la libertad que me tomo... Una persona de su clase no se debe rebajar a importársele por lo que haga o no haga la criada... La gente es maliciosa, y pensará que usted trata con esa chica... Digo, ¡pensará! Ya lo piensa todo el mundo... Y el caso es que yo..., vamos..., no puedo permanecer en una casa donde, según la voz pública, vive un cristiano en concubinato... Nos está prohibido severamente autorizar con nuestra presencia el escándalo y hacernos cómplices de él. Lo siento a par de alma, señor marqués; puede creerme que hace tiempo no tuve un disgusto igual.

El marqués se detuvo con las manos sepultadas en los bolsillos.

—¡*Leria, leria!* —murmuró—. Es preciso hacerse cargo de lo que es la juventud y la robustez... No me predique un sermón, no me pida imposibles. ¡Qué diantre! El que más y el que menos es hombre como todos.

—Yo soy un pecador —replicó Julián—, solamente que veo claro en este asunto, y por los favores que debo a usted y el pan que le he comido, estoy obligado a decir la verdad. Señor marqués, con franqueza: ¿no le pesa de vivir así encenagado? ¡Una cosa tan inferior a su categoría y a su nacimiento! ¡Una triste criada de cocina!

Siguieron andando, acercándose a la linde del bosque, donde concluía el huerto.

—¡Una bribona desorejada, que es lo peor! —exclamó el marqués, después de un rato de silencio—. Oiga usted... —añadió, arrimándose a un castaño—. A esa mujer, a Primitivo, a la condenada bruja de la *Sabia*, con sus hijas y nietas, a toda esa gavilla, que hace de mi casa merienda de negros; a la aldea entera, que los encubre, era preciso cogerlos así —y agarraba una rama del castaño, triturándola en menudos fragmentos— y deshacerlos. Me están saqueando, me comen vivo...; y cuando pienso en que esa tunanta me aborrece y se va de mejor gana con cualquier gañán de los que acuden descalzos a alquilarse para majar el centeno, ¡tengo mientes de aplastarle los sesos como a una víbora!

Julián oía estupefacto aquellas miserias de la vida pecadora, y se admiraba de lo bien que teje el diablo sus redes.

—Pero, señor... —balbució—, si usted mismo lo conoce y lo comprende...

—¿Pues no lo he de comprender? ¿Soy estúpido, acaso, para no ver que esa desvergonzada huye de mí, y cada día tengo que cazarla como a una liebre? ¡Sólo está contenta entre los demás labriegos, con la hechicera, que le trae y lleva chismes y recados a los mozos! A mí me detesta. A la hora menos pensada me envenenará.

—Señor marqués, ¡yo me pasmo! —arguyó el capellán eficazmente—. ¡Que usted se apure por una cosa tan fácil de arreglar! ¿Tiene más que poner a semejante mujer en la calle?

Como ambos interlocutores se habían acostumbrado a la oscuridad, no sólo vio Julián que el marqués meneaba la cabeza, sino que torcía el gesto.

—Bien se habla... —pronunció sordamente—. Decir es una cosa, y hacer es otra... Las dificultades se tocan en la práctica. Si echo a ese enemigo, no encuentro quien me guise ni quien venga a servirme. Su padre... ¿Usted no lo creerá? Su padre tiene amenazadas a todas las mozas de que a la que entre aquí en marchándose su hija, le mete él una perdigonada en los lomos. Y saben que es hombre para hacerlo como lo dice. Un día cogí yo a Sabel por un brazo y la puse en la puerta de la casa; la misma noche se me despidieron las otras criadas. Primitivo se fingió enfermo, y estuve una semana comiendo en la rectoral y haciéndome la cama yo mismo... Y tuve que pedirle a Sabel, de favor, que volviese... Desengáñese usted: pueden más que nosotros. Esa comparsa que traen alrededor son paniaguados suyos, que

los obedecen ciegamente. ¿Piensa usted que yo
ahorro un ochavo aquí, en este desierto? ¡Quiá!
Vive a mi cuenta toda la parroquia. Ellos se beben
mi cosecha de vino; mantienen sus gallinas con
mis frutos; mis montes y mis sotos les suminis-
tran leña; mis hórreos les surten de pan; la renta
se cobra tarde, mal y arrastro; yo sostengo siete
u ocho vacas, y la leche que bebo cabe en el hueco
de la mano; en mis establos hay un rebaño de
bueyes y terneros que jamás se uncen para labrar
mis tierras; se compran con mi dinero, eso sí,
pero luego se dan en aparcería y no se me rinden
cuentas jamás.

—¿Por qué no pone otro mayordomo?

—¡Ay, ay, ay! ¡Como quien dice nada! Una de
dos: o sería hechura de Primitivo, y entonces estábamos en lo mismo, o Primitivo le largaría un
tiro en la barriga... Y si hemos de decir verdad,
Primitivo no es mayordomo... Es peor que si lo
fuese, porque manda en todos, incluso en mí;
pero yo no le he dado jamás semejante mayordo-
mía... Aquí el mayordomo fue siempre el capellán... Ese Primitivo no sabrá casi leer ni escribir,
pero es más listo que una centella, y ya en vida
de tío Gabriel se echaba mano de él para todo...
Mire usted: lo cierto es que el día que él se cruza
de brazos, se encuentra uno colgadito... No hablemos ya de la caza, que para eso no tiene par; a
mí me faltarían los pies y las manos si me faltase
Primitivo... Pero en los demás asuntos es igual...
Su antecesor de usted, el abad de Ulloa, no se
valía sin él; y usted, que también ha venido en
concepto de administrador, séame franco: ¿ha
podido usted amañarse solo?

—La verdad es que no —declaró Julián humildemente—. Pero con el tiempo..., la práctica...

—¡Bah, bah! A usted no le obedecerá ni le
hará caso jamás ningún paisano, porque es usted
un infeliz, es usted demasiado bonachón. Ellos

necesitan gente que conozca sus máculas y les dé
ciento de ventaja en picardías.

Por depresiva que fuese para el amor propio
del capellán la observación, hubo de reconocer su
exactitud No obstante, picado ya, se propuso agotar los recursos del ingenio para conseguir la victoria en lucha tan desigual. Y su caletre le sugirió
la siguiente perogrullada:

—Pero, señor marqués..., ¿por qué no sale un
poco al pueblo? ¿No sería ése el mejor modo de
desenredarse? Me admiro de que un señorito
como usted pueda aguantar todo el año aquí, sin
moverse de estas montañas fieras... ¿No se
aburre?

El marqués miraba al suelo, aun cuando en él
no había cosa digna de verse. La idea del capellán
no le cogía de sorpresa.

—¡Salir de aquí! —exclamó—. ¿Y adónde demontre se va uno? Siquiera aquí, mal o bien, es
uno el rey de la comarca... El tío Gabriel me lo
decía mil veces: las personas decentes, en las po-
blaciones, no se distinguen de los zapateros... Un
zapatero que se hace millonario metiendo y sacando la lezna, se sube encima de cualquier señor
de los que lo somos de padres a hijos... Yo estoy
muy acostumbrado a pisar tierra mía y a andar
entre árboles, que corto si se me antoja.

—Pero ¡al fin, señorito, aquí le manda Primitivo!

—¡Bah!... A Primitivo le puedo yo dar tres docenas de puntapiés, si se me hinchan las narices,
sin que el juez me venga a empapelar... No lo
hago; pero duermo tranquilo con la seguridad de
que no lo haría si quisiese. ¿Cree usted que Sabel
irá a quejarse a la Justicia de los culatazos de
hoy?

Esta lógica de la barbarie confundía a Julián.

—Señor, yo no le digo que deje esto... Unicamente que salga una temporada a ver cómo le

prueba... Apartándose usted de aquí algún tiempo, no sería difícil que Sabel se casase con persona de su esfera, y que usted también encontrase una conveniencia arreglada a su calidad, una esposa legítima. Cualquiera tiene un desliz: la carne es flaca; por eso no es bueno para el hombre vivir solo, porque se encenaga, y, como dijo quien lo entendía, es mejor casarse que abrasarse en concupiscencias, señor don Pedro. ¿Por qué no se casa, señorito? —exclamó juntando las manos—. ¡Hay tantas señoritas buenas y honradas!

A no ser por la oscuridad, vería Julián chispear los ojos del marqués de Ulloa.

—¿Y cree usted, santo de Dios, que no se me había ocurrido a mí? ¿Piensa usted que no sueño todas las noches con un chiquillo que se me parezca, que no sea hijo de esa bribona, que continúe el nombre de la casa..., que herede esto cuando yo me muera..., y que se llame Pedro Moscoso, como yo?

Al decir esto, golpeábase el marqués su fornido tronco, su pecho varonil, cual si de él quisiese hacer brotar, fuerte y adulto ya, al codiciado heredero. Julián, lleno de esperanza, iba a animarle en tan buenos propósitos; pero se estremeció de repente, pues creyó sentir a sus espaldas un rumor, un roce, el paso de un animal por entre la maleza.

—¿Qué es eso? —exclamó, volviéndose—. Parece que anda por aquí el zorro.

El marqués le cogió del brazo.

—Primitivo... —articuló en voz baja y ahogada de ira—. Primitivo, que nos atisbará hace un cuarto de hora, oyendo la conversación... Ya está usted fresco... Nos hemos lucido... ¡Me valga Dios y los santos de la corte celestial! También a mí se me acaba la cuerda. ¡Vale más ir a presidio que llevar esta vida!

Ocho

Mientras se raía con la navaja de barba los contados pelos rubios que brotaban por sus carrillos, Julián maduraba un proyecto. Afeitado y limpio que fuese, emprendería el camino de Cebre un pie tras otro, en el caballo de San Francisco; allí le pediría al cura una jícara de chocolate, y esperaría en la rectoral hasta las doce, hora en que pasa la diligencia de Orense a Santiago; malo sería que en el interior o cupé no hubiese un asiento vacante. Tenía dispuesto su maletín; lo enviaría a buscar desde Cebre por un mozo. Y calculando así, miraba contristado el paisaje ameno, el huerto con su dormilón estanque, el umbrío manchón del soto, la verdura de los prados y maizales, la montaña, el limpio firmamento, y se le prendía el alma en el atractivo de aquella dulce soledad y silencio, tan de su gusto, que deseaba pasar allí la vida toda. ¡Cómo ha de ser! Dios nos lleva y trae según sus fines... No, no era Dios, sino el pecado, en figura de Sabel, quien le arrojaba del paraíso... Le agitó semejante idea y se cortó dos veces la mejilla... Estuvo próximo a inferirse el tercer rasguño, porque le dieron una palmada en el hombro.

Se volvió. ¿Quién había de conocer a don Pedro, tan metamorfoseado como venía? Afeitado también, aunque sin detrimento de su barba, que brillaba, suavizada por el aceite de olor; trascendiendo a·jabón y a ropa limpia; vestido con traje de mezclilla, chaleco de piqué blanco, hongo azul y al brazo un abrigo, parecía el señor de Ulloa otro hombre nuevo y diferente, con veinte grados más de educación y cultura que el antiguo. De golpe lo comprendió todo Julián..., y la sangre le dio gozoso vuelco.

—¡Señorito!

—¡Ea!; despachar, que corre prisa... Tiene usted que acompañarme a Santiago, y necesitamos llegar a Cebre antes de mediodía.

—¿De veras viene usted? *¡Mismo* parece cosa de milagro! Yo estuve hoy arreglando la maleta. ¡Bendito sea Dios! Pero si usted determina que entre tanto me quede aquí...

—¡No faltaba otra cosa! Si salgo solo, se me agua la fiesta. Voy a dar una sorpresa al tío Manolo, y a conocer a las primas, que sólo las he visto cuando eran unas mocosas... Si ahora me desanimo, no vuelvo a animarme en diez años. Ya he mandado a Primitivo que ensille la yegua y ponga el aparejo a la borrica.

En aquel punto asomó por la puerta un rostro que a Julián se le antojó siniestro, y acaso pensó otro tanto el marqués, pues preguntó, impaciente:

—Vamos a ver, ¿qué ocurre?

—La yegua —respondió Primitivo, sin alzar la voz— no sirve para el camino.

—¿Por qué razón? ¿Puede saberse?

—Está sin una *ferradura* siquiera —declaró, serenamente, el cazador.

—¡Mal rayo que te parta! —vociferó el marqués, echando fuego por los ojos—. ¡Ahora me dices eso! ¿Pues no es cuenta tuya cuidar de que esté herrada? ¿O he de llevarla yo al herrador todos los días?

—Como no sabía que el señorito quisiese salir hoy...

—Señor —intervino Julián—, yo iré a pie. Al fin tenía determinado dar ese paseo. Lleve usted la burra.

—Tampoco hay burra —objetó el cazador, sin pestañear ni mover un solo músculo de su faz broncínea.

—¿Que... no... hay... burraaaa? —articuló, apretando los puños, don Pedro—. ¿Que no... la...

hayyy? A ver, a ver... Repíteme eso, en mi cara.

El hombre de bronce no se inmutó al reiterar fríamente:

—No hay burra.

—¡Pues así Dios me salve, la ha de haber y tres más; y si no, por quien soy que os pongo a todos a cuatro patas y me lleváis a caballo hasta Cebre!

Nada replicó Primitivo, incrustado en el quicio de la puerta.

—Vamos claros: ¿cómo es que no hay burra?

—Ayer, al volver del pasto, el rapaz que la cuida le encontró dos puñaladas... Puede el señorito verla.

Disparó don Pedro una imprecación y bajó de dos en dos las escaleras. Primitivo y Julián le seguían. En la cuadra, el pastor, adolescente de cara estúpida y escrofulosa, confirmó la versión del cazador. Allí, en el fondo del establo, columbraron al pobre animal, que temblaba, con las orejas gachas y el ojo mortecino; la sangre de sus heridas, en negro reguero, se había coagulado desde el anca a los cascos. Julián experimentó en el establo, sombrío y lleno de telarañas, impresión análoga a la que sentiría en el teatro de un crimen. Por lo que hace al marqués, quedóse suspenso un instante, y de súbito, agarrando al pastor por los cabellos, se los mesó y refregó con furia, exclamando:

—¡Para que otra vez dejes acuchillar a los animales..., toma..., toma..., toma...!

Rompió el chico a llorar becerrilmente, lanzando angustiosas miradas al impasible Primitivo. Don Pedro se volvió hacia éste.

—*Pilla* ahora mismo mi saco y la maleta de don Julián... ¡Volando!... Nos vamos a pie hasta Cebre... Andando bien, tenemos tiempo de coger el coche.

Obedeció el cazador sin perder su helada calma.

Bajó la maleta y el saco; pero, en vez de cargar ambos objetos a hombros, entregó cada bulto a un mozo de campo, diciendo lacónicamente.

—Vas con el señorito.

Sorprendióse el marqués y miró a su montero con desconfianza. Jamás perdonaba Primitivo la ocasión de acompañarle, y extrañaba su retraimiento entonces. Por la imaginación de don Pedro cruzaron rápidas vislumbres de recelo; y como si Primitivo lo adivinase, probó a disiparlo:

—Yo tengo ahí que atender al rareo del soto de Rendas... Están los castaños tan apretados, que no se ve... Ya andan allá los leñadores... Pero sin mí no se desenvuelven...

Encogióse de hombros el señorito, calculando que acaso Primitivo se proponía ocultar en el soto la vergüenza de su derrota. No obstante, como creía conocerle, hacíasele duro que abandonase la partida sin desquite. Estuvo a punto de exclamar: «¡Acompáñame!» Presintió resistencia, y pensó para su sayo: «¡Qué demonio! Más vale dejarle. Aunque se empeñe, no me ha de cortar el paso... Y si cree que puede conmigo...»

Fijó, sin embargo, una mirada escrutadora en las enjutas facciones del cazador, donde creía advertir, muy encubierta y disimulada, cierta contracción diabólica.

«¿Qué estará rumiando este zorro? —cavilaba el señorito—. Sin alguna no escapamos. ¡No, pues como se desmande...! Me coge hoy a punto de caramelo.»

Subió don Pedro a su habitación, y volvió con la escopeta al hombro. Julián le miraba, sorprendido de que tomase el arma yendo de viaje. De pronto, el capellán recordó algo también y se dirigió a la cocina.

—¡Sabel! —gritó—. ¡Sabel! ¿Dónde está el niño, mujer? Le quería dar un beso.

Sabel salió y volvió con el chiquillo, agarrado a

sus sayas. Le había encontrado escondido en el pesebre de las vacas, su rincón favorito, y el diablillo traía los rizos entretejidos con hierba y flores silvestres. Estaba precioso. Hasta la venda de la descalabradura le asemejaba al Amor. Julián le levantó en peso, besándole en ambos carrillos.

—Sabel, mujer, lávalo de cuando en cuando siquiera... Por las mañanas...

—Vámonos, vámonos... —apremió el marqués desde la puerta, como si recelase acercarse a la mujer y al niño—. Hace falta el tiempo... Se nos va a marchar el coche.

Si Sabel deseaba retener a aquel fugitivo Eneas, no dio de ello la más leve señal, pues se volvió con gran sosiego a sus potes y trébedes. Don Pedro, a pesar de la urgencia alegada para apurar a Julián, aguardó dos minutos en la puerta, quizá con la ilusión recóndita de ser atendido por la muchacha; pero al fin, encogiéndose de hombros, salió delante, y echó a andar por la senda, abierta entre viñas, que conducía al crucero. Era el paraje descubierto, aunque el terreno quebrado, y el señorito podía otear fácilmente, a derecha e izquierda, todo cuanto sucediese; ni una liebre brincaría por allí sin que sus ojos linces de cazador la avizorasen. Aunque departiendo con Julián acerca de la sorpresa que se le preparaba a la familia De la Lage, y de si amenazaba llover, porque el cielo se había encapotado, no descuidaba el marqués observar algo que debía de interesarle muchísimo. Un instante se paró, creyendo divisar la cabeza de un hombre allá lejos, detrás de los paredones que cerraban la viña. Pero a tal distancia no consiguió cerciorarse. Vigiló más atento.

Acercábanse al soto de Rendas, situado antes del crucero; desde allí el arbolado se espesaba y se dificultaba la precaución. Orillaron el soto, llegaron al pie del santo símbolo y se internaron

en el camino, más agrio y estrecho, sin ver nada
que justificase temores. En la espesura oyeron
el golpe reiterado del hacha y el «¡ham!» de los
leñadores, que rareaban los castaños. Más adelante, silencio total. El cielo se cubría de nubes
cirrosas, y la claridad del sol apenas se abría
paso, filtrándose velada y cárdena, presagiando
tempestad. Julián recordó un detalle melancólico: la cruz, a la cual iban a llegar en breve, que
señalaba el teatro de un crimen, y preguntó:

—¿Señorito?

—¿Eh? —murmuró el marqués, hablando con
los dientes apretados.

—Aquí cerca mataron a un hombre, ¿verdad?
Donde está la cruz de madera. ¿Por qué fue, señorito? ¿Alguna venganza?

—Una pendencia entre borrachos, al volver de
la feria —respondió, secamente, don Pedro, que
se hacía todo ojos para inspeccionar los matorrales.

La cruz negreaba ya sobre ellos, y Julián se
puso a rezar el padrenuestro acostumbrado, muy
bajito. Iba delante, y el señorito le pisaba casi los
talones. Los mozos portadores del equipaje se
habían adelantado mucho, deseosos de llegar
cuanto antes a Cebre y echar un traguete en la
taberna. Para oír el susurro que produjeron las
hojas y la maleza, al desviarse y abrir paso a un
cuerpo, necesitábanse realmente sentidos de cazador. El señorito lo percibió, aunque tenue, cla-
rísimo, y vio el cañón de la escopeta apuntando
tan recto, que de fijo no se perdería el disparo:
el cañón no amagaba a su pecho, sino a las espaldas de Julián. La sorpresa estuvo a punto de pa-
ralizar a don Pedro. Fue un segundo, menos que
un segundo tal vez, un espacio de tiempo inapre-
ciable, lo que tardó en reponerse y en echarse a
la cara su arma, apuntando a su vez al enemigo,
emboscado. Si el tiro de éste salía, la bala se cru-

zaría casi con la otra bala justiciera. La situación duró pocos instantes: estaban frente a frente dos adversarios dignos de medir sus fuerzas. El más inteligente cedió, encontrándose descubierto. Oyó el marqués el roce del follaje al bajarse el cañón que amenazaba a Julián, y Primitivo salió del soto, blandiendo su vieja escopeta certera, atada con cordeles. Julián precipitó el *Gloria Patri* para decirle en tono cortés:

—¡Hola!... ¿Se viene usted, por fin, con nosotros hasta Cebre?

—Sí, señor —contestó Primitivo, cuyo semblante recordaba más que nunca el de una estatua de fundición—. Dejo dispuesto en Rendas, y voy a ver si de aquí a Cebre sale algo que tumbar...

—Dame esa escopeta, Primitivo —ordenó don Pedro—. Estoy oyendo cantar la codorniz ahí, que no parece sino que me hace burla. Se me ha olvidado cargar mi carabina.

Diciendo y haciendo, cogió la escopeta, apuntó a cualquier parte y disparó. Volaron hojas y pedazos de rama de un roble próximo, aunque ninguna codorniz cayó herida.

—¡Marró! —exclamó el señorito, fingiendo gran contrariedad, mientras para sí discurría: «No era bala; eran postas... Le quería meter gragea del plomo en el cuerpo... ¡Claro! Con bala era más escandaloso, más alarmante para la Justicia. Es zorro fino.» Y en voz alta—: No vuelvas a cargar; hoy no se caza, que se nos viene la lluvia encima y tenemos que apretar el paso... Marcha adelante; enséñanos el atajo hasta Cebre.

—¿No lo sabe el señorito?

—Sí, tal; pero a veces me distraigo.

Nueve

Como ya dos veces había repicado la campanilla y los criados no llevaban trazas de abrir, las señoritas De la Lage, suponiendo que a horas tan tempranas no vendría nadie de cumplido, bajaron en persona, y en grupo, a abrir la puerta, sin peinar, de bata y chinelas, hechas unas fachas. Así es que se quedaron voladas al encontrarse con un arrogante mozo, que les decía campechanamente:

—¿A que nadie me conoce aquí?

Sintieron impulsos de echar a correr; pero la tercera, la menos linda de todas, frisando, al parecer, en los veinte años, murmuró:

—De fijo que es el primo Perucho Moscoso.

—¡Bravo! —exclamó don Pedro—. ¡Aquí está la más lista de la familia!

Y, adelantándose con los brazos abiertos, fue para abrazarla; pero ella, hurtando el cuerpo, le tendió una manecita fresca, recién lavada con agua y colonia. En seguida se entró por la casa, gritando:

—¡Papá! ¡Papá! ¡Está aquí el primo Perucho!

El piso retembló bajo unos pasos elefantinos... Apareció el señor De la Lage, llenando con su volumen la antesala, y don Pedro abrazó a su tío, que le llevó casi en volandas al salón. Julián, que por no malograr la sorpresa de la aparición del primo se había quedado oculto detrás de la puerta, salía riendo del escondite, muy embromado por las señoritas, que afirmaban que estaba gordísimo, y se escurría por el pasillo, en busca de su madre.

Viéndolos juntos, se observaba extraordinario parecido entre el señor De la Lage y su sobrino carnal: la misma estatura prócer, las mismas proporciones amplias, la misma abundancia de hueso y fibra, la misma barba, fuerte y copiosa; pero lo que en el sobrino era armonía de complexión titánica, fortalecida por el aire libre y los ejercicios corporales, en el tío era exuberancia y plétora: condenado a una vida sedentaria, se advertía que le sobraba sangre y carne, de la cual no sabía qué hacer; sin ser lo que se llama obeso, su humanidad se desbordaba por todos los lados: cada pie suyo parecía una lancha; cada mano, un mazo de carpintero. Se ahogaba con los trajes de paseo; no cabía en las habitaciones reducidas; resoplaba en las butacas del teatro, y en misa repartía codazos para disponer de más sitio. Magnífico ejemplar de una raza apta para la vida guerrera y montés de las épocas feudales, se consumía miserablemente en el vil ocio de los pueblos, donde el que nada produce, nada enseña, ni nada aprende, de nada sirve y nada hace. ¡Oh dolor! Aquel castizo Pardo de la Lage, naciendo en el siglo xv, hubiera dado en qué entender a los arqueólogos e historiadores del siglo xix.

Mostró admirarse de la buena presencia del sobrino, y le habló llanamente, para inspirarle confianza.

—¡Muchacho, muchacho! ¿Adónde vas con tanto doblar? Cuidado que estás más hombre que yo... Siempre te imitaste más a Gabriel y a mí que a tu madre, que santa gloria haya... Lo que es con tu padre, ni esto... No saliste Moscoso ni Cabreira, chico; saliste Pardo por los cuatro costados. Ya habrás visto a tus primas, ¿eh? Chiquillas, ¿qué le decís al primo?

—¿Qué me dicen? Me han recibido como a la persona de más cumplimiento... A ésta le quise dar un abrazo, y ella me alargó la mano muy fina.

—¡Qué borregas! ¡Marías Remilgos! A ver cómo abrazáis todas al primo, inmediatamente.

La primera que se adelantó a cumplir la orden

fue la mayor. Al estrecharla, don Pedro no pudo
dejar de notar las bizarras proporciones del bulto
humano que oprimía. ¡Una real moza la primita
mayor!

—¿Tú eres Rita, si no me equivoco? —preguntó, risueño—. Tengo muy mala memoria para
nombres, y puede que os confunda.

—Rita, para servirte —respondió con igual amabilidad la prima—. Y esta es Manolita, y esta es
Carmen, y aquella es Nucha...

—¡Chis!... Poquito a poco... Me lo iréis repitiendo conforme os abrace.

Dos primas vinieron a pagar el tributo, diciendo festivamente:

—Yo soy Manolita, para servir a usted.

—Yo, Carmen, para lo que usted guste mandar.

Allá, entre los pliegues de una cortina de damasco, se escondía la tercera, como si quisiera
esquivar la ceremonia afectuosa; pero no le valió
la treta, antes su retraimiento incitó al primo a
exclamar:

—Doña Hucha, o como te llames... Cuidadito
conmigo...; se me debe un abrazo.

—Me llamo Marcelina, hombre... Pero estas me
llaman siempre Marcelinucha o Nucha...

Costábale trabajo revolverse, y permanecía re-
fugiada en el rojo dosel de la cortina, cruzando
las manos sobre el peinador de percal blanco, que
rayaban con doble y largo trazo, como de tinta,
sus sueltas trenzas. El padre la empujó bruscamente, y la chica vino a caer contra el primo,
toda ruborizada, recibiendo un apretón en regla,
amén de un frote de barbas que la obligó a ocultar el rostro en la pechera del marqués.

Hechas así las amistades, entablaron el señor
De la Lage y su sobrino la imprescindible conversación referente al viaje, sus causas, inciden-
tes y peripecias. No explicaba muy satisfactoria-
mente el sobrino su impensada venida: «¡Pchs!...,

ganas de *espilirse*... Cansa estar siempre solo...
Gusta la variación...» No insistió el tío, pensando
entre sí: «Ya Julián me lo contará todo.»

Y se frotaba las manos colosales, sonriendo a
una idea que, si acariciada tiempo hacía allá en
su interior, jamás se le había presentado tan clara y halagüeña como entonces. ¡Qué mejor esposo podían desear sus hijas que el primo Ulloa!
Entre los numerosos ejemplares del tipo del padre que desea colocar a sus niñas, ninguno más
vehemente que don Manuel Pardo en cuanto a la
voluntad, pero ninguno más reservado en el modo
y forma. Porque aquel hidalgo de cepa vieja sentía a la vez gana ardentísima de casar a las chiquillas y un orgullo de raza tan exaltado, bajo
engañosas apariencias de llaneza, que no sólo le
vedaba descender a ningún ardid de los usuales
en padres casamenteros, sino que le imponía suma
rigidez y escrúpulo en la elección de sus relaciones
y en la manera de educar a sus hijas, a quienes
traía como encastilladas y aisladas, no llevándo-
las sino de Pascuas a Ramos a diversiones públi-
cas. «Las señoritas De la Lage —discurría don
Manuel— deben casarse, y sería contrario al orden providencial que no apareciese tronco en que
injertar dignamente los retoños de tan noble estirpe; pero antes se quedan para vestir imágenes
que unirse con cualquiera, con el teniente que
está de guarnición, con el comerciante que medra
midiendo paño, con el médico que toma el pulso;
eso sería, ¡vive Dios!, profanación indigna; las
señoritas De la Lage sólo pueden dar su mano a
quien se las iguale en calidad.» Así, pues, don
Manuel, que se desdeñaría de tender redes a un
ricachón plebeyo, se propuso inmediatamente hacer cuanto estuviese en su mano para que su sobrino pasase a yerno, como el Sandoval de la
zarzuela.

¿Conformaban las primitas con las opiniones

de su padre? Lo cierto es que, apenas el primo
se sentó a platicar con don Manuel, cada niña se
escurrió bonitamente, ya a arreglar su tocado, ya
a prevenir alojamiento al forastero y platos se-
lectos para la mesa. Se convino en que el primo
se quedaba hospedado allí, y se envió por la maleta a la posada.

Fue la comida alegre en extremo. Rápidamente
se había establecido entre don Pedro y las señoritas De la Lage el género de familiaridad inhe-
rente al parentesco en grado prohibido, pero indispensable: familiaridad que se diferencia de la
fraternal en que la sazona y condimenta un picante polvito de hostilidad, germen de graciosas
y galantes escaramuzas. Cruzábase en la mesa
vivo tiroteo de bromas, equívocos, piropos, que
entre los dos sexos suelen preludiar a más serios
combates.

—Primo, me extraña mucho que, estando a mi
lado, no me sirvas el agua.

—Los aldeanos no entendemos de política; ve
enseñándome un poco, que por tener maestras
así...

—Glotón, ¿quién te da permiso para repetir?

—El plato está tan rico, que supongo que es
obra tuya.

—¡Vaya unas ilusiones! Ha sido la cocinera.
Yo no guiso para ti. Te fastidiaste.

—Prima, esta yemecita. Por mí.

—No me robes del plato, goloso. Que no te lo
doy, ¡ea! ¿No tienes ahí la fuente?

—¿A que te lo atrapo? Cuando más descuidada
estés.

—¿A que no?

Y la prima se levantaba y echaba a correr con
su plato en las manos, para evitar el hurto de un
merengue o de media manzana, y el primo la perseguía alrededor de la mesa, y el juego se celebraba con estrepitosas carcajadas, como si fuese

el paso más gracioso del mundo. Las mantenedoras de este torneo eran Rita y Manolita, las dos mayores; en cuanto a Nucha y Carmen, se encerraban en los términos de una cordialidad mesurada, presenciando y riendo las bromas, pero sin tomar parte activa en ellas, con la diferencia de que en el rostro de Carmen, la más joven, se notaba una melancolía perenne, una preocupación dominante, y en el de Nucha se advertía tan sólo gravedad natural, no exenta de placidez.

Hallábase don Pedro en sus glorias. Al resolverse a emprender el viaje, receló que las primas fuesen algunas señoritas muy cumplimenteras y espetadas, cosa que a él le pondría en un brete, por serle extrañas las fórmulas del trato ceremonioso con damas de calidad, clase de «perdices blancas» que nunca había cazado; mas aquel recibimiento franco le devolvió al punto su aplomo. Animado, y con la cálida sangre despierta, consideraba a las primitas una por una, calculando a cuál arrojaría el pañuelo. La menor no hay duda que era muy linda, blanca con cabos negros, alta y esbelta; pero la mal disimulada pasión de ánimo, las cárdenas ojeras, amenguaban su atractivo para don Pedro, que no estaba por romanticismos. En cuanto a la tercera, Nucha, asemejábase bastante a la menor, sólo que en feo: sus ojos, de magnífico tamaño, negros también como moras, padecían leve estrabismo convergente, lo cual daba a su mirar una vaguedad y pudor especial; no era alta ni sus facciones se pasaban de correctas, a excepción de la boca, que era una miniatura. En suma: pocos encantos físicos, al menos para los que se pagan de la cantidad y morbidez de esta nuestra envoltura de barro. Manolita ofrecía otro tipo distinto, admirándose en ella lozanas carnes y suma gracia, unida a un defecto que para muchos es aumento singular de perfección en la mujer, y a otros —ver-

bigracia, a don Pedro— les inspira repulsión:
un carácter masculino mezclado a los hechizos
femeniles, un bozo que iba pasando a bigote, una
prolongación del nacimiento del pelo sobre la
oreja, que, descendiendo a lo largo de la mandí-
bula, quería ser, más que suave patilla, atrevida
barba. A la que no se podía poner tachas era a
Rita, la hermana mayor. Lo que más cautivaba a
su primo en Rita no era tanto la belleza del rostro como la cumplida proporción del tronco y
miembros, la amplitud y redondez de la cadera,
el desarrollo del seno, todo cuanto en las valientes y armónicas curvas de su briosa persona prometía la madre fecunda y la nodriza inexhausta.
¡Soberbio vaso, en verdad, para encerrar un Moscoso legítimo, magnífico patrón donde injertar
el heredero, el continuador del nombre! El marqués presentía en tan arrogante hembra no el placer de los sentidos, sino la numerosa y masculina prole que debía rendir; bien como el agri-
cultor que, ante un terreno fértil, no se prenda
de las florecillas que lo esmaltan, pero calcula
aproximadamente la cosecha que podrá rendir al
terminarse el estío.

Pasaron al salón después de la comida, para lo
cual las muchachas se habían emperejilado. En-
señaron a don Pedro infinidad de quisicosas: es-
tereóscopos, álbumes de fotografías, que eran
entonces objetos muy elegantes y nada comunes.
Rita y Manolita obligaban al primo a fijarse en
los retratos, que las representaban apoyadas en
una silla o en una columna, actitud clásica que
por aquel tiempo imponían los fotógrafos, y Nucha, abriendo un álbum chiquito, se lo puso delante a don Pedro, preguntándole, afanosamente:

—¿Le conoces?

Era un muchacho como de diecisiete años, ra-
pado, con uniforme de alumno de la Academia
de Artillería, parecidísimo a Nucha y a Carmen

cuanto puede parecerse un pelón a dos señoritas con buenas trenzas de pelo.

—Es mi niño— afirmó Nucha, muy grave.

—¿Tu niño?

Riéronse las otras hermanas a carcajadas, y don Pedro exclamó, cayendo en la cuenta:

—¡Bah! Ya sé. Es vuestro hermano, mi señor primo, el mayorazgo De la Lage, Gabrieliño.

—Pues claro. ¿Quién había de ser? Pero esa Nucha le quiere tanto, que siempre le llama su niño.

Nucha, corroborando el aserto, se inclinó y besó el retrato con tan apasionada ternura, que allá, en Segovia, el pobre alumno, víctima quizá de los rigores de la novatada, debió de sentir en la mejilla y el corazón una cosa dulce y caliente. Cuando Carmen, la tristona, vio a sus hermanas entretenidas, se escabulló del salón, donde ya no apareció más. Agotado todo lo que en el salón había que enseñar al primo, le mostraron la casa desde el desván hasta la leñera; un caserón antiguo, espacioso y destartalado, como aún quedan muchos en la monumental Compostela, digno hermano urbano de los rurales pazos de Ulloa. En su fachada severa desafinaba una galería de nuevo cuño, ideada por don Manuel Pardo de la Lage, que tenía el costoso vicio de hacer obras. Semejante solecismo arquitectónico era el quitapesares de las señoritas de Pardo; allí se las encontraba siempre, posadas como pájaros en rama favorita; allí hacían labor, allí tenían un breve jardín, contenido en macetas y cajones; allí colgaban jaulas de canarios y jilgueros: tal vez no parasen en esto los buenos oficios de la galería dichosa. Lo cierto es que en ella encontraron a Carmen, asomada y mirando a la calle, tan absorta, que no sintió llegar a sus hermanas. Nucha la tiró del vestido; la muchacha se volvió, pudiendo notarse que tenía unas vislumbres de rosa en las mejillas, descoloridas de ordinario. Hablóle Nucha vivamente al oído, y Carmen se apartó del encristalado antepecho, siempre muda y preocupada. Rita no cesaba de explicar al primo mil particularidades:

—Desde aquí se ven las mejores calles... Ese es el Preguntoiro; por ahí pasa mucha gente... Aquella torre es la de la Catedral... ¿Y tú no has ido a la Catedral todavía? Pero ¿de veras no le has rezado un credo al Santo Apóstol, judío? —exclamaba la chica, vertiendo provocativamente luz de sus pupilas radiantes—. Vaya, vaya... Tengo yo que llevarte allí para que conozcas al Santo y le abraces muy apretadito... ¿Tampoco has visto aún el Casino? ¿La Alameda? ¿La Universidad? ¡Señor, si no has visto nada!

—No, hija... Ya sabes que soy un pobre aldeano..., y he llegado ayer al anochecer. No hice más que acostarme.

—¿Por qué no te viniste acá en derechura, descastado?

—¿A alborotaros la casa de noche? Aunque salgo de entre tojos, no soy tan mal criado como todo eso.

—Vamos, pues hoy tienes que ver alguna notabilidad... Y no faltar al paseo... Hay chicas muy guapas.

—De eso ya me he enterado, sin molestarme en ir a la Alameda —contestó el primo, echando a Rita una miradaza que ella resistió con intrepidez notoria y pagó sin esquivez alguna.

Diez

Y, en efecto, le fueron enseñadas al marqués de Ulloa multitud de cosas que no le importaban mayormente. Nada le agradó, y experimentó mil decepciones, como suele acontecer a las gentes habituadas a vivir en el campo, que se forman del pueblo una idea exagerada. Pareciéronle, y con razón, estrechas, torcidas y mal empedradas las calles, fangoso el piso, húmedas las paredes, viejos y ennegrecidos los edificios, pequeño el circuito de la ciudad, postrado su comercio y solitarios casi siempre sus sitios públicos; y en cuanto a lo que de un pueblo antiguo puede enamorar a un espíritu culto, los grandes recuerdos, la eterna vida del arte conservada en monumentos y ruinas, de eso entendía don Pedro lo mismo que de griego o latín. ¡Piedras mohosas! Ya le bastaban las de los pazos. Nótese cómo un hidalgo campesino, de muy rancio criterio, se hallaba al nivel de los demócratas más vandálicos y demoledores. A pesar de conocer Orense y haber estado en Santiago cuando niño, discurría y fantaseaba a su modo lo que debe ser una ciudad moderna: calles anchas, mucha regularidad en las construcciones, todo nuevo y flamante, gran policía, ¿qué menos puede ofrecer la civilización a sus esclavos? Es cierto que Santiago poseía dos o tres edificios espaciosos: la Catedral, el Consistorio, San Martín... Pero en ellos existían cosas muy sin razón ponderadas, en concepto del marqués; por ejemplo: la Gloria, de la Catedral. ¡Vaya unos santos más mal hechos y unas santas más larguiruchas y sin forma humana! ¡Unas columnas más raramente esculpidas! Sería de ver a algunos de estos sabios, que escudriñan el sentido de un monumento religioso, consagrándose a la tarea de demostrar a don Pedro que el pórtico de la Gloria encierra alta poesía y profundo simbolismo. ¡Simbolismo! ¡Jerigonzas! El pórtico no era para tanto, y las figuras parecían pasadas por un tamiz. Por fuerza las artes andaban atrasadísimas en aquellos tiempos de Maricastaña. Total, que de los monumentos de Santiago se atenía el marqués a uno de fábrica muy reciente: su prima Rita.

La proximidad de la fiesta del Corpus animaba un tanto la soñolienta ciudad universitaria, y todas las tardes había lucido paseo bajo los árboles de la Alameda. Carmen y Nucha solían ir delante, y las seguían Rita y Manolita, acompañadas por su primo; el padre cubría la retaguardia, conversando con algún señor mayor, de los muchos que existen en el pueblo compostelano, donde, por ley de afinidad, parece abundar, más que en otras partes, la gente provecta.

A menudo se arrimaba a Manolita un señorito muy planchado y tieso, con cierto empaque ridículo y exageradas pretensiones de elegancia; llamábase don Víctor de la Formoseda, y estudiaba Derecho en la Universidad; don Manuel Pardo le veía gustoso acercarse a sus hijas, por ser el señorito De la Formoseda de muy limpio solar montañés y no despreciable caudal. No era éste el único mosquito que zumbaba en torno de la señorita De la Lage. A las primeras de cambio, notó don Pedro que, así por los angostos y lóbregos soportales de la rúa del Villar como por las frondosidades de la Alameda y la Herradura, los seguía y escoltaba un hombre joven, melenudo, enfundado en un gabán gris, de corte raro y antiguo. Aquel hombre parecía la sombra de las muchachas; no era posible volver la cabeza sin encontrársele; y don Pedro reparó también que, al surgir detrás de un pilar o por entre los árboles el rondador perpetuo, la cara triste y ojerosa de Carmen se animaba, y brillaban sus abatidos ojos. En cambio, don Manuel y Nucha daban señales de inquietud y desagrado.

Ya sobre la pista, don Pedro siguió acechando, a fuer de cazador experto. Nucha no debía de tener ningún adorador entre la multitud de estudiantes y vagos que acudían al paseo, o, si lo tenía, no le hacía caso, pues caminaba seria e indiferente. En público, Nucha parecía revestirse de gravedad ajena a sus años. Respecto a Manolita, no perdía ripio coqueteando con el señorito De la Formoseda. Rita, siempre animada y provocadora, lo era mucho con su primo y no poco con los demás, pues don Pedro advirtió que a las miradas y requiebros de sus admiradores correspondía con ojeadas vivas y flecheras. Lo cual no dejó de dar en qué pensar al marqués de Ulloa, quien tal vez por contarse en el número de los hombres fácilmente atraídos por las mujeres vivarachas, tenía de ellas opinión detestable, y para sus adentros la expresaba en términos muy crudos.

Dormían en habitaciones contiguas Julián y el marqués, pues Julián, desde su ordenación, había ascendido de categoría en la casa, y mientras la madre continuaba desempeñando las funciones de ama de llaves y dueña, el hijo comía con los señores, ocupaba un cuarto de importancia y era tratado, en suma, si no de igual a igual, pues siempre quedaban matices de protección, al menos con gran amabilidad y deferencia. De noche, antes de recogerse, el marqués se le entraba en el dormitorio a fumar un cigarrillo y charlar. La conversación ofrecía pocos lances, pues siempre versaba sobre el mismo proyecto. Decía don Pedro que le admiraban dos cosas: haberse resuelto a salir de los pazos y hallarse tan decidido a tomar estado, idea que antes le parecía irrealizable. Era don Pedro de los que juzgan muy importantes y dignas de comentarse sus propias acciones y mutaciones —achaque propio de egoístas— y han menester tener siempre cerca de sí algún inferior o subordinado a quien referirlas, para que les atribuya también valor extraordinario.

Agradaba la plática a Julián. Aquellas proyectadas bodas entre primo y prima la parecían tan naturales como enlazarse la vid y el olmo. Las familias no podían ser mejores ni más para en una; las clases, iguales; las edades, no desproporcionadas, y el resultado, dichosísimo, porque así redimía el marqués su alma de las garras del demonio, personificado en impúdicas barraganas. Solamente no le contentaba que don Pedro se hubiese ido a fijar en la señorita Rita; mas no se atrevía ni a indicarlo, no fuese a malograrse la cristiana resolución del marqués.

—Rita es una gran moza... —decía éste, explayándose—. Parece sana como una manzana, y los hijos que tenga heredarán su buena constitución. Serán más fuertes aún que Perucho, el de Sabel.

¡Inoportuna reminiscencia! Julián se apresuraba a replicar, sin meterse en honduras fisiológicas:

—La casta de los señores de Pardo es muy saludable, gracias a Dios.

Una noche cambiaron de sesgo las confidencias, entrando en terreno sumamente embarazoso para Julián, siempre temeroso de que cualquier desliz de su lengua desbaratase los proyectos del señorito, y le echase a él sobre la conciencia responsabilidad gravísima.

—¿Sabe usted —insinuó don Pedro— que mi prima Rita se me figura algo casquivana? Por el paseo va siempre entretenida en si la miran o no la miran, si le dicen o no le dicen... Juraría que toma varas.

—¿Que toma varas? —repitió el capellán, quedándose en ayunas del sentido de la frase grosera.

—Sí, hombre... Que se deja querer, vamos... Y para casarse, no es cosa de broma que la mujer las gaste con el primero que llega.

—¿Quién lo duda, señorito? La prenda más esencial en la mujer es la honestidad y el recato.

Pero no hay que fiarse de apariencias. La señorita Rita tiene el genio así, franco y alegre...

Creíase Julián salvado con estas evasivas, cuando, a las pocas noches, don Pedro le apretó para que cantase:

—Don Julián, aquí no valen misterios... Si he de casarme, quiero al menos saber con quién y cómo... Apenas se reirían si, porque vengo de los pazos, me diesen de buenas a primeras gato por liebre. Con razón se diría que salí de un soto para meterme en otro. No sirve contestar que usted no sabe nada. Usted se ha criado en esta casa y conoce a mis primas desde que nació. Rita..., Rita es mayor que usted, ¿no es verdad?

—Sí, señor —respondió Julián, no teniendo por cargo de conciencia revelar la edad—. La señorita Rita cumplirá ahora veintisiete o veintiocho años... Después vienen la señorita Manolita y la señorita Marcelina, que son seguidas, veintitrés y veintidós..., porque en medio murieron dos niños varones..., y luego la señorita Carmen, veinte... Cuando nació el señorito Gabriel, que andará en diecisiete o poco más, ya no se pensaba que la señora volviese a tener sucesión, porque andaba delicada, y le probó tan mal el parto, que falleció a los pocos meses.

—Pues usted debe de conocer perfectamente a Rita. Cante usted, ¡ea!

—Señorito, a la verdad... Yo me crié en esta casa, es cierto; pero sin manualizarme con los señores, porque mi clase era otra muy distinta... Y mi madre, que es muy piadosa, no me permitió jamás juntarme con las señoritas para jugar ni nada..., por razones de decoro... ¡Ya usted me comprende! Con el señorito Gabriel sí que pasé algún rato; lo que es con las señoritas..., buenos días y buenas noches, cuando las encontraba en los pasillos. Luego ya fui al Seminario...

—¡Bah, bah! ¿Tiene usted gana de cuentos?...

Harto estará usted de saber cosas de las chicas.
Basta su madre de usted para enterarle. ¿Acerté?
Se ha puesto usted colorado... ¡Ajá! Por ahí vamos bien. ¡A ver con qué cara me niega usted
que su madre le ha informado de algunas cosillas!...

Julián se tornó purpúreo. ¡Que si le habían contado! ¡Pues no habían de contarle! Desde su llegada, la venerable dueña, que regía el llavero en
casa De la Lage, no había cogido a solas a su
hijo un minuto sin ceder a la comezón de tocar
ciertos asuntos, que únicamente con varones graves y religiosos pueden conferirse... Misia Rosario no lo iba a charlar con otras comadres envi-
diosas; eso, no; por algo comía el pan de don
Manuel Pardo; pero con la gente grave y de buen
consejo —verbigracia, su confesor, don Vicente,
el canónigo, y Julián, aquel pedazo de sus entrañas elevado a la más alta dignidad que cabe en la
tierra—, ¿quién le quitaba el gustazo de juzgar
a su modo la conducta del amo y las señoritas,
de alardear de discreción, censurando melosa y
compasivamente algunos actos que ella, si «fuese
señora», no realizaría jamás, y de oír que «personas de respeto» alababan mucho su cordura y
conformaban en todo con su dictamen? Que si le
habían contado a Julián, ¡Dios bendito! Pero una
cosa es que se lo hubiesen contado y otra que él
lo pudiese repetir. ¿Cómo revelar la manía de la
señorita Carmen, empeñada en casarse, contra
viento y marea de su padre, con un estudiantillo
de Medicina, un nadie, hijo de un herrador de
pueblo (¡oh, baldón para la preclara estirpe de
los Pardo!), un loco de atar, que la comprometía
siguiéndola por todas partes, a modo de perrito
faldero, y de quien, además, se aseguraba que era
un materialista, metido en sociedades secretas?
¿Cómo divulgar que la señorita Manolita hacía
novenas a San Antonio para que don Víctor de la

Formoseda se determinase a pedirla, llegando al extremo de escribir a don Víctor cartas anónimas, indisponiéndole con otras señoritas cuya casa frecuentaba? Y, sobre todo, ¿cómo indicar ni lo más somero y mínimo de «aquello» de la señorita Rita, que, maliciosamente interpretado, tanto podía dañar a su honra? Antes le arrancasen la lengua.

—Señorito —balbució—. Yo creo que las señoritas son muy buenas e incapaces de faltar en nada; pero si lo contrario supiese, me guardaría bien de propalarlo, toda vez que yo..., que mi agradecimiento a esta familia me pondría..., vamos..., como si dijéramos..., una mordaza.

Detúvose, comprendiendo que se empantanaba más.

—No traduzca mis palabras, señorito... Por Dios, no saque usted consecuencias de mi poca habilidad para explicarme.

—Según eso —preguntó el marqués, mirando de hito en hito al capellán—, ¿usted juzga que no hay absolutamente nada censurable? Clarito. ¿Las considera usted a todas unas señoritas intachables..., perfectísimas..., que me convienen para casarme? ¿Eh?

Meditó Julián antes de responder.

—Si usted se empeña en que le descubra cuanto uno tiene en el corazón..., francamente, aunque las señoritas son cada una de por sí muy simpáticas, yo, puesto a escoger..., no lo niego..., me quedaría con la señorita Marcelina.

—¡Hombre! Es algo bizca... y flaca... Sólo tiene buen pelo y buen genio.

—Señorito, es una alhaja.

—Será como las demás.

—Es como ella sola. Cuando el señorito Gabriel quedó sin mamá de pequeñito, le cuidó con una formalidad que tenía la gracia del mundo, porque ella no era mucho mayor que él. Una madre no hiciera más. De día, de noche, siempre con el chi-

quillo en brazos. Le llamaba su hijo; dicen que
era un sainete ver aquello. Parece que el peso del
chiquillo la rindió, y por eso quedó más delicada
de salud que las otras. Cuando el hermano marchó
al colegio estuvo malucha. Por eso la ve usted
descolorida. Es un ángel, señorito. Todo se le vuelve aconsejar bien a las hermanas...

—Señal de que lo necesitan —arguyó don Pedro,
maliciosamente.

—¡Jesús! No puede uno deslizarse... Bien sabe
usted que sobre lo bueno está lo mejor, y la señorita Marcelina raya en perfecta. La perfección
es dada a pocos. Señorito, la señorita Marcelina,
ahí donde usted la ve, se confiesa y comulga tan
a menudo, y es tan religiosa, que edifica a la
gente.

Quedóse don Pedro reflexionando algún rato, y
aseguró después que le agradaba mucho la reli-
giosidad en las mujeres; que la conceptuaba indispensable para que fuesen buenas.

—Conque beatita, ¿eh? —añadió—. Ya tengo
por donde hacerla rabiar.

Y tal fue, en efecto, el resultado inmediato de
aquella conferencia, donde, con mejor deseo que
diplomacia, había intentado Julián presentar la
candidatura de Nucha. Desde entonces el primo
gastó con ella bastantes bromas, algunas más pesadas que divertidas. Con placer de niño voluntarioso cuyos deseos entreabren un capullo, gozaba
en poner colorada a Nucha, en arañarle la epidermis del alma por medio de chanzas subidas e in-
discretas familiaridades, que ella rechazaba enér-
gicamente. Semejante juego mortificaba al capellán tanto como a la chica; las sobremesas eran
para él largo suplicio, pues a las anécdotas y cuentos de don Manuel, que versaban siempre sobre
materias nada pulcras ni bienolientes —costumbre inveterada en el señor De la Lage—, se unían
las continuas inconveniencias del primo con la

prima. El pobre Julián, con los ojos fijos en el plato, el rubio entrecejo un tanto fruncido, pasaba las de Caín. Imaginábase él que ajar, siquiera fuese en broma, la flor de la modestia virginal era abominable sacrilegio. Por lo que su madre le había contado y por lo que en Nucha veía, la señorita le inspiraba religioso respeto, semejante al que infunde el camarín que contiene una veneranda imagen. Jamás se atrevía a llamarla por el diminutivo, pareciéndole Nucha nombre de perro más bien que de persona; y cuando don Pedro se resbalaba a chanzonetas escabrosas, el capellán, juzgando que consolaba a la señorita Marcelina, tomaba asiento a su lado y le hablaba de cosas santas y apacibles, de alguna novena o función de iglesia, a las cuales Nucha asistía con asiduidad.

No lograba el marqués vencer la irritante atracción que le llevaba hacia Rita; y, con todo, al crecer el imperio que ejercía en sus sentidos la prima mayor, se fortalecía también la especie de desconfianza instintiva que infunden al campesino las hembras ciudadanas, cuyo refinamiento y coquetería suele confundirse con la depravación. Vamos, no lo podía remediar el marqués: según frase suya, Rita le escamaba terriblemente. ¡Es que a veces ostentaba una desenvoltura! ¡Se mostraba con él tan incitadora; tendía la red con tan poco disimulo; se esponjaba de tal suerte ante los homenajes masculinos!

El aldeano que llega al pueblo ha oído contar mil lances, mil jugarretas hechas a los bobos que allí entran desprevenidos como incautos peces. Lleno de recelo, mira hacia todas partes, teme que le roben en las tiendas, no se fía de nadie, no acierta a conciliar el sueño en la posada, no sea que mientras duerme le birlen el bolso. Guardada la distancia que separa de un labriego al señor de Ulloa, éste era su estado moral en Compostela. No hería su amor propio ser dominado por Pri-

mitivo y vendido groseramente por Sabel en su
madriguera de los pazos, pero sí que le torease
en el pueblo su artificiosa primilla. Además, no
es lo mismo distraerse con una muchacha cualquiera que tomar esposa. La hembra destinada a
llevar el nombre esclarecido de Moscoso y a per-
petuarlo legítimamente había de ser limpia como
un espejo... Y don Pedro figuraba entre los que
no juzgan limpia ya a la que tuvo amorosos tratos,
aun en la más honesta y lícita forma, con otro
que con su marido. Aun las ojeadas en calles y
paseos eran pecados gordos. Entendía don Pedro
el honor conyugal a la manera calderoniana, española neta, indulgentísima para el esposo e implacable para la esposa. Y a él que no le dijesen:
Rita no estaba sin algún enredillo... Acerca de
Carmen y Manolita no necesitaba discurrir, pues
bien veía lo que pasaba. Pero Rita...

Ningún amigo íntimo tenía en Santiago don
Pedro, aunque sí varios conocimientos logrados
en el paseo, en casa de su tío o en el Casino, donde
solía ir mañana y noche, a fuer de buen español
ocioso. Así se le embromaba mucho con su prima,
comentándose también la desatinada pasión de
Carmen por el escolar, y su continuo atalayar en
la galería, con el adorador apostado enfrente.
Siempre alerta, el señorito estudiaba el tono y
acento con que nombraban a Rita. En dos o tres
ocasiones le pareció notar unas puntas de ironía,
y acaso no se equivocase; pues en las ciudades
pequeñas, donde ningún suceso se olvida ni borra,
donde gira perpetuamente la conversación sobre
los mismos asuntos, donde se abulta lo nimio y
lo grave adquiere proporciones épicas, a menudo
tiene una muchacha perdida la fama antes que
la virtud, y ligerezas insignificantes, glosadas y
censuradas años y años, llevan a la doncella con
palma al sepulcro. Además, las señoritas De la
Lage, por su alcurnia, por los humos aristocráti-

cos de su padre y la especie de aureola con que
pretendía rodearlas, por su belleza, eran blanco
de bastantes envidillas y murmuraciones: cuando
no se las motejaba de orgullosas se recurría a
tacharlas de coquetas.

Lucía el Casino entre su maltratado moblaje
un caduco sofá de gutapercha, gala del gabinete
de lectura; sofá que pudiera llamarse tribuna de
los maldicientes, pués allí se reunían tres de las
más afiladas tijeras que han cortado sayos en el
mundo: triunvirato digno de más detenido bos-
quejo, y en el cual descollaba un personaje emi-
nentísimo maestro en la ciencia del mal saber. Así
como los eruditos se precian de no ignorar la
más pequeña particularidad concerniente a las re-
motas épocas históricas, ese sujeto se jactaba de
poder decir, sin errar punto ni coma, lo que disfrutaba de renta, lo que comían, lo que hablaban
y hasta lo que pensaban las veinte o treinta familias de viso que encerraba el recinto de Santiago.
Hombre era para pronunciar con suma formalidad y gran reposo:

—Ayer, en casa De la Lage, se han puesto en
la mesa dos principios: croquetas y carne esto-
fada. La ensalada fue de coliflor, y a los postres
se sirvió carne de membrillo de las monjas.

Comprobada la exactitud de tales pormenores,
resultaban rigurosamente ciertos.

Tan bien informado individuo consiguió encender más recelos en el ánimo del suspicaz señor
de Ulloa, bastándole para ello unas cuantas pala-
britas, de esas que, tomadas al pie de la letra, no
llevan malicia alguna, pero vistas al trasluz pueden significarlo todo... Encomiando el salero de
Rita, y la hermosura de Rita, y la buena confor-
mación anatómica del cuerpo de Rita, añadió,
como al descuido:

—Es una muchacha de primer orden... Y aquí

difícilmente le saldría novio. Las chicas por el estilo de Rita siempre encuentran su media naranja en un forastero.

Once

Hacía un mes que don Manuel Pardo se preguntaba a sí mismo: «¿Cuándo se determinará el rapaz a pedirme a Rita?»

Que se la pediría no lo dudó un momento. La situación del marqués en aquella casa era tácitamente la del novio aceptado. Los amigos de la familia De la Lage se permitían alusiones desembozadas a la próxima boda; los criados, en la cocina, calculaban ya a cuánto ascendería la propineja nupcial. Al recogerse, sus hermanas daban matraca a Rita.

A todas horas reían fraternalmente con el primo y una ráfaga de alegría juvenil trocaba la vetusta casa en alborotada pajarera.

Descabezaba una tarde la siesta el marqués, cuando llamaron a la puerta con grandes palmadas. Abrió: era Rita, en chambra, con un pañuelo de seda, atado a lo curro, luciendo su hermosa garganta descubierta. Blandía en la diestra un plumero enorme, y parecía una guapísima criada de servir, semejanza que, lejos de enfriar al marqués, le hizo hervir la sangre con mayor ímpetu. Sofocada y risueña, la muchacha echaba lumbres por ojos, boca y mejillas.

—¿Perucho? ¿Peruchón?

—¿Ritiña, Ritona? —contestó don Pedro, devorándola con el mirar.

—Dicen las chicas que vengas... Estamos muy enfaenadas arreglando el desván, donde hay todos los trastos del tiempo del abuelo. Parece que se encuentran allí cosas fenomenales.

—Y yo, ¿para qué os sirvo? Supongo que no me mandaréis barrer.

—Todo será que se nos antoje. Ven, holgazán, dormilón, marmota.

Conducía al desván empinadísima escalera, y no era el sitio muy oscuro, pues recibía luz de tres grandes claraboyas, pero sí bastante bajo; don Pedro no podía estar allí en pie, y las chicas, al menor descuido, se pegaban coscorrones en la cabeza contra la armazón del techo. Guardábanse en el desván mil cachivaches arrumbados, que habían servido en otro tiempo a la pompa, aparato y esplendor de los Pardos de la Lage, y hoy tenían por compañeros el polvo y la polilla; por esperanza, la visita de las muchachas bulliciosas, que de cuando en cuando lo exploraban, a fin de desenterrar alguna presea de antaño, que reformaban según la moda actual. Con las antiguallas que allí se pudrían pudiera escribirse la historia de las costumbres y ocupaciones de la nobleza gallega desde un par de siglos acá. Restos de sillas de manos pintadas y doradas; farolillos con que los pajes alumbraban a sus señoras al regresar de las tertulias, cuando no se conocía en Santiago el alumbrado público; un uniforme de maestrante de Ronda; escofietas y ridículos bordados de abalorio; chupas recamadas de flores vistosas; medias caladas de seda, rancias ya; faldas adornadas con caireles; espadines de acero tomados de orín; anuncios de funciones de teatro impresos en seda, rezando que la dama de música había de cantar una chistosa tonadilla, y el gracioso representar una divertida pitipieza; todo andaba por allí revuelto con otros chirimbolos análogos, que trascendían a casacón desde mil leguas, y entre los cuales distinguíanse, como prendas más simbólicas y elocuentes, los trebejos masónicos: medalla, triángulo, mallete, escuadra y mandil, despojos de un abuelo afrancesado y

grado 33..., y una ·lindísima chaqueta de grana,
con las insignias de coronel bordadas de plata
por bocamanga y cuello, herencia de la abuela de
don Manuel Pardo, que, según costumbre de su
época, autorizada por el ejemplo de la reina María
Luisa, usaba el uniforme de su marido para montar diestramente a horcajadas.

—A buena parte me trajisteis —decía don Pedro, ahogado entre el polvo y contrariadísimo por
no poder moverse del asiento.

—Aquí te queremos —le replicaban Rita y Manolita, palmoteando triunfantes—, porque, aunque te empeñes, no hay medio de correr tras de
nosotras ni de hacernos barrabasadas. Llegó la
nuestra. Te vamos a vestir con espadín y chupa.
Ya verás.

—Buena gana tengo de ponerme de máscara.

—Un minuto solamente. Para ver qué facha
haces.

—Os digo que no me visto de mamarracho.

—¿Cómo que no? Se nos ha puesto a nosotras
en el moño.

—Mirad que os pesará. La que se me acerque
ha de arrepentirse.

—¿Y qué nos harás, fantasmón?

—Eso no se dice hasta que se vea.

La misteriosa amenaza pareció infundir temor
en las primas, que se limitaron por entonces a
inofensivas travesuras, a algún plumerazo más o
menos. Adelantaba la limpieza del desván: Manolita, con sus brazos nervudos, manejaba los trastos; Rita los clasificaba; Nucha los sacudía y
doblaba esmeradamente; Carmen tomaba poca
parte en el trajín, y menos aún en la jarana; dos o
tres veces se eclipsó, para asomarse a la galería,
sin duda. Las demás le soltaron indirectas.

—¿Qué tal está el día, Carmucha? ¿Llueve o
hace sol?

—¿Pasa mucha gente por la calle? Contesta, mujer.

—Esa siempre está pensando en las musarañas.

A medida que las prendas iban quedando limpias de polvo, las chicas se las probaban. A Manolita le sentaba a maravilla el uniforme de coronel, por su tipo hombruno. Rita era un encanto con la dulleta de seda verdegay de la abuela. Carmen sólo consintió en dejarse un estrafalario adorno, un penacho triple, que allá, cuando se estrenó, se llamaba las tres potencias. Tocóle a Nucha la probatura de las mantillas de blonda. A todo esto la tarde caía, y en el telarañoso recinto del desván se veía muy poco. La penumbra era favorable a los planes de las muchachas; aprovechando la ocasión propicia, acercáronse disimuladamente las dos mayores a don Pedro, y mientras Rita le plantaba en la cabeza un sombrero de tres picos, Manolita le echaba por los hombros una chupa color tórtola, con guirnalda de flores azules y amarillas.

Fue de confusión el momento que siguió a esta diablura sosa. Don Pedro, medio a gatas, porque de otro modo no se lo consentía la poca altura del desván, perseguía a sus primas, resuelto a tomar memorable venganza; y ellas, exhalando chillidos ratoniles, tropezando con los muebles y cachivaches esparcidos aquí y acullá, procuraban buscar la puertecita angosta para evitar represalias. Mientras Rita se atrincheraba tras los restos de una silla de manos y una desvencijada cómoda, huyeron dos chicas, las menos valientes; y habiendo tenido Manolita la buena ocurrencia de cegar momentáneamente a su primo, arrojándole a la cabeza un chal, pudo evadirse también Rita, jefe nato del motín. Desenredarse el chal, haciéndolo jirones, y lanzarse a la puerta y a la escalera en seguimiento de la fugitiva, fueron acciones simultáneas en don Pedro.

Saltó impetuosamente los peldaños precipitándose en el corredor a tientas, guiado por su instinto de perseguidor de alimañas ágiles, que oye delante de sí el apresurado trotecillo de la hermosa res. En una revuelta del pasillo le dio alcance. La defensa fue blanda, entrecortada de risas. Don Pedro, determinado a infligir el castigo ofrecido, lo aplicó, en efecto, cerca de una oreja, largo y sonoro. Parecióle que la víctima no se resistía entonces; mas debía de ser errónea tan maliciosa suposición, porque Rita aprovechó un segundo de suspensión de hostilidades para huir nuevamente, gritando:

—¿A que no me coges otra vez, cobarde?

Engolosinado, olvidando el peligro del juego, el marqués echó detrás de la prima, que se había desvanecido ya en las negruras del pasadizo. Este, irregular y tortuoso, serpeaba alrededor de parte de la casa, quebrándose en inesperados codos, y a veces estrechándose como longaniza mal rellena. Rita llevaba ventaja en sus familiares angosturas. Oyó el marqués chirriar puertas, indicio de que la chica se había acogido al sagrado de alguna habitación. No estaba don Pedro para respetar sagrados. Empujó la puerta tras la cual juzgaba parapetada a Rita. La puerta resistía, como si tuviese algún obstáculo delante; mas los puños de don Pedro dieron cuenta fácilmente de la endeble trinchera de un par de sillas, que vinieron al suelo con estrépito. Penetró en un cuarto completamente oscuro, y por instinto alargó las manos, a fin de no tropezar con los muebles; advirtió que algo rebullía en las tinieblas; tanteó en el aire y palpó un busto de mujer, que aprisionó en sus brazos sin decir palabra, con ánimo de repetir el castigo. ¡Oh, sorpresa! La resistencia más tenaz y briosa, la protesta más desesperada, unas manitas de acero que no podía cautivar, un cuerpo nervioso que se sacudía rehuyendo toda pre-

sión, y al mismo tiempo varias exclamaciones de
profunda y verdadera congoja, dos o tres gritos
ahogados que demandaban socorro... ¡Diantre!
Aquello no se parecía a lo otro, no... Por ciego y
exaltado que estuviese el marqués, hubo de comprender... Sintió una confusión insólita en él, y
soltó a la chica.

—Nuchiña, no llores... Calla, mujer... Ya te
dejo; no te hago nada... Aguarda un instante.

Registró precipitadamente sus bolsillos, rascó
un fósforo, miró alrededor, encendió una vela,
puesta en un candelabro... Nucha, viéndose libre,
callaba; pero se mantenía a la defensiva. Volvió
el marqués a disculparse y consolarla.

—Nucha, no seas chiquilla... Perdona, mujer...
Dispensa, no creí que eras tú.

Conteniendo un sollozo, exclamó Nucha:

—Fuese quien fuese... Con las señoritas no se
hacen esas brutalidades.

—Hija mía, tu señora hermanita me buscó...,
y el que me busca, que no se queje si me encuentra... ¡Ea!, no haya más, no estés así disgustada.
¿Qué va a decir de mí el tío? Pero ¿aún lloras,
mujer? Cuidado que eres sensible de veras. A ver,
a ver esa cara.

Alzó el candelabro para alumbrar el rostro de
Nucha. Estaba ésta encendida, demudada, y por
sus mejillas corría despacio una lágrima; pero
al darle la luz en los ojos, no pudo menos de sonreír ligeramente y secar el llanto con su pañuelo.

—¡Hija! ¡Cualquiera se atreve! ¡Eres una fie-
recita! ¡Y hasta fuerza en los puños descubres
tú en esos momentos! ¡Diantre!

—Vete —ordenó Nucha, recobrando su seriedad—. Esta es mi habitación, y no me parece decente que estés en ella.

Dio el marqués dos pasos para salir; y, volviéndose de pronto, preguntó:

—¿Quedamos amigos? ¿Se hacen las paces?

—Sí, con tal que no vuelvas a las andadas —respondió, con sencillez y firmeza, Nucha.

—¿ Qué harás si vuelvo? —interrogó, risueño, el hidalgo campesino—. Capaz eres de dejarme en el sitio de una manotada, chica.

—No, por cierto... No tengo fuerzas para tanto. Haré otra cosa.

—¿ Cuál?

—Decírselo a papá, muy clarito, para que se fije en lo que de seguro no se le habrá pasado por la cabeza: que no parece natural vivir tú aquí, no siendo nuestro hermano y siendo nosotras muchachas solteras. Ya sé que es un atrevimiento meterme a enmendar la plana a papá; pero él no ha reparado en esto ni te cree capaz de gracias como las de hoy. En cuanto note algo, se le ha de ocurrir, sin que yo le sople al oído, pues no soy quién para aconsejar a mi padre.

—¡Caramba! Lo dices de un modo... ¡como si fuese de vida o muerte!

—Pues así.

Marchóse con estas despachaderas el marqués, y a la hora de la cena estuvo taciturno y metido en sí, haciendo caso omiso de las zalamerías de Rita. Nucha, aunque un poco alterada la fisonomía, se mostró como siempre, afable, tranquila y atenta al buen servicio y orden de la mesa. Aquella noche el marqués no dejó dormir a Julián, entreteniéndole hasta las altas horas con larga y tendida plática. Los días siguientes fueron de tregua. Don Pedro salía bastante, y se le veía mucho en el Casino, junto a la tribuna de los maldicientes. No perdía allí el tiempo. Informábase de particularidades que le importaban; por ejemplo: el verdadero estado de fortuna de su tío. En Santiago se decía lo que él sospechaba ya: don Manuel Pardo mejoraba en tercio y quinto a su primogénito Gabriel, que, entre la mejora, su legítima y el vínculo, vendría a arramblar con casi toda la casa De la Lage. No restaba más esperanza a las primitas que la herencia de una tía soltera, doña Marcelina, madrina de Nucha por más señas, que residía en Orense, atesorando sórdidamente y viviendo como una rata en su agujero. Estas nuevas dieron en qué pensar a don Pedro, que desveló a Julián algunas noches más. Al cabo adoptó una resolución definitiva.

Estremecióse de placer don Manuel Pardo viendo al sobrino entrar en su despacho una mañana, con la expresión indefinible que se nota en el rostro y continente de quien viene a tratar algo de importancia. Había oído don Manuel que donde hay varias hermanas, lo difícil es deshacerse de la primera y después las otras se desprenden de suyo, como las cuentas de una sarta tras la más próxima al cabo del hilo. Colocada Rita, lo demás era tortas y pan pintado. Con Manolita cargaría, por último, el finchado señorito De la Formoseda; a Carmen se le quitarían de la cabeza ciertas locuras, y, siendo tan linda, no le faltaría buen acomodo; y Nucha... Lo que es Nucha no le hacía a él peso en casa, pues la gobernaba a las mil maravillas; además, a fuer de heredera presunta de su madrina, no necesitaba ampararse casándose. Si no hallaba marido, viviría con Gabriel cuando éste, acabada la carrera, se estableciese según conviene al mayorazgo De la Lage. Con tan gratos pensamientos, don Manuel abrió los oídos para mejor recibir el rocío de las palabras de su sobrino... Lo que recibió fue un escopetazo.

—¿Por qué se asusta usted tanto, tío? —exclamaba don Pedro, gozando en sus adentros con la mortificación y asombro del viejo hidalgo—. ¿Hay impedimento? ¿Tiene Nucha otro novio?

Comenzó don Manuel a poner mil objeciones, callándose algunas que no eran para dichas. Salió la corta edad de la muchacha, su delicada salud,

y hasta su poca hermosura alegó el padre, sazo-
nando la observación con alusiones no muy re-
servadas al buen palmito de Rita y al mal gusto
de no preferirla. Dio al sobrino manotadas en
los hombros y en las rodillas; gastó chanzas;
quiso aconsejarle, como se aconseja a un niño
que escoge entre juguetes, y, por último, tras de
referir varios chascarrillos adecuados al asunto y
contados en dialecto, acabó por declarar que a
las demás chicas les daría algo al contraer el matrimonio, pero que a Nucha..., como esperaba he-
redar lo de su tía... Los tiempos estaban malos,
abofé... Luego, encarándose con el marqués, le
interrogó:

—¿Y qué dice esa mosquita muerta de Nucha?
Vamos a ver.

—Usted se lo preguntará, tío... ¡Yo no le dije
cosa de sustancia!... Ya vamos viejos para andar
haciendo cocos.

¡Oh, y qué marejada hubo en la casa De la
Lage por espacio de una quincena! Entrevistas
con el padre, cuchicheos de las hermanas entre
sí, trasnochadas y madrugonas; batir de puertas,
lloreras escondidas, que denunciaban ojos como
puños; trastornos en las horas de comer, confe-
rencias con amigos sesudos, curiosidades de dueña oficiosa que apaga el ruido de su pisar para
sorprender, al abrigo de una cortina, todas las
dramáticas menudencias que acompañan a un
grave suceso doméstico... Y como en provincias
las paredes son de cristal, se murmuró en Santiago desaforadamente, glosando los escándalos ocu-
rridos entre las señoritas De la Lage por causa
del primo. Se acusó a Rita de haber insultado
agriamente a su hermana porque le quitaba el
novio, y a Carmen, de ayudarla, porque Nucha
reprendía su ventaneo. Se censuró a Nucha también por falsa e hipócrita. Se le royeron los zan-
cajos a don Manuel, afirmando que había dicho

en toda confianza a persona que lo repitió en toda intimidad: «El sobrino no me había de salir de aquí sin una de las chicas, y como se le antojó Nucha, hubo que dársela.» Se aseguró que las hermanas no cruzaban ya palabra alguna en la mesa, y lo confirmó ver a Rita, en paseo, sola con Carmen, delante, mientras el primo seguía detrás con don Manuel y Nucha. Esta iba como avergonzada, cabizbaja y modesta. Crecieron los comentarios cuando Rita salió para Orense, a acompañar una temporada a la tía Marcelina, según dijo, y don Pedro para una posada, por no considerar decoroso que los novios viviesen bajo un mismo techo en vísperas de boda.

Esta se efectuó llegada la dispensa pontificia, hacia fines del mes de agosto. No faltaron los indispensables requisitos: finezas mutuas, regalos de amigos y parientes, cajas de dulces muy emperifolladas para repartir, buen ajuar de ropa blanca; las galas, venidas de Madrid en un cajón monstruo. Dos o tres días antes de la ceremonia, se recibió un paquetito procedente de Segovia, y, dentro de él, un estuche. Contenía una sortija de oro, muy sencilla, y una cartulina figurando tarjeta, que decía: «A mi inolvidable hermana Marcelina, su más amante hermano, *Gabriel*.» La novia lloró bastante con el obsequio de su «niño», púsolo en el dedo meñique de la mano izquierda, y allí se le reunió el otro anillo que en la iglesia le ciñeron.

Casáronse al anochecer, en una parroquia solitaria. Vestía la novia de rico gro negro, mantilla de blonda y aderezo de brillantes. Al regresar, hubo refresco para la familia y amigos íntimos solamente; un refresco a la antigua española, con almíbares, sorbetes, chocolate, vino generoso, bizcochos, dulces variadísimos, todo servido en macizas salvillas y bandejas de plata, con gran etiqueta y compostura. No adornaban la mesa flo-

res, a no ser las rosas de trapo de las tartas o ra-
milletes de piñonate; dos candelabros con bujías,
altos como mecheros de catafalco, solemnizaban
el comedor; y los convidados, transidos aún del
miedo que infunde el terrible sacramento del matrimonio visto de cerca, hablaban bajito, lo mismo que en un duelo, esmerándose en evitar hasta
el repique de las cucharillas en la loza de los platos. Parecía aquello la comida postrera de los
reos de muerte. Verdad es que el señor don Nemesio Angulo, eclesiástico en extremo, cortesano
y afable, antiguo amigo y tertuliano de don Manuel y autor de la dicha de los cónyuges, a quienes acababa de bendecir, intentó soltar dos o tres
cosillas festivas, en tono decentemente jovial,
para animar un poco la asamblea; pero sus esfuerzos se estrellaron contra la seriedad de los
concurrentes. Todos estaban —es la frase de cajón— muy afectados, incluso el señorito De la
Formoseda, que acaso pensaba: «Cuando la barba
de tu vecino...», y Julián, que, viendo colmados
sus deseos y votos ardentísimos, triunfante su
candidatura, sentía, no obstante, en el corazón un
peso raro, como si algún presentimiento cruel se
lo abrumase.

Seria y solícita, la novia atendía y servía a todo
el mundo: dos o tres veces su pulso desasentado
le hizo verter el pajarete que escanciaba al buen
don Nemesio, colocado en sitio preferente, a su
derecha. El novio, entre tanto, conversaba con
los hombres, y, al alzarse de la mesa, repartió
excelentes cigarros, de que tenía rellena la petaca.
Nadie aludió el trascendental acontecimiento ni
se atrevió a decir la menor chanza que pudiese
poner colorada a la novia; pero al despedirse los
convidados, algunos caballeros recalcaron maliciosamente las «buenas noches», mientras matro-
nas y doncellas, besando con estrépito a la des-
posada, le chillaban al oído: «Adiós, señora... Ya

eres señora; ya no es posible llamarte señorita...»,
celebrando tan trivial observación con fingidas
risas, y mirando a Nucha como para aprendér-
sela de memoria. Cuando todos fueron saliendo,
don Manuel Pardo se acercó a su hija y la oprimió
contra el pecho colosal, sellándole la frente con
besos muy cariñosos. Hallábase realmente conmovido el señor De la Lage: era la primera vez que
casaba a una hija; sentía desbordarse en su alma
la paternidad, y al tomar de la mano a Nucha
para conducirla a la cámara nupcial, alumbrán-
doles el camino Misia Rosario con un candelabro
de cinco brazos, cogido de la mesa del comedor,
no acertaba a pronunciar palabra, y un poco de
humedad se asomaba a sus lagrimales áridos, y
una sonrisa de orgullo y placer entreabría al
mismo tiempo su boca. En el umbral pudo exclamar al cabo:

—¡Si levantase la cabeza tal día como hoy tu
madre, que en gloria esté...!

Ardían en el tocador de la estancia dos velas,
puestas en candeleros, no menos empinados y
majestuosos que los candelabros del refresco; y
como no la iluminaba otra luz, ni se había soñado
siquiera en el clásico globo de porcelana que es
de rigor en todo voluptuoso camarín de novia,
impregnaba la alcoba más misterio religioso que
nupcial, completando su analogía con una capilla
u oratorio la forma del tálamo, cuyas cortinas, de
damasco rojo franjeadas de oro, se parecían exac-
tamente a colgaduras de iglesia, y cuyas sábanas
blanquísimas, tersas y almidonadas, con randas y
encajes, tenían la casta lisura de los manteles de
altar. Cuando el padre se retiraba ya, murmurando: «Adiós, Nuchita, hija querida», la novia le
asió la diestra y se la besó humildemente, con labios secos, abrasados de calentura. Quedó sola.
Temblaba como la hoja en el árbol, y al través

de sus crispados nervios corría a cada instante
el escalofrío de la «muerte chiquita», no por miedo razonado y consciente, sino por cierto pavor
indefinible y sagrado. Parecíale que aquella habitación donde reinaba tan imponente silencio, donde ardían tan altas y graves las luces, era el mismo templo en que no hacía dos horas aún se
había puesto de hinojos... Volvió a arrodillarse,
divisando allá en la sombra de la cabecera del lecho el antiguo Cristo de ébano y marfil, a quien el
cortinaje formaba severo dosel. Sus labios murmuraban el consuetudinario rezo nocturno: «Un
padrenuestro por el alma de mamá...» Oyéronse
en el corredor pisadas recias, crujir de botas flamantes, y la puerta se abrió.

Doce

Quedaban migajas, no muy añejas aún, del pan
de la boda, cuando don Pedro celebró con Julián
una conferencia, conviniendo ambos en lo urgente de que el capellán se adelantase a salir a los
pazos para adoptar varias precauciones indispensables y civilizar algo la huronera, mientras no
iban a vivirla sus dueños. Julián aceptó la comisión, y entonces el señorito mostró remordimiento o escrúpulo de habérsela encomendado.

—Mire usted —advirtió— que allí se necesitan
muchas agallas... Primitivo es hombre de malos
hígados, capaz de darle a usted cinco vueltas...

—Dios adelante. Matar no me matará.

—No lo diga usted dos veces —insistió el señor
de Ulloa, impulsado por voces de su conciencia,
que en aquel momento se dejaban oír claras y
apremiantes—. Ya le avisé a usted en otra ocasión
de cómo es Primitivo. Capaz de cualquier desafuero... Lo que yo no creo es que vaya a cometer barbaridades por gusto de comerterlas ni aun en el

primer momento, cuando le ciega el deseo de la
venganza... Con todo...

No era ésta la única vez que don Pedro manifestaba sagacidad en el conocimiento de caracteres y
personas, don esterilizado por la falta de nociones
de cultura moral y delicadeza, de esas que hoy
exige la sociedad a quien, mediante el nacimiento,
la riqueza o el poder, ocupa en ella lugar preemi-
nente.

Prosiguió el señorito:

—Primitivo no es un bárbaro... Pero es un bribón redomado y taimadísimo, que no se para en
barras con tal de lograr sus fines... ¡Demontres!
Harto estoy de saberlo... El día que nos vini-
mos..., si él pudiese detenernos soplándonos un
tiro a mansalva..., no doy dos cuartos por su pellejo de usted ni por el mío.

Estremecióse Julián, y se le borraron las rosa-
das tintas de los pómulos. No era de madera de
héroes, lo cual le salía a la cara. A don Pedro le
divertía infinito el miedo del capellán. En la índole
de don Pedro había un fondo de crueldad, sostenido por su vida grosera.

—Apostemos —exclamó, riéndose— que la cruz
aquella del camino va a pasarla rezando.

—No digo que no —contestó Julián, repuesto
ya—; mas no por eso me niego a ir. Es mi deber;
de suerte que no hago nada extraordinario en
cumplirlo. Dios sobre todo... A veces no es tan
fiero el león como lo pintan.

—No le tiene cuenta ahora a Primitivo meterse en dibujos.

Calló Julián. Al cabo exclamó:

—Señorito, si usted adoptase una buena resolución. ¡Echar a ese hombre, señorito, echarle!

—Calle usted, hombre, calle usted... Le pon-
dremos a raya... Pero eso de echar... ¿Y los perros? ¿Y la caza? ¿Y aquellas gentes, y todo

aquel cotarro, que nadie lo entiende sino él? Desengáñese usted: sin Primitivo, no me arreglo yo allí... Haga usted la prueba, sólo por gusto, de aquillotrarme algunas cosas de las que Primitivo maneja durmiendo... Además, crea usted lo que le digo, que es como el Evangelio: si echa usted a Primitivo por la puerta, se nos entrará por la ventana. ¡Diantre! ¡Si sabré yo quién es Primitivo!

Julián balbució:

—¿Y... de lo demás?

—De lo demás... Arréglese usted como quiera... Lleva usted plenos poderes.

¡Ya lo creo que los llevaba! ¡Así llevase también alguna receta eficaz para servirse de ellos! Investido de autoridad omnímoda, Julián sentía en el fondo del alma una especie de compasión por la desvergonzada manceba y el hijo espurio. Este último sobre todo. ¿Qué culpa tenía el pobre inocente de las bellaquerías maternales? Siempre parecía duro arrojarle de una casa donde, al fin y al cabo, el dueño era su padre. Julián no se hubiera encargado jamás de tan ingrata comisión, a no parecerle que iba en ello la salvación de don Pedro, y también el sosiego temporal de la que él seguía llamando señorita Marcelina, contra el dictamen de las convidadas a la boda.

No sin aprensión cruzó de nuevo el triste país de lobos que antecedía al valle de los pazos. El cazador le aguardaba en Cebre, e hicieron la jornada juntos; Primitivo, por más señas, se mostró tan sumiso y respetuoso, que Julián, quien, al revés de don Pedro, poseía el don de errar en el conocimiento práctico de las gentes, guardando los aciertos para el terreno especulativo y abstracto, fue poco a poco desechando la desconfianza y persuadiéndose de que ya no tenía el zorro intenciones de morder. El rostro impasible de

Primitivo no revelaba rencor ni enojo. Con su laconismo y seriedad habituales, hablaba del tiempo desapacible y metido en agua, que casi no había consentido majar, ni segar el maíz, ni vendimiar como Dios manda, ni cumplir en paz ninguna de las grandes faenas agrícolas. Estaba, en efecto, el camino encharcado, lleno de aguazales, y como había llovido por la mañana también, los pinos dejaban escurrir de las verdes y brillantes púas de su ramaje gotas de agua que se aplastaban en el sombrero de los viajeros. Julián iba perdiendo el miedo, y un gozo muy duro le inundaba el espíritu cuando saludó al crucero con verdadera efusión religiosa.

«Bendito seas, Dios mío —pensaba para sí—, pues me has permitido cumplir una obra buena, grata a tus ojos. He encontrado en los pazos, hace un año, el vicio, el escándalo, la grosería v las malas pasiones; y vuelvo trayendo el matrimonio cristiano, las virtudes del hogar consagrado por Ti. Yo, yo he sido el agente de que te has valido para tan santa obra... Dios mío, gracias.»

Cortaron el soliloquio ladridos vehementes: era la jauría del marqués, que salía a recibir al montero mayor, haciendo locas demostraciones de regocijo, zarandeando los rabos mutilados y abriendo de una cuarta las fresquísimas bocas. Acariciólos Primitivo con su enjuta mano, pues era sumamente afectuoso para los perros; y al nieto, que en pos de los perros venía, le dio una especie de festivo soplamocos. Quiso Julián besar al niño, pero éste se puso en polvorosa antes que pudiese lograrlo; y el capellán experimentó otra vez compasivos remordimientos, causados por la vista de la ya repudiada criatura. A Sabel la halló en el sitio de costumbre, entre sus pucheros, pero sin el antiguo séquito de aldeanas viejas y mozas de la *Sabia* y su dilatada progenie. Rei-

naba en la cocina orden perfecto: todo limpio,
sosegado y solitario; la persona más severa y
amiga de censurar no encontraría qué. El capellán comenzaba a sentirse confuso viendo en au-
sencia suya tanto arreglo, y a temer que su au-
sencia lo trastornara: idea dictada por su nativa
timidez. A la hora de cenar aumentó su sorpresa.
Primitivo, más blando que un guante, le daba
cuenta, en voz reposada, de lo ocurrido allí durante medio año, en materia de vacas paridas,
obras emprendidas, rentas cobradas; y mientras
el padre reconocía así su autoridad superior, la
hija le servía diligente y humilde, con pegajosa
dulzura de animal doméstico que implora caricias. No sabía Julián qué cara poner en vista de
una acogida tan cordial.

Creyó que mudarían de actitud al día siguiente, cuando, haciendo uso de los plenísimos poderes y facultades omnímodas de que venía investido, ordenó a la Agar y al Ismael de aquel
patriarcado emigrar al desierto. ¡Milagro asom-
broso! Tampoco se alteró entonces la mansedumbre de Primitivo.

—Los señoritos traerán cocinera de allá, de
Santiago —explicaba Julián, para fundar en algo
la expulsión.

—Por supuesto... —respondió Primitivo con la
mayor naturalidad del mundo—. Allá en la *vila*
guísase de otro modo... Los señores tienen la
boca acostumbrada... Cuadra bien, que yo también le iba a pedir que le escribiese al señor marqués de traer quien cocinase.

—¿Usted? —exclamó Julián, estupefacto.

—Sí, señor... La hija se me quiere casar...

—¿Sabel?

—Sabel, sí, señor, anda en eso... Con el gaitero de Naya, el *Gallo*... Por descontado, se empeña
en irse para su casa así que les echen las bendi-
ciones...

Sintió Julián un sofocón de pura alegría. No pudo menos de pensar que en todo aquel negocio de Sabel andaba visiblemente la mano de la Providencia. Sabel casada, alejada de allí, el peligro conjurado; las cosas en orden, la salvación segura. Una vez más dio gracias al Dios bondadoso que quita los estorbos de delante cuando la mezquina previsión humana no cree posible removerlos siquicra... La satisfacción que le rebosaba en el semblante era tal, que se avergonzó de mostrarla ante Primitivo, y empezó a charlar aprisa, por disimulo, felicitando al cazador y augurando a Sabel un porvenir de ventura en el nuevo estado. Aquella noche misma escribió al marqués la buena noticia.

Pasaron días, siempre bonancibles. Proseguía Sabel mansa; Primitivo, complaciente; Perucho, invisible; la cocina desierta. Sólo notaba Julián cierta resistencia pasiva en lo tocante al gobierno de los estados y hacienda del marqués. En este terreno le fue absolutamente imposible adelantar una pulgada. Primitivo sostenía su posición de verdadero administrador, apoderado y, entre bastidores, autócrata; Julián comprendía que sus plenos poderes importaban tanto como la carabina de Ambrosio y hasta pudo cerciorarse, por indicios evidentes, de que el influjo que ejercía el cazador en el circuito de los pazos iba haciéndose extensivo a toda la comarca; a menudo venían a conferenciar con el mayordomo, en actitud respetuosa y servil, gentes de Cebre, de Castrodorna, de Boán, de puntos más distantes todavía. En cuatro leguas a la redonda no se movía una paja sin intervención y aquiescencia de Primitivo. No poseía Julián fuerza para luchar con él, ni lo intentaba, pareciéndole secundario el perjuicio que a la casa de Ulloa originase la mala administración de Primitivo, en proporción al daño inmenso que estuvo a punto de causarle Sabel. Descartarse de la hija lo tenía él por importante; en cuanto al padre...

¡Verdad es que la hija no se marchaba tampoco; pero se marcharía, no faltaba más! ¿Quién duda que se marcharía? Tranquilizaba a Julián una señal en su concepto infalible: el haber sorprendido cierto anochecer, cerca del pajar, a Sabel y al gallardo gaitero entretenidos en coloquios más dulces que edificantes. Le ruborizó el encuentro; pero hizo la vista gorda, reflexionando que aquello era, por decirlo así, la antesala del altar. Seguro de la victoria respecto a la mala hembra, transigió en lo relativo al mayordomo. Cuanto más que éste no rechazaba las indicaciones de Julián ni le llevaba la contraria en cosa alguna. Si el capellán ideaba planes, censuraba abusos o insistía en la urgente necesidad de una reforma, Primitivo aprobaba, allanaba el camino, sugería medios, de palabra se entiende; al llegar a la realización, ya era harina de otro costal: empezaban las dificultades, las dilaciones: que hoy..., que mañana... No hay fuerza comparable a la inercia. Primitivo decía a Julián para consolarle:

—Una cosa es hablar, y otra hacer...

O matar a Primitivo, o entregársele a discreción: el capellán comprendía que no quedaba otro recurso. Fue un día a desahogar sus cuitas con don Eugenio, el abad de Naya, cuyos discretos pareceres le alentaban mucho. Encontróle todo alborotado con los noticiones políticos, que acababan de confirmar los pocos periódicos que se recibían en aquellos andurriales. La Marina se había sublevado, echando del trono a la reina, y ésta se encontraba ya en Francia, y se constituía un Gobierno provisional y se contaba de una batalla reñidísima en el puente de Alcolea, y el Ejército se adhería, y el diablo y su madre... Don Eugenio andaba, de puro excitado, medio loco, proyectando irse a Santiago sin dilación para saber noticias ciertas. ¡Qué dirían el señor arcipreste y el abad de Boán! ¿*Barbacana*? Ahora sí que *Barbacana* estaba fresco; su eterno adversario, *Trampeta*, amigo de los unionistas, se le montaría encima por los siglos de los siglos, amén.

Con el embullo de estos acontecimientos, apenas atendió el abad de Naya a las tribulaciones de Julián.

Trece

Transcurrido algún tiempo de vida familiar con suegro y cuñadas, don Pedro echó de menos su huronera.

No se acostumbraba a la metrópoli arzobispal. Ahogábanle las altas tapias verdosas, los soportales angostos, los edificios del lóbrego zaguán y escalera sombría, que le parecían calabozos y mazmorras. Fastidiábale vivir allí donde tres gotas de lluvia meten en casa a todo el mundo y engendran instantáneamente una triste vegetación de hongos de seda, de enormes paraguas. Le incomodaba la perenne sinfonía de la lluvia que se deslizaba por los canalones abajo o retiñía en los charcos causados por la depresión de las baldosas. Quedábanle dos recursos no más para combatir el tedio: discutir con su suegro o jugar un rato en el Casino. Ambas cosas le produjeron en breve, no hastío, pues el verdadero hastío es enfermedad moral propia de los muy refinados y sibaritas de entendimiento, sino irritación y sorda cólera hija de la secreta convicción de su inferioridad. Don Manuel era superior a su sobrino por el barniz de educación adquirido en dilatados años de existencia ciudadana y el consiguiente trato de gentes, así como por aquel bien entendido orgullo de su nacimiento y apellido, que le salvaba de adocenarse —era su expresión predilecta—. Aparte de la manía de referir en las sobremesas y entre amigos de confianza mil anécdotas, no contrarias al pudor, pero sí a la severidad del estómago de los oyentes, era don Manuel persona cortés y de buenas formas, para presidir, verbigracia, un duelo, asistir a una junta en la Sociedad Económica de Amigos del País, llevar el estandarte en una procesión, ser llamado al despacho de un gobernador en consulta. Si deseaba retirarse al campo, no le atraía tan sólo la perspectiva de dar rienda suelta a instintos selváticos, de andar sin corbata, de no pagar tributo a la sociedad, sino que le solicitaban aficiones más delicadas, de origen moderno: el deseo de tener un jardín, de cultivar frutales, de hacer obras de albañilería, distracción que le embelesaba y que en el campo es más barata que en la ciudad.

Además, el fino trato de su mujer, la perpetua compañía de sus hijas, suavizara ya las tradiciones rudas que por parte de los De la Lage conservaba don Manuel: cinco hembras respetadas y queridas civilizan al hombre más agreste. He aquí por qué el suegro, a pesar de encontrarse cronológicamente una generación más atrás que su yerno, estaba moralmente bastantes años más adelante.

Trataba don Manuel de descortezar a don Pedro, y no sólo fue trabajo perdido, sino contraproducente, pues recrudeció su soberbia y le infundió mayores deseos de emanciparse de todo yugo. Aspiraba el señor De la Lage a que su sobrino se estableciese en Santiago, levantando la casa de los pazos y visitándola los veranos solamente, a fin de recrearse y vigilar sus fincas; y al dar tales consejos a su yerno, lo entreveraba con indirectas y alusiones para demostrar que nada ignoraba de cuanto sucedía en la vieja madri-

guera de los Ulloas. Este género de imposición
y fiscalización, aunque tan disculpable, irritó a
don Pedro, que, según decía, no aguantaba ancas
ni gustaba de ser manejado por nadie del mundo.

—Por lo mismo —declaró un día delante de su
mujer— vamos a tomar soleta pronto. A mí nadie me trae y lleva desde que pasé de chiquillo.
Si callo a veces, es porque estoy en casa ajena.

Estar en casa ajena le exaltaba. Todo cuanto
veía lo encontraba censurable y antipático. El
decoroso fausto del señor De la Lage; sus bandejas y candelabros de plata; su moblaje rico y
antiguo; la respetabilidad de sus relaciones, compuestas de lo más selecto de la ciudad; su honesta tertulia nocturna de canónigos y personas for-
males que venían a hacerle la partida de tresillo;
sus criados respetuosos, a veces descuidados, pero
nunca insolentes ni entremetidos: todo se le figuraba a don Pedro sátira viviente del desarreglo
de los pazos, de aquella vida torpe, de las comidas sin mantel, de las ventanas sin vidrios, de la
familiaridad con mozas y gañanes. Y no se le
despertaba la saludable emulación, sino la ruin
envidia y su hermano el ceñudo despecho. Unicamente le consolaban los desatinados amoríos
de Carmen; celebraba la gracia, frotándose las
manos, siempre que en el Casino se comentaba
la procacidad del estudiante y el descaro de la
chiquilla. ¡Que rabiase su suegro! No bastaba
tener sillas de damasco y alfombras para evitar
escándalos.

Los altercados de don Pedro con su tío iban
agriándose, y vino a envenenarlos la discusión
política, que enzarza más que ninguna otra, especialmente a los que discuten por impresión, sin
ideas fijas y razonadas. Fuerza es confesar que
el marqués estaba en este caso. Don Manuel no
era ningún lince, pero afiliado platónicamente
desde mucho tiempo atrás al partido moderado

puro, hecho a leer periódicos, conocía la rutina;
y había tomado tan a contrapelo el chasco de
González Bravo y la marcha de Isabel II, que se
disparaba, poniéndose a dos dedos de ahogarse,
cuando el sobrino, por molestarle, le contradecía,
disculpaba a los revolucionarios, repetía las enor-
midades que la Prensa y las lenguas de entonces
propalaban contra la majestad caída, y aparen-
taba creerlas como artículo de fe. El tío le reba-
tía con acritud, alzando al cielo las gigantescas
manos.

—Allá en las aldeas —decía— se traga todo,
hasta el mayor disparate... No tenéis formado el
criterio, hijo; no tenéis formado el criterio; esa
es vuestra desgracia... Lo miráis todo al través
de un punto de vista que os forjáis vosotros mismos... —este tremendo disparate debía de haberlo aprendido don Manuel en algún artículo de
fondo—. Hay que juzgar con la experiencia, con
la sensatez.

—¿Y usted se figura que somos tontos los que
venimos de allá?... Puede ser que aún tengamos
más pesqui, y veamos lo que ustedes no ven...
—aludía a su prima Carmen, colgada de la galería en aquel momento—. Créame usted, tío: en
todas partes hay bobalicones que se maman el
dedo... ¡Vaya si los hay!

La discusión tomaba carácter personal y agre-
sivo; solía esto ocurrir a la hora de la sobremesa;
las tazas del café chocaban furiosas contra los
platillos; don Manuel, trémulo de coraje, vertía
el anisete al llevarlo a la boca; tío y sobrino al-
zaban la voz mucho más de lo regular, y, después
de algún descompasado grito o frase dura, había
instantes de armado silencio, de muda hostilidad,
en que las chicas se miraban, y Nucha, con la cabeza baja, redondeaba bolitas de miga de pan o
doblaba muy despacio las servilletas de todos,
deslizándolas en las anillas. Don Pedro se levan-

taba de repente, rechazando su silla con energía, y, haciendo temblar el piso bajo su andar fuerte, se largaba al Casino, donde las mesas de tresillo funcionaban día y noche.

Tampoco allí se encontraba bien. Sofocábale cierta atmósfera intelectual, muy propia de ciudad universitaria. Compostela es un pueblo en que nadie quiere pasar por ignorante, y comprendía el señorito cuánto se mofarían de él, y qué chacota se le preparaba, si se averiguase con certeza que no estaba fuerte en ortografía ni en otras «ías» nombradas allí a menudo. Se le sublevaba su amor propio de monarca indiscutible en los pazos de Ulloa al verse tenido en menos que unos catedráticos acatarrados y pergaminosos, y aun que unos estudiantes troneras, con las botas rotas y el cerebro caliente y vibrante todavía de alguna lectura de autor moderno, en la biblioteca de la Universidad o en el gabinete del Casino. Aquella vida era sobrado activa para la cabeza del señorito, sobrado entumecida y sedentaria para su cuerpo; la sangre se le requemaba por falta de esparcimiento y ejercicio; la piel le pedía con mucha necesidad baños de aire y sol, duchas de lluvia, friegas de espinos y escajos, ¡plena inmersión en la atmósfera montés!

No podía sufrir la nivelación social que impone la vida urbana; no se habituaba a contarse como número par en un pueblo habiendo estado siempre de nones en su residencia feudal. ¿Quién era él en Santiago? Don Pedro Moscoso a secas; menos aún: el yerno del señor De la Lage, el marido de Nucha Pardo. El marquesado allí se había deshecho como la sal en el agua, merced a la malicia de un viejecillo, miembro del maldiciente triunvirato, a quien correspondía, por su acerada y prodigiosa memoria y años innumerables, el ramo de averiguaciones y esclarecimientos de añejos sucedidos, así como al más joven, que conocemos ya, tocaban las investigaciones de actualidad, viniendo a ser cronista el uno y analista el otro de la metrópoli.

El cronista, pues, hizo su oficio desentrañando la genealogía entera y verdadera de las casas de Cabreira y Moscoso, probando ce por be que el título de Ulloa no correspondía ni podía corresponder sino al duque de tal y cual, grande de España, etc.; y demostrándolo mediante oportuna exhibición de la *Guía de Forasteros.* Por cierto que al instruir estas diligencias se hizo bastante burla de don Pedro y del señor De la Lage, a quien se acusaba de haber bordado la corona de marquesa en un juego de sábanas regalado a su hija, inocente desliz que el analista confirmó, especificando dónde y cómo se habían marcado las susodichas sábanas y cuánto había costado el escusón y el perendengue de la coronita.

Impaciente ya, resolvió don Pedro la marcha antes que pasase la inclemencia del invierno, a fines de un marzo muy esquivo y desapacible. Salía el coche para Cebre tan de madrugada, que no se veía casi; hacía un frío cruel, y Nucha, acurrucada en el rincón del incómodo vehículo, se llevaba a menudo el pañuelo a los ojos, por lo cual su marido le interpeló con poca blandura:

—Parece que vienes de mala manera conmigo.

—¡Qué cosas tienes! —respondió la muchacha, destapando el rostro y sonriendo—. Es natural que sienta dejar al pobre papá y... a las chicas.

—Pues ellas —murmuró el señorito— me parece que no te echarán memoriales para que vuelvas.

Nucha calló. El carruaje brincaba en los baches de la salida, y el mayoral, con voz bronca, animaba al tiro. Alcanzaron la carretera, y rodó el armatoste sobre una superficie más igual. Nucha reanudó el diálogo, preguntando a su marido pormenores relativos a los pazos, conversación a que él se prestaba gustoso, ponderando hiperbólicamente la hermosura y salubridad del país, encareciendo la antigüedad del caserón y alabando la vida cómoda e independiente que allí se hacía.

—No creas —decía a su mujer, alzando la voz para que no la cubriese el ruido de los cascabeles y el retemblar de los vidrios—, no creas que no hay gente fina allí. La casa está rodeada de señorío principal: las señoritas de Molende, que son muy simpáticas; Ramón Limioso, un cumplido caballero... También nos hará compañía el abad de Naya... ¡Pues y el nuestro, el de Ulloa, que es presentado por mí! Ese es tan mío como los perros que llevo a cazar... No le mando que ladre y que porte porque no se me antoja. ¡Ya verás, ya verás! Allí es uno alguien y supone algo.

A medida que se acercaban a Cebre, que entraban en sus dominios, se redoblaba la alegre locuacidad de don Pedro. Señalaba a los grupos de castaños, a los escuetos montones de aliaga y exclamaba, regocijadísimo:

—¡Foro de casa..., foro de casa!... No corre por ahí una liebre que no paste en tierra mía.

La entrada en Cebre acrecentó su alboroto. Delante de la posada aguardaban Primitivo y Julián: aquél, con su cara de metal, enigmática y dura; éste, con el rostro dilatado por afectuosísima sonrisa. Nucha le saludó con no menor cordialidad. Bajaron los equipajes, y Primitivo se adelantó, trayendo a don Pedro su lucida y viva yegua castaña. Iba éste a montar, cuando reparó en la cabalgadura que estaba dispuesta para Nucha, y era una mula alta, maligna y tozuda, arreada con aparejo redondo, de esos que por formar en el centro una especie de comba, más parecen hechos para despedir al jinete que para sustentarle.

—¿Cómo no le has traído a la señorita la

borrica? —preguntó don Pedro, deteniéndose antes de montar, con un pie en el estribo y una
mano asida a las crines de la yegua, y mirando
al cazador con desconfianza.

Primitivo articuló no sé qué de una pata coja,
de un tumor frío...

—¿Y no hay más borricos en el país? ¿Eh? A
mí no me vengas con eso. Te sobraba tiempo
para buscar diez pollinas.

Volvióse hacia su mujer, y como para tranqui-
lizar su conciencia, preguntóle:

—¿Tienes miedo, chica? Tú no estarás acostumbrada a montar. ¿Has andado alguna vez en
esta casta de aparejos? ¿Sabes tenerte en ellos?

Nucha permanecía indecisa, recogiendo el vestido con la diestra, sin soltar de la otra el saqui-
llo de viaje. Al cabo murmuró:

—Lo que es tenerme, sé... El año pasado, cuando estuve de baños, monté en mil aparejos nunca vistos, sólo que ahora...

Soltó el traje de repente, llegóse a su marido
y le pasó un brazo alrededor del cuello, escondiendo la cara en su pechera, como la primera
vez que había tenido que abrazarle; y allí, en
una especie de murmullo o secreto dulcísimo,
acabó la frase interrumpida. Pintóse en el rostro
del marqués la sorpresa. Y casi al mismo tiempo la exaltación de una victoria. Y apretando
contra sí a su mujer con amorosa protección,
exclamó a gritos:

—O no hay en tres leguas a la redonda una
pollina mansa, o aunque la tenga el mismo Dios
del cielo y no la quiera prestar, aquí vendrá para
ti, a fe de Pedro Moscoso. Aguarda, hija, aguarda un minuto nada más... O, mejor dicho, entra
en la posada y siéntate... A ver, un banco, una
silla para la señorita... Espera, Nuchina; vengo
volando. Primitivo, acompáñame tú. Abrígate,
Nucha.

Volando, no; pero sí, al cabo de media hora, volvió sin aliento. Traía del ronzal una oronda borriquilla, bien arreada, dócil y segura: la propia hacanea de la mujer del juez de Cebre. Don Pedro tomó en brazos a su esposa y la sentó en la albarda, arreglándole la ropa con esmero.

Catorce

Así que pudieron conferenciar reservadamente capellán y señorito, preguntó don Pedro, sin mirar cara a cara a Julián:

—¿Y ésa? ¿Está todavía por aquí? No la he visto cuando entramos.

Como Julián arrugase el entrecejo, añadió:

—Está, está... Apostaría yo cien pesos, antes de llegar, a que usted no había encontrado modo de sacudírsela de encima.

—Señorito, la verdad... —articuló Julián, bastante disgustado—. Yo no sé qué decir... Ha sido una cosa que se ha ido enredando... Primitivo me juró y perjuró que la muchacha se iba a casar con el gaitero de Naya...

—Ya sé quién es —dijo, entre dientes, don Pedro, cuyo rostro se anubló.

—Pues yo..., como era bastante natural, lo creí. Además, tuve ocasión de persuadirme de que, en efecto, el gaitero y Sabel... tienen... trato.

—¿Ha averiguado usted todo eso? —interrogó el marqués con ironía.

—Señor, yo... Aunque no sirvo mucho para estas cosas, quise informarme, para no caer de inocente... He preguntado por ahí, y todo el mundo está conforme en que andan para casarse; hasta don Eugenio, el abad de Naya, me dijo que el muchacho había pedido sus papeles. Y por cierto que, a pretexto de no sé qué enredo o dificul-

tad en los tales papeles dichosos, no se hizo la
cosa todavía.

Quedóse don Pedro callado, y, al fin, prorrumpió:

—Es usted un santo. Ya podían venirme a mí
con ésas.

—Señor, la verdad es que si tuvieron la intención de engañarme..., digo que son unos grandísimos pillos. Y la Sabel, si no está muerta y penada por el gaitero, lo figura que es un asombro.
Hace dos semanas fue a casa de don Eugenio, y
se le arrodilló llorando, pidiendo por Dios que
se diese prisa a arreglarle el casamiento, porque
aquel día iba a ser el más feliz de su vida. Don
Eugenio me lo ha contado, y don Eugenio no
dice una cosa por otra.

—¡Bribonaza! ¡Bribonaza! —tartamudeó el
señorito, iracundo, paseándose por la habitación.

Sosegóse, no obstante, muy luego, y agregó:

—No me pasmo de nada de eso, ni digo que
don Eugenio mienta; pero... usted... es un papanatas, un infeliz, porque aquí no se trata de
Sabel, ¿entiende usted?, sino de su padre, de su
padre. Y su padre le ha engañado a usted como
a un chino, vamos. La... mujer esa bien comprendo que rabia por largarse; mas Primitivo
es abonado para matarla antes que tal suceda.

—No; si también empezaba yo a maliciarme
eso... Mire usted que empezaba a maliciármelo.

El señorito se encogió de hombros con desdén,
y exclamó:

—A buena hora... Deje usted ya de mi cuenta
este asunto... Y por lo demás..., ¿qué tal, qué tal?

—Muy mansos..., como corderos. No se me
han opuesto de frente nada.

—Pero habrán hecho de lado cuanto se les
antoje... Mire usted, don Julián: a veces me dan
ganas de empapillarle a usted lo mismito que a
los pichones.

Julián replicó, todo compungido:

—Señorito, acierta usted de medio a medio. No hay forma de conseguir nada aquí si Primitivo se opone. Tenía usted razón cuando me lo aseguraba el año pasado. Y de algún tiempo acá, parece que aún le tienen mayor respeto, por no decir miedo. Desde que se armó la revolución y andan agitadas las cosas políticas, y cada día recibimos una noticia gorda, creo que Primitivo se mezcla en esos enredos y recluta satélites en el país... Me lo ha asegurado don Eugenio, añadiendo que ya antes tenía subyugada a mucha gente prestando a réditos.

Guardaba silencio don Pedro. Por fin, alzó la cabeza, y dijo:

—¿Se acuerda usted de la burra que hubo que buscar en Cebre para mi mujer?

—¡No me he de acordar!

—Pues la señora del juez..., ríase usted un poco, hombre..., la señora del juez se avino a prestármela porque iba Primitivo conmigo. Si no...

No hizo Julián reflexión alguna acerca de un suceso que tanto indignaba al marqués. Al terminar la conferencia, don Pedro le puso la mano en el hombro.

—¿Y por qué no me da usted la enhorabuena, desatento? —exclamó, con aquella misma irradiación que habían tenido sus pupilas en Cebre.

Julián no entendía. El señorito se explicó, cayéndosele la baba de gozo. Sí, señor; para octubre, el tiempo de las castañas..., esperaba el mundo un Moscoso, un Moscoso auténtico y legítimo..., hermoso como un sol además.

—¿Y no puede ser también una Moscosita? —preguntó Julián, después de reiteradas felicitaciones.

—¡Imposible! —gritó el marqués con toda su alma. Y como el capellán se echase a reír, añadió—: Ni de guasa me lo anuncie usted, don Ju-

lián... Ni de guasa. Tiene que ser un chiquillo,
porque si no, le retuerzo el pescuezo a lo que
venga. Ya le he encargado a Nucha que se libre
bien de traerme otra cosa más que un varón. Soy
capaz de romperle una costilla si me desobedece.
Dios no me ha de jugar una mala pasada. En mi
familia siempre hubo sucesión masculina: Moscosos crían Moscosos, es ya proverbial. ¿No lo
ha reparado usted cuando estuvo almorzándose
el polvo del archivo? Pero usted es capaz de no
haber reparado tampoco en el estado de mi mujer si no le entero yo ahora.

Y era verdad. No sólo no lo había echado de
ver, sino que tan natural contingencia no se le
había pasado siquiera por las mientes. La vene-
ración que por Nucha sentía, y que iba acrecen-
tándose con el trato, cerraba el paso a la idea
de que pudieran ocurrirle los mismos percances
fisiológicos que a las demás hembras del mundo.
Justificaba esta candorosa niñería el aspecto de
Nucha. La total inocencia que se pintaba en sus
ojos vagos y como perdidos en contemplaciones de un mundo interior, no había menguado
con el matrimonio; las mejillas, un poco más re-
dondeadas, seguían tiñéndose del carmín de la
vergüenza por el menor motivo. Si alguna variación podía observarse, algún signo revelador del
tránsito de virgen a esposa, era quizá un aumento de pudor; pudor, por decirlo así, más consciente y seguro de sí mismo; instinto elevado a
virtud. No se cansaba Julián de admirar la noble
seriedad de Nucha cuando una chanza atrevida
o una palabra malsonante hería sus oídos; la
dignidad natural, que era como su propia envoltura, escudo impalpable que la resguardaba
hasta contra las osadías del pensamiento; la bondad con que agradecía la atención más leve, pa-
gándola con frases compuestas, pero sinceras;
la seriedad de toda su persona, semejante al

caer de una tarde apacibilísima. Parecíale a Julián que Nucha era, ni más ni menos, el tipo ideal de la bíblica esposa, el poético ejemplar de la mujer fuerte, cuando aún no se ha borrado de su frente el nimbo del candor y, sin embargo, ya se adivinaba su entereza y majestad futura. Andando el tiempo, aquella gracia había de ser severidad, y a las oscuras trenzas sucederían las canas de plata, sin que en la pura frente imprimiese jamás una mancha el delito, ni una arruga el remordimiento. ¡Cuán sazonada madurez prometía tan suave primavera! Al pensarlo, felicitábase otra vez Julián por la parte que le cabía en la acertada elección del señorito.

Con desinteresada satisfacción se decía a sí mismo que había logrado contribuir al establecimiento de una cosa gratísima a Dios e indispensable en la concertada marcha de la sociedad: el matrimonio cristiano, lazo bendito por medio del cual la Iglesia atiende juntamente con admirable sabiduría a fines espirituales y materiales, santificando los segundos por medio de los primeros. «La índole de tan sagrada institución —discurría Julián— es opuesta a impúdicos extremos y arrebatos, a romancescos y necios desahogos, ardientes y roncos arrullos de tórtola»; por eso alguna vez que el esposo se deslizaba a familiaridades más despóticas que tiernas, parecíale al capellán que la esposa sufría mucho, herida en su cándida modestia, en su decente compostura; figurábasele que la caída de sus párpados, su encendimiento, su silencio, eran muda protesta contra libertades impropias del honesto trato conyugal. Si ante él sucedían tales cosas —a la mesa, por ejemplo—, Julián torcía la cara, haciéndose el distraído, o alzaba el vaso para beber, o fingía atender a los perros, que husmeaban por allí.

Le asaltaba entonces un escrúpulo, de esos que

se quiebran de sutiles. Por muy perfecta casada
que hiciese Nucha, su condición y virtudes la
llamaban a otro estado más meritorio todavía,
más parecido al de los ángeles, en que la mujer
conserva como preciado tesoro su virginal limpieza. Sabía Julián, por su madre, que Nucha
manifestaba a veces inclinación a la vida monás-
tica, y daba en la manía de deplorar que no hubiese entrado en un convento. Siendo Nucha tan
buena para mujer de un hombre, mejor sería
para esposa de Cristo; y las castas nupcias de-
jarían intacta la flor de su inocencia corporal,
poniéndola para siempre al abrigo de las tribulaciones y combates que en el mundo nunca faltan.

Esto de los combates le recordaba a Sabel.
¿Quién duda que su permanencia en casa era va
un peligro para la tranquilidad de la esposa legítima? No imaginaba Julián riesgos inmediatos,
pero presentía algo amenazador para el porvenir. ¡Horrible familia ilegal, enraizada con el
viejo caserón solariego como las parietarias y
hiedras en los derruidos muros! Al capellán le
entraban a veces impulsos de coger una escoba
y barrer bien fuerte, bien fuerte, hasta que echase de allí a tan mala ralea. Pero cuando iba más
determinado a hacerlo, tropezaba en la egoísta
tranquilidad del señorito y en la resistencia pasiva, incontrastable, del mayordomo. Sucedió,
además, una cosa que aumentó la dificultad de
la barredura: la cocinera enviada de Santiago
empezó a malhumorarse, quejándose de que no
entendía la cocina, de que la leña no ardía bien,
del humo, de todo; Sabel, muy servicial, acudió
a ayudarla, y a los pocos días la cocinera, cansada de la aldea, se despidió con malos modos, y
Sabel quedó en su sitio, sin que mediasen más
fórmulas para el reemplazo que asir el mango
de la sartén cuando la otra lo soltó. Julián no
tuvo ni tiempo de protestar contra este cambio

de ministerio y vuelta al antiguo régimen. Lo cierto es que la familia espuria se mostraba por entonces incomparablemente humilde: a Primitivo no se le encontraba sino llamándole cuando hacía falta; Sabel se eclipsaba apenas dejaba la comida puesta a la lumbre y confiada al cuidado de las mozas del fregadero; el chiquillo parecía haberse evaporado.

Y, con todo, al capellán no le llegaba la camisa al cuerpo. ¡Si Nucha se enteraba! ¿Y quién duda que se enteraría en el momento menos pensado? Por desgracia, la nueva esposa mostraba afición suma a recorrer la casa, a informarse de todo, a escudriñar los sitios más recónditos y trasconejados; verbigracia: desvanes, bodegas, lagar, palomar, hórreos, *tulla*, perreras, cochiqueras, gallineros, establos, *herbeiros* y depósitos de forraje. No le llegaba a Julián la camisa al cuerpo, temblando que en alguna de esas dependencias recibiese Nucha a boca de jarro, por impensado accidente, la atroz revelación. Y al mismo tiempo, ¿cómo oponerse al útil merodeo del ama de casa hacendosa para sus dominios? Parecía que con la joven señora entraban en cada rincón de los pazos la alegría, la limpieza y el orden, y que la saludaban el rápido bailotear del polvo arremolinado por las escobas, la vibración del rayo de sol proyectado en escondrijos y zahurdas, donde las espesas telarañas no lo habían dejado penetrar desde años antes.

Seguía Julián a Nucha en sus exploraciones, a fin de vigilar y evitar, si cabía, cualquier suceso desgraciado. Y, en efecto, su intervención fue provechosa cuando Nucha descubrió en el gallinero cierto pollo implume. El caso merece referirse despacio.

Había observado Nucha que en aquella casa de bendición las gallinas no ponían jamás, o, si ponían, no se veía la postura. Afirmaba don Pe-

dro que se gastaban al año bastantes ferrados
de centeno y mijo en el corral, y, con todo eso,
las malditas gallinas no daban nada de sí. Lo
que es cacarear, cacareaban como descosidas,
indicio evidente de que andaban en tratos de
soltar el huevo; oíase el himno triunfal de las
fecundas, a la vez que el blando cloquear de las
cluecas; se iba a ver el nido, se advertía en él
suave calorcillo, se distinguía la paja prensada,
señalando en relieve la forma del huevo... Y
nada: que no se podía juntar ni para una mala
tortilla. Nucha permanecía ojo alerta. Un día,
que acudió más diligente al cacareo relator, divisó, agazapado en el fondo del gallinero, escondiéndose como un ratoncillo, a un rapaz de
pocos años. Sólo asomaban entre la paja de la ni-
dadura sus descalzos pies. Nucha tiró de ellos,
y salió el cuerpo, las manos, en las cuales venía
el plato que apetecía el ama de casa, pues los
huevos, que el chico acaba de ocultar, se le habían roto con la prisa, y la tortilla estaba allí
medio hecha, cascada por lo menos.

—¡Ah, pícaro! —exclamó Nucha, cogiéndole y
sacándole afuera, a la luz del corral—. ¡Te voy
a desollar vivo, gran tunante! ¡Ya sabemos quién
es el zorro que se come los huevos! ¡Hoy te pongo el trasero a remojo, donde no lo veas!

Agitábase y perneaba el ladrón en miniatura;
Nucha sintió lástima, imaginándose que sollozaba con desconsuelo. Apenas logró verle un minuto la cara, desviándole de ella los brazos, pudo
convencerse de que el muy insolente no hacía
sino reírse a más y mejor, y también notar la extraordinaria lindeza del desharrapado chicuelo.
Julián, testigo inquieto de esta escena, se adelantó y quiso arrebatárselo a Nucha.

—¡Déjemelo usted, don Julián!... —suplicó
ella—. ¡Qué guapo, qué pelo, qué ojos! ¿De
quién es esta criatura?

Nunca el timorato capellán sintió tantas ganas de mentir. No atinó, sin embargo.

—Creo... —tartamudeó, atragantándose—, creo que... de Sabel, la que guisa estos días.

—¿De la criada? Pero... ¿está casada esa chica?

Creció la turbación de Julián. De esta vez tenía en la garganta una pera de ahogo.

—No, señora; casada, no... Ya sabe usted que..., desgraciadamente..., las aldeanas, por aquí, no es común que guarden el mayor recato... Debilidades humanas...

Sentóse Nucha en un poyo del corral que con el gallinero lindaba, sin soltar al chiquillo, empeñándose en verle la cara mejor. El porfiaba en taparla con manos y brazos, pegando respingos de conejo montés cautivo y sujeto. Sólo se descubría su cabellera, el monte de rizos, castaños como la propia castaña madura, envedijados, revueltos con briznas de paja y motas de barro seco, y el cuello y nuca devorados por el sol.

—Julián, ¿tiene usted ahí una pieza de dos cuartos?

—Sí, señora.

—Toma, *rapaciño*... A ver si me pierdes el miedo.

Fue eficaz el conjuro. Alargó el chiquillo la mano, y metió rápidamente en el seno la moneda. Nucha vio entonces el rostro redondeado, hoyoso, graciosísimo y correcto a la vez, como el de los amores de bronce que sostienen mecheros y lámparas. Una risa, entre picaresca y celestial, alegraba tan linda obra de la Naturaleza. Nucha le plantó un sonoro beso en cada carrillo.

—¡Qué monada! ¡Dios le bendiga! ¿Cómo te llamas, pequeño?

—Perucho —contestó el pilluelo con sumo desenfado.

—¡El nombre de mi marido! —exclamó la señorita con viveza—. ¿Apostamos que es su ahijado? ¿Eh?

—Es su ahijado, su ahijado —se apresuró a declarar Julián, que desearía ponerle al chico un tapón en aquella boca risueña, de carnosos labios cupidinescos. No pudiendo hacerlo, intentó sacar la conversación de terreno tan peligroso.

—¿Para qué querías tú los huevos? Dilo, y te doy otros dos cuartos; anda.

—Los vendo —declaró Perucho concisamente.

—Conque los vendes, ¿eh? Tenemos aquí un negociante... ¿Y a quién los vendes?

—A las mujeres de por ahí, que van a la *vila*.

—Sepamos: ¿a cómo te pagan?

—Dos cuartos por la *ducia*.

—Pues mira —dijo Nucha cariñosamente—: de aquí en adelante, me los vas a vender a mí, que te pagaré otro tanto. Por lo bonito que eres, no quiero reñirte ni enfadarme contigo. ¡Quiá! Vamos a ser muy amigotes tú y yo. Lo primero que te he de regalar son unos pantalones... No andas muy decente que digamos.

En efecto, por los desgarrones y aberturas del sucio calzón de estopa del chico hacían irrupción sus fresquísimas y lozanas carnes, cuya morbidez no alcanzaba a encubrir el fango y suciedad que les servían de vestidura, a falta de otra más decorosa.

—¡Angelito! —murmuró Nucha—. ¡Parece mentira que los traigan así! Yo no sé cómo no se matan, cómo no perecen de frío... Julián, hay que vestir a este niño Jesús.

—¡Sí; buen niño Jesús está él! —gruñó Julián—. ¡El mismísimo enemigo malo, Dios me perdone! No le tenga lástima, señorita; es un diablillo, más travieso que un mico... ¡Lo que no hice yo para enseñarle a leer y escribir, para acostumbrarle a que se lavase esos hocicos y esas patas! ¡Ni atándole, señorita, ni atándole!

Y está más sano que una manzana, con la vida que trae. Ya se ha caído dos veces al estanque este año, y de una por poco se ahoga.

—Vaya, Julián: ¿qué quiere usted que haga a su edad? No ha de ser formal, como los mayores. Ven conmigo, rapaz, que voy a arreglarte algo para que te tapes esas piernecitas. ¿No tiene calzado? Pues hay que encargarle unos zuecos bien fuertes, de álamo... Y le voy a predicar un sermón a su madre para que me lo enjabone todos los días. Usted le va a dar lección otra vez. O le haremos ir a la escuela, que será lo mejor.

No hubo quien apease a Nucha de su caritativo propósito. Julián estaba con el alma en un hilo, temiendo que de semejante aproximación resultase alguna catástrofe. No obstante, la bondad natural de su corazón hizo que se interesase nuevamente por aquella obra pía, que ya había intentado sin fruto. Veía en ella mayor demostración de la hermosura moral de Nucha. Parecíale que era providencial el que la señorita cuidase a aquel mal retoño de tronco ruin. Y Nucha, entre tanto, se divertía infinito con su protegido; hacíanle gracia su propia desvergüenza, sus instintos truhanescos, su afán por apandar huevos y fruta, su avidez de coger las monedas, su afición al vino y a los buenos bocados. Aspiraba a enderezar aquel arbolito tierno, civilizándole a la vez la piel y el espíritu. «Obra de romanos», decía el capellán.

Quince

Por entonces se dedicó el matrimonio Moscoso a pagar visitas de la aristocracia circunvecina. Nucha montaba la borriquilla, y su marido, la yegua castaña; Julián los acompañaba en mula; alguno de los perros favoritos del marqués se incorporaba a la comitiva siempre, y dos mozos, vestidos con la ropa dominguera, la más bordada faja, el sombrero de fieltro nuevecito, empuñando varas verdes, que columpiaban al andar, iban de espolistas, encargados de tener mano de las monturas cuando se apeasen los jinetes.

La tanda empezó por la señora jueza de Cebre. Abrió la puerta una criada en pernetas, que, al ver a Nucha bajarse de su cabalgadura y arreglar los volantes del traje con el mango de la sombrilla, echó a correr, despavorida, hacía el interior de la casa, clamando como si anunciase fuego o ladrones:

—Señora... ¡Ay mi señora! ¡Unos señores..., hay unos señores aquí!

Ningún eco respondió a sus alaridos de consternación; pero transcurridos breves minutos, apareció en el zaguán el juez en persona, deshaciéndose en excusas por la torpeza de la muchacha: era inconcebible el trabajo que costaba domesticarla; «se le repetía mil veces la misma cosa, y nada, no aprendía a recibir a las..., pues..., de la manera que...» Al murmurar así, arqueaba el codo, ofreciendo a Nucha el sostén de su brazo para subir la escalera; y siendo ésta tan angosta que no cabían dos personas de frente, la señora de Moscoso pasaba los mayores trabajos del mundo, intentando asirse con las yemas de los dedos al brazo del buen señor, que subía dos escalones antes que ella, todo torcido y sesgado.

Llegados a la puerta de la sala, el juez empezó a palparse, buscando ansiosamente algo en los bolsillos, articulando, a media voz, monosílabos entrecortados y exclamaciones confusas. De repente exhaló una especie de bramido terrible:

—Pepa... ¡Pepaaaaa!

Se oyó el «¡clac!» de los pies descalzos, y el juez interpeló a la fámula:

—¿La llave, vamos a ver? ¿Donde Judas has metido la llave?

Pepa se largaba ya a toda prisa, y el juez, cambiando de tono y pasando de la más furiosa ronquera a la más meliflua dulzura, empujó la puerta y dijo a Nucha:

—Por aquí, señora mía; por aquí...; tenga usted la bondad.

La sala estaba completamente a oscuras; Nucha tropezó con una mesa, a tiempo que el juez repetía:

—Tenga usted la bondad de sentarse, señora mía... Usted dispense...

La claridad que bañó la habitación, una vez abiertas las maderas de la ventana, permitió a Nucha distinguir al fin el sofá de reps azul, los dos sillones haciendo juego, el velador de caoba, la alfombra tendida a los pies del sofá y que representaba un ferocísimo tigre de Bengala, color de canela fina. Al juez todo se le volvía acomodar a los visitadores, insistiendo mucho en si al marqués de Ulloa le convenía la luz de frente o estaría mejor de espaldas a la vidriera; al mismo tiempo lanzaba ojeadas de sobresalto en derredor, porque le iba sabiendo mal la tardanza de su mujer en presentarse. Esforzábase en sostener la conversación; pero su sonrisa tenía la contracción de una mueca, y su ojo severo se volvía haca la puerta muy a menudo.

Al cabo se oyó en el corredor crujido de enaguas almidonadas: la señora jueza entró, sofocada y compuesta de fresco, según claramente se veía en todos los pormenores de su tocado; acababa de embutir su respetable humanidad en el corsé, y, sin embargo, no había logrado abrochar los últimos botones del corpiño de seda; el moño postizo, colocado a escape, se torcía, inclinándose hacia la oreja izquierda; traía un pendiente desabrochado, y no habiéndole llegad el tiempo para calzarse, escondía con mil trabajos, entre los volantes pomposos de la falda de seda, las babuchas de orillo.

Aunque Nucha no pecaba de burlona, no pudo menos de hacerle gracia el atavío de la jueza, que pasaba por el figurín vivo de Cebre, y a hurtadillas sonrió a Julián, mostrándole con imperceptible guiño los collares, dijes y broches que lucía en el cuello la señora, mientras ésta, a su vez, devoraba e inventariaba el sencillo adorno de la recién casada santiaguesa. La visita fue corta, porque el marqués deseaba cumplir aquel mismo día con el arcipreste, y la parroquia de Loiro distaba una legua, por lo menos, de la villita de Cebre. Se despidieron de la autoridad judicial tan ceremoniosamente como habían entrado, con los mismos requilorios del brazo y acompañamiento y muchos ofrecimientos de casa y persona.

Era preciso, para ir a Loiro, internarse bastante en la montaña y seguir una senda llena de despeñaderos y precipicios, que sólo se hacía practicable al acercarse a los dominios del arciprestazgo, vastos y ricos algún día, hoy casi anulados por la desamortización. La rectoral daba señales de su esplendor pasado; su aspecto era conventual; al entrar y apearse en el zaguán, los señores de Ulloa sintieron la impresión del frío subterráneo de una ancha cripta abovedada, donde la voz humana retumbaba de un modo extraño y solemne. Por la escalera, de anchos peldaños y monumental balaustre de piedra, bajaba dificultosamente, con la lentitud y el balanceo con que caminan los osos puestos en dos pies, una pareja de seres humanos, monstruosa, deforme, que lo parecía más viéndola así reunida: el arcipreste y su hermana. Ambos jadeaban: su dificultosa respiración parecía el resuello de un accidentado; las triples roscas de la papada y el rollo del pestorejo aureolaban con formidable nimbo de carne las fauces, moradas de puro inyectadas en sangre espesa; y cuando se volvían de espaldas, en el mismo sitio en que el arcipreste lucía la tonsura, ostentaba su hermana un moñito de pelo gris, análogo al que gastan los toreros. Nucha, a quien el recibimiento del juez y el tocado de su señora habían puesto de buen humor, volvió a sonreír disimuladamente, sobre todo al notar los *quid pro quos* de la conversación, producidos por la sordera de los dos respetables hermanos. No desmintiendo éstos la hospitalaria tradición campesina, hicieron pasar a los visitadores, quieras o no quieras, al comedor, donde un marmolillo se hubiese reído también observando cómo la mesa del refresco, la misma en que comían a diario los dueños de la casa, tenía dos escotaduras, una frente a otra, sin duda destinadas a alojar desahogadamente la rotundidad de un par de abdómenes gigantescos.

El regreso a los pazos fue animado por comentarios y bromas acerca de las visitas; hasta Julián dio de mano a su formalidad y a su indulgencia acostumbradas, para divertirse a cuenta de la mesa escotada y del almacén de quincalla que la señora jueza lucía en el pescuezo y seno. Pensaban con regocijo en que al día siguiente se les preparaba otra excursión del mismo género, sin duda igualmente divertida; tocábales ver a las señoritas de Molende y a los señores de Limioso.

Salieron de los pazos tempranito, porque bien necesitaban toda la larga tarde de verano para cumplir el programa, y acaso no les alcanzaría, si no fuese porque a las señoritas de Molende no las encontraron en casa; una mocetona, que pasaba cargada con un haz de hierba, explicó difícilmente que las señoritas iban a la feria de Villamorta, y sabe Dios cuándo volverían de allá. Le pesó a Nucha, porque las señoritas, que habían estado en los pazos a verla, le agradaban, y eran los únicos rostros juveniles, las únicas personas en quienes encontraba reminiscencias de la cháchara alegre y del fresco pico de sus hermanas, a las cuales no podía olvidar. Dejaron un recado de atención, a cargo de la mocetona, y torcieron monte arriba, camino del pazo de Limioso.

El camino era difícil y se retorcía en espiral alrededor de la montaña; a uno y otro lado, las capas de viña, cargadas de follaje, se inclinaban sobre él como para borrarlo. En la cumbre amarilleaba, a la luz del sol poniente, un edificio, prolongado con torre a la izquierda, y a la derecha un palomar derruido, sin techo ya. Era la señorial mansión de Limioso, un tiempo castillo roquero, nido de azor colgado en la escarpada umbría del montecillo solitario, tras el cual, en el horizonte, se alzaba la cúspide majestuosa del inaccesible Pico Leiro. No se conocía en todo el contorno, ni acaso en toda la provincia, casa infanzona más linajuda ni más vieja, y a cuyo nombre añadiesen los labriegos con acento más respetuoso el calificativo de pazo-palacio, reservado a las moradas hidalgas.

Desde bastante cerca, el pazo de Limioso parecía deshabitado, lo cual aumentaba la impresión melancólica que producía su desmantelado palomar. Por todas partes, indicios de abandono y ruina: las ortigas obstruían la especie de plazoleta o patio de la casa; no faltaban vidrios en las vidrieras, por la razón plausible de que tales vidrieras no existían, y aun alguna madera, arrancada de sus goznes, pendía torcida, como un jirón en un traje usado. Hasta las rejas de la planta baja, devoradas de orín, subían las plantas parásitas, y festones de hiedra seca y raquítica corrían por entre las junturas desquiciadas de las piedras. Estaba el portón abierto de par en par, como puerta de quien no teme a ladrones; pero al sonido mate de los cascos de las monturas en el piso herboso del patio, respondieron asmáticos ladridos, y un mastín y dos perdigueros se abalanzaron contra los visitantes, desperdiciando por las fauces el poco brío que les quedaba, pues ninguno de aquellos bichos tenía más que un erizado pelaje sobre un armazón de huesos, prontos a agujerearlo al menor descuido. El mastín no podía, literalmente, ejecutar el esfuerzo del ladrido; temblábanle las patas, y la lengua le salía de un palmo entre los dientes, amarillos y roídos por la edad. Apaciguáronse los perdigueros a la voz del señor Ulloa, con quien habían cazado mil veces; no así el mastín, resuelto, sin duda, a morir en la demanda, y a quien sólo acalló la aparición de su amo, el señorito de Limioso.

¿Quién no conoce en la montaña al directo descendiente de los paladines y ricoshombres gallegos, al infatigable cazador, al acérrimo tradicionalista? Ramoncito Limioso contaría a la sazón poco más de veintiséis años; pero ya sus bigotes, sus cejas, su cabello y sus facciones todas tenían una gravedad melancólica y digna, algún tanto burlesca para quien por primera vez le veía. Su entristecido arqueo de cejas le prestaba vaga semejanza con los retratos de Quevedo; su pescuezo, flaco, pedía a voces la golilla, y en vez de la vara que tenía en la mano, la imaginación le otorgaba una espada en cazoleta. Dondequiera que se encontrase aquel cuerpo larguirucho, aquel gabán raído, aquellos pantalones con rodilleras y tal cual remiendo, no se podía dudar que, con sus pobres trazas, Ramón Limioso era un verdadero «señor desde sus principios» —así decían los aldeanos— y no «hecho a puñetazos», como otros.

Lo era hasta en el modo de ayudar a Nucha a bajarse de la borrica, en la naturalidad galante con que le ofrecía no el brazo, sino, a la antigua usanza, dos dedos de la mano izquierda, para que en ellos apoyase la palma de su diestra la señora de Ulloa. Y con el decoro propio de un paso de minueto, la pareja entró por el pazo de Limioso adelante, subiendo la escalera exterior que conducía al claustro, no sin peligro de rodar por ella: tales estaban de carcomidos los venerables escalones. El tejado del claustro era un puro calado; veíanse, al través de las tejas y las vigas, innumerables retales de terciopelo azul celeste; la cría de las golondrinas piaba dulcemente en sus nidos, cobijados en el sitio más favorable, tras el blasón de los Limiosos, repetido en el capitel de cada pilar en tosca escultura —tres peces bogando en un lago, un león sosteniendo una cruz—. Fue peor cuando entraron en la antesala. Muchos años hacía que la polilla y la vetustez habían dado cuenta de la tablazón del piso; y no alcanzando, sin duda, los medios de los Limiosos a echar piso nuevo, se habían contentado con arrojar algunas tablas sueltas sobre los pontones y las vigas, y por tan peligroso camino cruzó tranquilamente el señorito, sin dejar de ofrecer los dedos a Nucha, y sin que ésta se atreviese a solicitar más firme apoyo. Cada tablón en que sentaba el pie se alzaba y blandía, descubriendo abajo la negra profundidad de la bodega, con sus cubas vestidas de telarañas. Atravesaron impávidos el abismo y penetraron en la sala, que al menos poseía un piso clavado, aunque en muchos sitios roto y en todos casi reducido a polvo sutil por el taladro de los insectos.

Nucha se quedó inmóvil de sorpresa. En un ángulo de la sala medio desaparecía, bajo un gran acervo de trigo, un mueble soberbio, un bargueño incrustado de concha y marfil; en las paredes, del betún de los cuadros, viejos y ahumados, se destacaba a lo mejor una pierna de santo martirizado, toda contraída, o el anca de un caballo, o la cabeza carrilluda de un angelote; frente a la esquina del trigo se alzaba un estrado, revestido de cuero de Córdoba, que aún conservaba su rica coloración y sus oros intensos; ante el estrado, en semicírculo, magníficos sitiales tallados, con asiento de cuero también, y entre el trigo y el estrado, sentadas en *tallos* —asientos de tronco de roble bruto, como los que usan los labriegos más pobres—, dos viejas secas, pálidas, derechas, vestidas de hábito del Carmen, hilaban.

Jamás había creído la señora de Moscoso que vería hilar más que en las novelas o en los cuentos, a no ser a las aldeanas, y le produjo singular efecto el espectáculo de aquellas dos estatuas bizantinas, que tales parecían por su quietud y los rígidos pliegues de su ropa, manejando el huso y la rueca, y suspendiendo a un mismo tiempo la labor cuando ella entró. En nombre de las dos estatuas —que eran las tías paternas del señorito de Limioso— había visitado éste a Nucha; vivía también en el pazo el padre, paralítico y encamado; pero a éste nadie le echaba la vista encima; su existencia era como un mito, una leyenda de la montaña. Las dos ancianas se irguieron y tendieron a Nucha los brazos, con movimiento tan simultáneo, que no supo a cuál de ellas atender, y a la vez, y en las dos mejillas, sintió un beso de hielo, un beso dado sin labios y acompañado del roce de una piel inerte. Sintió también que le asían las manos otras manos despojadas de carne, consuntas, amojamadas y momias; comprendió que la guiaban hacia el estrado y que le ofrecían uno de los sitiales, y apenas se hubo sentado en él, conoció con terror que el asiento se desvencijaba, se hundía; que se largaba cada pedazo del sitial por su lado, sin crujidos ni resistencia, y con el instinto de la mujer encinta, se puso en pie, dejando que la última prenda del esplendor de los Limiosos se derrumbase en el suelo para siempre.

Salieron del goteroso pazo cuando ya anochecía, y sin que se lo comunicasen, sin que ellos mismos pudiesen acaso darse cuenta de ello, callaron todo el camino, porque los oprimía la tristeza inexplicable de las cosas que se van.

Dieciséis

Debía el sucesor de los Moscosos de andar ya cerca de este mundo, porque Nucha cosía sin descanso prendas menudas, semejantes a ropa de muñecas. A pesar de la asiduidad en la labor, no se desmejoraba; al contrario, parecía que cada pasito de la criatura hacia la luz del día era en beneficio de su madre.

No podía decirse que Nucha hubiese engruesado; pero sus formas se llenaban, volviéndose suaves curvas lo que antes eran ángulos y planicies. Sus mejillas se sonrosaban, aunque le velaba frente y sienes esa ligera nube oscura conocida por paño. Su pelo negro parecía más brillante y copioso; sus ojos, menos vagos y más húmedos; su boca, más fresca y roja. Su voz se había timbrado con notas graves. En cuanto al natural aumento de su persona, no era mucho ni la afeaba, prestando solamente a su cuerpo la dulce pesadez que se nota en el de la Virgen en los cuadros que representan la Visitación. La colocación de sus manos, extendidas sobre el vientre, como para protegerlo, completaba la analogía con las pinturas de tan tierno asunto.

Hay que reconocer que don Pedro se portaba bien con su esposa durante aquella temporada de expectación. Olvidando sus acostumbradas correrías por montes y riscos, la sacaba todas las tardes, sin faltar una, a dar paseítos higiénicos, que crecían gradualmente, y Nucha, apoyada en su brazo, recorría el valle en que los pazos de Ulloa se esconden, sentándose en los murallones y en los ribazos al sentirse muy fatigada. Don Pedro tendía a satisfacer sus menores deseos: en ocasiones, se mostraba hasta galante, trayéndole las flores silvestres que le llamaban la atención, o ramas de madroño y zarzamora cuajadas de fruto. Como a Nucha le causaban fuerte sacudimiento nervioso los tiros, no llevaba jamás el señorito su escopeta, y había prohibido expresamente a Primitivo cazar por allí. Parecía que la leñosa corteza se le iba cayendo, poco a poco, al marqués, y que su corazón, bravío y egoísta, se inmutaba, dejando asomar, como entre las grietas de una pared, florecillas parásitas, blandos afectos de esposo y padre. Si aquello no era el matrimonio cristiano, soñado por el excelente capellán, viven los cielos que debía de asemejársele mucho.

Julián bendecía a Dios todos los días. Su devoción había vuelto no a renacer, pues no muriera nunca, pero sí a reavivarse y encenderse. A medida que se acercaba la hora crítica para Nucha, el capellán permanecía más tiempo de rodillas dando gracias al terminar la misa; prolongaba más las letanías y el rosario; ponía más alma y fervor en el cotidiano rezo. Y no entran en la cuenta dos novenas devotísimas: una a la Virgen de agosto, otra a la Virgen de septiembre. Figurábasele este culto mariano muy adecuado a las circunstancias, por la convicción, cada vez más firme, de que Nucha era viva imagen de Nuestra Señora, en cuanto una mujer concebida en pecado puede serlo.

Al oscurecer de una tarde de octubre estaba Julián sentado en el poyo de su ventana, engolfado en la lectura del padre Nieremberg. Sintió pasos precipitados en la escalera. Conoció el modo

de pisar de don Pedro. El rostro del señor Ullo
derramaba satisfacción.

—¿Hay novedades? —preguntó Julián soltand
el libro.

—¡Ya lo creo! Nos hemos tenido que volve
del paseo a escape.

—¿Y han ido a Cebre por el médico?

—Va allá Primitivo.

Julián torció el gesto.

—No hay que asustarse... Detrás de él van
salir ahora mismo otros dos propios... Quería i
yo en persona; pero Nucha dice que no se qued
ahora sin mí.

—Lo mejor sería ir yo también, por si acas
—exclamó Julián—. Aunque sea a pie y de noche

Lanzó don Pedro una de sus terribles y mofa
doras carcajadas.

—¡Usted! —clamó sin cesar de reír—. ¡Vay
una ocurrencia, don Julián!

El capellán bajó los ojos y frunció el rubi
ceño. Sentía cierta vergüenza de su sotana, que l
inutilizaba para prestar el menor servicio en ta
apretado trance. Esto en cuanto a sacerdote
Como hombre, tampoco podía penetrar en la cá
mara donde se cumplía el misterio. Sólo tenía
derecho a ello dos varones: el esposo y el otro, e
que Primitivo iba a buscar, el representante de l
ciencia humana. Acongojóse el espíritu de Juliá
pensando en que el recato de Nucha iba a se
profanado, y su cuerpo puro tratado quizá com
se trata a los cadáveres en la mesa de anatomía
como materia inerte, donde no se cobija ya u
alma. Comprendió que se apocaba y afligía.

—Llámeme usted si para algo me necesita, se
ñor marqués —murmuró con desmayada voz.

—Mil gracias, hombre... Venía únicamente
darle a usted la buena noticia.

Don Pedro volvió a bajar la escalera rápida
mente, silbando una *riveirana*, y el capellán, a

pronto, se quedó inmóvil. Pasóse luego la mano por la frente, donde rezumaba un sudorcillo. Miró a la pared. Entre varias estampitas, pendientes y con marco de lentejuelas, escogió dos: una de San Ramón Nonnato y otra de Nuestra Señora de las Angustias sosteniendo en el regazo a su Hijo muerto. El la hubiese preferido de la Leche y Buen Parto, pero no la tenía, ni se había acordado mucho de tal advocación hasta aquel instante. Desembarazó la cómoda de los cachivaches que la obstruían, y puso encima, en pie, las estampas. Abrió después el cajón, donde guardaba algunas velas de cera destinadas a la capilla; tomó un par, las acomodó en candeleros de latón y armó su altarito. Así que la luz amarillenta de los cirios se reflejó en los adornos y cristal de los cuadros, el alma de Julián sintió consuelo inefable. Lleno de esperanza, el capellán se reprendió a sí mismo por haberse juzgado inútil en momentos semejantes. ¡El inútil! Cabalmente le incumbía lo más importante y preciso, que es impetrar la protección del cielo. Y arrodillándose, henchido de fe, dio principio a sus oraciones.

El tiempo corría sin interrumpirlas. De abajo no llegaba noticia alguna. A eso de las diez reconoció Julián que sus rodillas hormigueaban con insufrible hormigueo, que se apoderaba de sus miembros dolorosa laxitud, que se le desvanecia la cabeza. Hizo un esfuerzo, y se incorporó, tambaleándose. Una persona entró. Era Sabel, a quien el capellán miró con sorpresa, pues hacía bastante tiempo que no se presentaba allí.

—De parte del señorito, que baje a cenar.

—¿Ha venido su padre de usted? ¿Ha llegado el médico? —interrogó, ansiosamente, Julián, no atreviéndose a preguntar otra cosa.

—No, señor... De aquí a Cebre hay un bocadito.

En el comedor encontró Julián al marqués cenando con apetito formidable, como hombre a

quien se le ha retrasado la pitanza dos horas más
que de costumbre. Julián trató de imitar aquel
sosiego, sentándose y extendiendo la servilleta.

—¿Y la señorita? —preguntó con afán.

—¡Pchs!... Ya puede usted suponer que no
muy a gusto.

—¿Necesitará algo mientras usted está aquí?

—No. Tiene allá a su doncella, la Filomena. Sabel también ayuda para cuanto se precise.

Julián no contestó. Sus reflexiones valían más
para calladas que para dichas. Era una monstruo-
sidad que Sabel asistiese a la legítima esposa;
pero si no se le ocurría al marido, ¿quién tenía
valor para insinuárselo? Por otra parte, Sabel,
en realidad, no carecía de experiencia doméstica
ni dejaría de ser útil. Notó Julián que el marqués,
a diferencia de algunas horas antes, parecía mal-
humorado e impaciente. Recelaba el capellán in-
terrogarle. Determinóse al fin.

—Y... ¿dará tiempo a que llegue el médico?

—¿Que si da tiempo? —respondió el señorito,
embaulando y mascando con colérica avidez—.
¡Como no lo dé de más! Estas señoritas finas son
muy delicadas y difíciles para todo... Y cuando
no hay un gran físico... Si fuese por estilo de su
hermana Rita...

Descargó un porrazo con el vaso en la mesa, y
añadió, sentenciosamente:

—Son una calamidad las mujeres de los pueblos... Hechas de alfeñique... Le aseguro a usted
que tiene una debilidad y una tendencia a las
convulsiones y a los síncopes, que... ¡Melindres,
diantre! ¡Melindres, a qué las acostumbran desde pequeñas!

Pegó otro trompis y se levantó, dejando solo
en el comedor a Julián. No sabía éste qué hacer
de su persona, y pensó que lo mejor era emprender de nuevo plática con los santos. Subió. Las
velas seguían ardiendo, y el capellán volvió a arro-

lillarse. Las horas pasaban y pasaban, y no se
oían más ruidos que el viento de la noche, al gemir en los castaños, y el hondo sollozo del agua
en la represa del cercano molino. Sentía Julián
cosquilleo y agujetas en los muslos, frío en los
huesos y pesadez en la cabeza. Dos o tres veces
miró hacia su cama, y otras tantas el recuerdo
de la pobrecita, que sufría allá abajo, le detuvo.
Dábale vergüenza ceder a la tentación. Mas sus
ojos se cerraban; su cabeza, ebria de sueño, caía
sobre el pecho. Se tendió vestido, prometiendo
despabilarse al punto. Despertó cuando ya era
de día.

Al encontrarse vestido, se acordó, y tratándose
mentalmente de marmota y leño, pensó si ya estaría en el mundo el nuevo Moscoso. Bajó apresurado, frotándose los párpados, medio aturdi-
do aún.

En la antesala de la cocina se dio de manos a
boca con Máximo Juncal, el médico de Cebre, con
bufanda de lana gris arrollada al cuello, chaquetón de paño pardo, botas y espuelas.

—¿Llega usted ahora mismo? —preguntó,
asombrado, el capellán.

—Sí, señor... Primitivo dice que estuvieron llamando anoche a mi puerta él y otros dos, pero
que no les abrió nadie... Verdad que mi criada es
algo sorda; mas con todo..., si llamasen como
Dios manda... En fin, que hasta el amanecer no
me llegó el aviso. De cualquier manera, parece
que vengo muy a tiempo todavía... Primeriza, al
fin y al cabo... Estas batallas acostumbran durar
bastante... Allá voy a ver qué ocurre...

Precedido de don Pedro, echó a andar, látigo
en mano, resonándole las espuelas, de modo que
la imagen bélica que acababa de emplear parecía
exacta, y cualquiera le tomaría por el general que
acude a decidir con su presencia y sus órdenes
la victoria. Su continente resuelto infundía con-

fianza. Reapareció a poco, pidiendo una taza de
café bien caliente, pues con la prisa de venir se
encontraba en ayunas. Al señorito le sirvieron
chocolate. Emitió el médico su dictamen faculta
tivo: armarse de paciencia, porque el negocio
iba largo. Don Pedro, de humor algo fosco y con
las facciones hinchadas por el insomnio, quiso a
toda costa saber si había peligro.

—No, señor; no, señor —contestó Máximo, des
liendo el azúcar con la cucharilla y echando ron
en el café—. Si se presentan dificultades, estamos
aquí... Tú, Sabel: una copita pequeña.

En la copita pequeña escanció también ron, que
paladeó mientras el café se enfriaba. El marqués
le tendió la petaca llena.

—Muchas gracias... —pronunció el médico, en
cendiendo un habano—. Por ahora estamos a ver
venir. La señora es novicia, y no muy fuerte... A
las mujeres se les da en las ciudades la educación
más antihigiénica: corsé para volver angosto lo
que debe ser vasto; encierro para producir la
clorosis y la anemia; vida sedentaria para ingur
gitarlas y criar linfa a expensas de la sangre...
Mil veces mejor preparadas están las aldeanas
para el gran combate de la gestación y alumbra
miento, que al cabo es la verdadera función fe
menina.

Siguió explanando su teoría, queriendo mani
festar que no ignoraba las más recientes y osadas
hipótesis científicas, alardeando de materialismo
higiénico, ponderando mucho la acción bienhe
chora de la madre Naturaleza. Creíase que era
mozo inteligente, de bastante lectura y determi
nado a lidiar con las enfermedades ajenas; mas
la amarillez biliosa de su rostro, la lividez y se
cura de sus delgados labios, no prometían salud
robusta. Aquel fanático de la higiene no predica
ba con el ejemplo. Asegurábase que tenían la cul
pa el ron y una panadera de Cebre, con salud

para vender y regalar a cuatro doctores higie-
nistas.

Don Pedro chupaba también con ensañamiento
su cigarro y rumiaba las palabras del médico,
que por extraño caso, atendida la diferencia entre un pensamiento relleno de ciencia novísima y
otro virgen hasta de lectura, conformaban en todo
con su sentir. También el hidalgo rancio pensaba
que la mujer debe ser principalmente muy apta
para la propagación de la especie. Lo contrario
le parecía un crimen. Acordábase mucho, con extraños remordimientos casi incestuosos, del ro-
busto tronco de su cuñada Rita. También recordó
el nacimiento de Perucho, un día que Sabel estaba amasando. Por cierto que la borona que ama-
saba no hubiese tenido tiempo de cocerse, cuando
el chiquillo berreaba ya, diciendo a su modo que
él era de Dios como los demás y necesitaba sus-
tento. Estas memorias le despertaron una idea
muy importante.

—Diga, Máximo...: ¿le parece que mi mujer
podrá criar?

Máximo se echó a reír, saboreando el ron.

—No pedir gollerías, señor don Pedro... ¡Criar!
Esa función augusta exige complexión muy vigo-
rosa y predominio del temperamento sanguíneo...
No puede criar la señora.

—Ella es la que se empeña en eso —dijo, con
despecho, el marqués—; yo bien me figuré que
era un disparate..., por más que no creía a mi
mujer tan endeble... En fin, ahora tratemos de
que no nazca el niño para rabiar de hambre. ¿Tendré tiempo de ir a Castrodorna? La hija de Felipe
el casero, aquella mocetona, ¿no sabe usted?

—¿Pues no he de saber? ¡Gran vaca! Tiene
usted ojo médico... Y está parida de dos meses.
Lo que no sé es si los padres la dejarán venir.
Creo que son gente honrada en su clase y no
quieren divulgar lo de la hija.

—¡Música celestial! Si hace ascos, la traigo arrastrando por la trenza... A mí no me levanta la voz un casero mío. ¿Hay tiempo o no de in allá?

—Tiempo, sí. ¡Ojalá acabásemos antes! Pero no lleva trazas.

Cuando el señorito salió, Máximo se sirvió otra copa de ron, y dijo en confianza al capellán:

—Si yo estuviese en el pellejo de Felipe... Ya le quiero un recado a don Pedro. ¿Cuándo se convencerán estos señoritos de que un casero no es un esclavo? Así andan las cosas de España: mucho de revolución, de libertad, de derechos individuales... ¡Y al fin, por todas partes la tiranía, el privilegio, el feudalismo! Porque, vamos a ver ¿qué es esto sino reproducir los ominosos tiempos de la gleba y las iniquidades de la servidumbre? Que yo necesito tu hija, ¡zas!, pues contra tu voluntad te la cojo. Que me hace falta leche, una vaca humana, ¡zas!, si no quieres dar de mamar de grado a mi chiquillo, le darás por fuerza. Pero le estoy escandalizando a usted. Usted no piensa como yo, de seguro, en cuestiones sociales.

—No, señor; no me escandalizo —contestó, apaciblemente, Julián—. Al contrario... Me dan ganas de reír, porque me hace gracia verle a usted tan sofocado. Mire usted qué más querrá la hija de Felipe que servir de ama de cría en esta casa. Bien mantenida, bien regalada, sin trabajar... Figúrese.

—¿Y el albedrío? ¿Quiere usted coartar el albedrío, los derechos individuales? Supóngase que la muchacha se encuentra mejor avenida con su honrada pobreza que con todos esos beneficios y ventajas que usted dice... ¿No es un acto abusivo traerla aquí de la trenza porque es hija de un casero? Naturalmente que a usted no se lo parece; claro está: vistiéndose por la cabeza, no se puede pensar de otro modo; usted tiene que estar por el feudalismo y la teocracia. ¿Acerté? No me diga usted que no.

—Yo no tengo ideas políticas —aseveró Julián, sosegadamente; y de pronto, como recordando, añadió—: ¿Y no sería bien dar una vuelta a ver cómo lo pasa la señorita?

—¡Pchs!... No hago por ahora gran falta allá, pero voy a ver. Que no se lleven las botellas del ron, ¿eh? Hasta dentro de un instante.

Volvió en breve, e instalándose ante la copa mostró querer reanudar la conversación política, a la cual profesaba desmedida afición, prefiriendo, en su interior, que le contradijesen, pues entonces se encendía y exaltaba, encontrando inesperados argumentos. Las violentas discusiones en que se llega a vociferar y a injuriarse le esparcían la estancada bilis y la función digestiva y respiratoria se le activaba, produciéndole gran bienestar. Disputaba por higiene: aquella gimnasia de la laringe y del cerebro le desinfartaba el hígado.

—¿Conque usted no tiene ideas políticas? A otro perro con ese hueso, padre Julián... Todos los pájaros de pluma negra vuelan hacia atrás, no andemos con cuentos. Y si no, a ver, hagamos la prueba: ¿qué piensa usted de la revolución? ¿Está usted conforme con la libertad de cultos? Aquí te quiero, escopeta. ¿Está usted de acuerdo con Suñer?

—¡Vaya unas cosas que tiene el señor don Máximo! ¿Cómo he de estar de acuerdo con Suñer? ¿No es ese que dijo en el Congreso blasfemias horrorosas? ¡Dios le ilumine!

—Hable claro. ¿Usted piensa como el abad de San Clemente de Boán? Ese dice que a Suñer y a los revolucionarios no se los convence con razones, sino a trabucazo limpio y palo seco. Usted, ¿qué opina?

—Son dichos de acaloramiento... Un sacerdote es hombre como todos, y puede enfadarse en una disputa y echar venablos por la boca.

—Ya lo creo; y por lo mismo que es hombre como todos, puede tener intereses bastardos, puede querer vivir holgazanamente explotando la tontería del prójimo, puede darse buena vida con capones y cabritos de los feligreses... No negará usted esto.

—Todos somos pecadores, don Máximo.

—Y aún puede hacer cosas peores, que..., que se sobrentienden..., ¿eh? No sofocarse.

—Sí, señor. Un sacerdote puede hacer todas las cosas malas del mundo. Si tuviésemos privilegio para no pecar, estábamos bien; nos habíamos salvado en el momento mismo de la ordenación, que no era floja ganga. Cabalmente la ordenación nos impone deberes más estrechos que a los demás cristianos, y es doblemente difícil que uno de nosotros sea bueno. Y para serlo del modo que requeriría el camino de perfección en que debemos entrar al ordenarnos sacerdotes, se necesita, aparte de nuestros esfuerzos, que la gracia de Dios nos ayude. Ahí es nada.

Díjolo en tono tan sincero y sencillo, que el médico amainó por algunos instantes.

—Si todos fuesen como usted, don Julián...

—Yo soy el último, el peor. No se fíe usted de apariencias.

—¡Quiá! Los demás son buenas piezas, buenas..., y ni con la revolución hemos conseguido minarles el terreno... Le parecerá a usted mentira lo que amañaron estos días para dar gusto a ese bandido de *Barbacana*...

No hallándose en antecedentes, Julián guardaba silencio.

—Figúrese usted —refirió el médico— que *Barbacana* tiene a sus órdenes otro facineroso, un paisano de Castrodorna, conocido por el *Tuerto*, que ya viene de Portugal, a salto de mata, porque una noche cosió a puñaladas a su mujer y al amante... Hace poco parece que le echó mano la Justicia, pero *Barbacana* se empeñó en librarle, y tanto *sudaron* él y los curas, que el hombre salió bajo fianza, y se pasea por ahí... De modo que, a pesar de los pesares, nos tiene usted como siempre, mandados por el infame *Barbacana*.

—Pero —objetó Julián— yo he oído que aquí, cuando no reina *Barbacana*, reina otro cacique peor, que le llaman *Trampeta*, por los enredos y diabluras que arma a los pobres paisanos chupándoles el tuétano... Conque por fas o nefas...

—Eso... Eso tiene algo de verdad...; pero, mire usted, al menos *Trampeta* no se propone levantar partidas... Con *Barbacana* es preciso concluir, pues corresponde con las juntas carlistas de la provincia para llevar al país a fuego y sangre... ¿Es usted partidario del *Niño Terso*?

—Ya le dije que no tengo opiniones.

—Es que no le da la gana de disputar.

—Francamente, don Máximo, acierta usted. Estoy pendiente de esa pobre señorita..., pensando en lo que puede sucederle. Y no entiendo de política...; no se ría usted..., no entiendo. Sólo entiendo de decir misa; y el caso es que no la he dicho hoy todavía, y mientras no la diga no me desayuno, y el estómago se me va... Aplicaré la misa por la necesidad presente. Yo no puedo —añadió con cierta melancolía— prestarle a la señorita otro auxilio.

Marchóse, dejando al médico sorprendido de encontrar un cura que rehuía entrar en políticas discusiones, que por aquellos días reemplazaban a las teológicas en todas las sobremesas patronales, y celebró su misa con gran atención y minuciosidad en las ceremonias. El repique de la campanilla del acólito resonaba claro y argentino en la vetusta capilla vacía. Oíanse fuera gorjeos de

pájaros en los árboles del huerto, lejano chirrido
de carros que salían al trabajo, rumores campes-
tres gratos, calmantes, bienhechores. Era la misa
de San Ramón Nonnato, elegida para la circunstancia; y cuando el celebrante pronunció: *Ejus
nobis intercessione concede, ut a peccatorum vin-
culis absoluti...*, parecióle que las cadenas del
dolor que ligaban a la pobre virgencita —que aun
entonces se la representaba como tal el capellán—
se rompían de golpe, dejándola libre, gozosa y
radiante, con la más feliz maternidad.

Sin embargo, cuando regresó a la casa no había indicios de la susodicha ruptura de cadenas.
En vez de las apresuradas idas y venidas de criados que siempre indican algún acontecimiento
trascendental, notó una calma de mal agüero. El
señorito no volvía: verdad es que Castrodorna
distaba bastante de los pazos. Fue preciso sentarse a la mesa sin él. El médico no intentó disputar más porque a su vez empezaba a hallarse
preocupado con la flema del heredero de los Moscosos. Hay que decir, en abono del discutidor
higienista, que tomaba su profesión por lo serio,
y la respetaba tanto como Julián la suya. Probá-
balo su misma manía de la higiene y su culto de
la salud, culto infundido por librotes modernos
que sustituyen al Dios del Sinaí con la diosa Hi-
gia. Para Máximo Juncal, inmoralidad era sinó-
nimo de escrofulosis, y el deber se parecía bastante a una perfecta oxidación de los elementos
asimilables. Disculpábase a sí propio ciertos ex-
travíos por tener un tanto obstruídas las vías
hepáticas.

En aquel momento, el peligro de la señora de
Moscoso despertaba su instinto de lucha contra
males positivos de la tierra: el dolor, la enfermedad, la muerte. Comió distraídamente, y sólo be-
bió dos copas de ron. Julián apenas pasó bocado;
preguntaba de tiempo en tiempo:

—¿Qué ocurrirá por allí, don Máximo?

Cesó de preguntar cuando el médico le hubo dado, a media voz, algunos detalles, empleando términos técnicos. La noche caía. Máximo apenas salía del cuarto de la paciente. Sintióse Julián tan triste y solo, que ya se disponía a subir a encender su altar, para disfrutar al menos la compañía de las velas y los cuadritos; pero don Pedro entró impetuosamente, como una ráfaga de viento huracanado. Traía de la mano una muchachona de color de tierra, un castillo de carne: el tipo clásico de la vaca humana.

Diecisiete

Que Máximo Juncal, ya que es su oficio, reconozca detenidamente la cuenca del río lácteo de la poderosa bestiaza, conducida por el marqués de Ulloa, no sin asombro de las gentes, en el borrén delantero de la silla de su yegua, por no haber en Castrodorna otros medios de transporte y no permitir la impaciencia de don Pedro que el ama viniese a pie. La yegua recordará toda la vida, con temblor general de su cuerpo, aquella jornada memorable, en que tuvo que sufrir a la vez el peso del actual representante de los Moscosos y el de la nodriza del Moscoso futuro.

Cayéronse a don Pedro las alas del corazón cuando vio que su heredero no había llegado todavía. En aquel momento le pareció que un suceso tan próximo no se verificaría jamás. Apuró a Sabel reclamando la cena, pues traía un hambre feroz. Sabel la sirvió en persona, por hallarse aquel día muy ocupada Filomena, la doncella, que acostumbraba atender al comedor. Estaba Sabel fresca y apetecible como nunca, y las floridas carnes de su arremangado brazo, el brillo cobrizo de las conchas de su pelo, la melosa ternura y sensualidad de sus ojos azules, parecían contrastar con la situación, con la mujer que sufría atroces tormentos, medio agonizando, a corta distancia de allí.

Hacía tiempo que el marqués no veía de cerca a Sabel. Más que mirarla, se puede decir que la examinó despacio durante algunos minutos. Reparó que la moza no llevaba pendientes y que tenía una oreja rota; entonces recordó habérsela partido él mismo, al aplastar con la culata de su escopeta el zarcillo de filigrana, en un arrebato de brutales celos. La herida se había curado; pero la oreja tenía ahora dos lóbulos en vez de uno.

—¿No duerme nada la señorita? —preguntaba Julián al médico.

—A ratos, entre dolor y dolor... Precisamente me gusta a mí bien poco ese sopor en que cae. Esto no adelanta ni se gradúa, y lo peor es que pierde fuerzas. Cada vez se me pone más débil. Puede decirse que lleva cuarenta y ocho horas sin probar alimento, pues me confesó que antes de avisar a su marido, mucho antes, ya se sintió mal y no pudo comer... Esto de los sueñecitos no me hace tilín. Para mí, más que modorra, son verdaderos síncopes.

Don Pedro apoyaba con desaliento la cabeza en el cerrado puño.

—Estoy convencido —dijo enfáticamente— de que semejantes cosas sólo les pasan a las señoritas educadas en el pueblo y con ciertas impertinencias y repulgos... Que les vengan a las mozas de por aquí con síncopes y desmayos... Se atizan al cuerpo media olla de vino y despachan esta faena cantando.

—No, señor; hay de todo... Las linfático-nerviosas se aplanan... Yo he tenido casos...

Explicó detenidamente varias lides, no muchas aún, porque empezaba a asistir, como quien dice. El estaba por la expectativa: el mejor comadrón

es el que más sabe aguardar. Sin embargo, se
llega a un grado en que perder un segundo es
perderlo todo. Al aseverar esto, paladeaba sorbos
de ron.

—¡Sabel! —llamó de repente.

—¿Qué quiere, señorito Máximo? —contestó la
moza con solicitud.

—¿Dónde me ha puesto una caja que traje?

—En su cuarto, sobre la cama.

—¡Ah! Bueno.

Don Pedro miró al médico, comprendiendo de
qué se trataba. No así Julián, que, asustado por
el hondo silencio que siguió al diálogo de Máximo
y Sabel, interrogó indirectamente para saber qué
encerraba la caja misteriosa.

—Instrumentos —declaró el médico secamente.

—Instrumentos..., ¿para qué? —preguntó el
capellán, sintiendo un sudor que le rezumaba por
la raíz del cabello.

—¡Para operarla, qué demonio! Si aquí se pudiese celebrar junta de médicos, yo dejaría quizá
que la cosa marchase por sus pasos contados;
pero recae sobre mí exclusivamente la responsabilidad de cuanto ocurra. No me he de cruzar de
brazos, ni dejarme sorprender como un bolonio.
Si al amanecer ha aumentado la postración y no
veo yo síntomas claros de que esto se desenre-
de..., hay que determinarse. Ya puede usted ir
rezando al bendito San Ramón, señor capellán...

—¡Si por rezar fuese! —exclamó ingenuamente Julián—. ¡Apenas llevo rezado desde ayer!

De tan sencilla confesión tomó pie el médico
para contar mil graciosas historietas, donde se
mezclaban donosamente la devoción y la obste-
tricia y desempeñaba San Ramón papel muy
principal. Refirió de su profesor en la clínica de
Santiago que al entrar en el cuarto de las partu-
rientas y ver la estampa del santo con sus corres-
pondientes candelicas, solía gritar furioso: «Se-

ñores, o sobro yo o sobra el Santo... Porque si
me desgracio, me echarán la culpa, y si salimos
bien, dirán que fue milagro suyo...» Contó también algo bastante grotesco sobre rosas de Jericó,
cintas de la Virgen de Tortosa y otros piadosos
talismanes usados en ocasiones críticas. Al cabo
cesó en su cháchara, porque le rendía el sueño,
ayudado por el ron. Al fin de no aletargarse del
todo en la comodidad del lecho, tendióse en el
banco del comedor, poniendo por almohada una
cesta. El señorito, cruzando sobre la mesa ambos
brazos, había dejado caer la frente sobre ellos, y
un silbido ahogado, preludio de ronquido, anunciaba que también le salteaba la gana de dormir.
El alto reloj de pesas dio, con fatigado son, la
medianoche.

Julián era el único despierto; sentía frío en la
medula, y en los pómulos ardor de calentura. Subió a su cuarto, y empapando la toalla en agua
fresca, se la aplicó a las sienes. Las velas del altar
estaban consumidas; las renovó y colocó una
almohada en el suelo para arrodillarse en ella,
pues lo más molesto siempre era el dichoso hormigueo. Y empezó a subir con buen ánimo la
cuesta arriba de la oración. A veces desmayaba,
y su cuerpo juvenil, envuelto en las nieblas grises
del sueño, apetecía la limpia cama. Entonces cruzaba las manos, clavándose las uñas de una en el
dorso de la otra para despabilarse. Quería rezar
con devoción, tener conciencia de lo que pedía a
Dios; no hablar de memoria. Sin embargo, des-
fallecía. Acordóse de la Oración del Huerto y de
aquella diferencia tan acertadamente establecida
entre la decisión del espíritu y la de la carne.
También recordó un pasaje bíblico: Moisés oran-
do con los brazos levantados, porque, de bajarlos,
sería vencido Israel. Entonces se le ocurrió realizar algo que le flotaba en la imaginación. Quitó
la almohada, quedándose con las rótulas apoya-

das en el santo suelo; alzó los ojos, buscando a Dios más allá de las estampas y de las vigas del techo, y, abriendo los brazos en cruz, comenzó a orar fervorosamente en tal postura.

El ambiente se volvió glacial; una tenue claridad, más lívida y opaca que la de la luna, asomó por detrás de la montaña. Dos o tres pájaros gorjearon en el huerto; el rumor de la presa del molino se hizo menos profundo y sollozante. La aurora, que sólo tenía apoyado uno de sus rosados dedos en aquel rincón del orbe, se atrevió a alargar toda la manecita, y un resplandor alegre, puro, bañó las rocas pizarrosas, haciéndolas rebrillar cual bruñida plancha de acero, y entró en el cuarto del capellán, comiéndose la luz amarilla de los cirios. Mas Julián no veía el alba, no veía cosa ninguna... Es decir, sí; veía esas luces que enciende en nuestro cerebro la alteración de la sangre, esas estrellitas violadas, verdosas, carmesíes, color de azufre, que vibran sin alumbrar; que percibimos confundidas con el zumbar de los oídos y el ruido de péndulo gigante de las arterias próximas a romperse... Sentíase desvanecer y morir; sus labios no pronunciaban ya frases, sino un murmullo que todavía conservaba tonillo de oración. En medio de su doloroso vértigo oyó una voz que le pareció resonante como toque de clarín... La voz decía algo. Julián entendió únicamente dos palabras: «Una niña.»

Quiso incorporarse, exhalando un gran suspiro, y lo hizo, ayudado por la persona que había entrado, y no era otra sino Primitivo; pero apenas estuvo en pie, un atroz dolor en las articulaciones, una sensación de mazazo en el cráneo, le echaron a tierra nuevamente. Desmayóse.

Abajo, Máximo Juncal se lavaba las manos en la palangana de peltre sostenida por Sabel. En su cara lucía el júbilo del triunfo mezclado con el sudor de la lucha, que corría a gotas medio congeladas ya por el frío del amanecer. El marqués se paseaba por la habitación, ceñudo, contraído, hosco, con esa expresión torva y estúpida a la vez que da la falta de sueño a las personas vigorosas, muy sometidas a la ley de la materia.

—Ahora alegrarse, don Pedro —dijo el médico—. Lo peor está pasado. Se ha conseguido lo que usted tanto deseaba... ¿No quería usted que la criatura saliese toda viva y sin daño? Pues ahí la tenemos, sana y salva. Ha costado trabajillo...; pero, al fin...

Encogióse despreciativamente de hombros el marqués, como amenguando el mérito del facultativo, y murmuró no sé qué entre dientes, prosiguiendo en su paseo de arriba abajo y de abajo arriba, con las manos metidas en los bolsillos, el pantalón tirante cual lo estaba el espíritu del dueño.

—Es un angelito, como dicen las viejas —añadió maliciosamente Juncal, que parecía gozarse en la cólera del hidalgo—; sólo que angelito hembra. A estas cosas hay que resignarse; aún no se inventó el modo de escribir al Cielo encargando y explicando bien el sexo que se desea...

Otro espumarajo de rabia y grosería brotó de los labios de don Pedro. Juncal rompió a reír, secándose con la toalla.

—La mitad de la culpa, por lo menos, la tendrá usted, señor marqués —exclamó—. ¿Quiere usted hacerme el favor de un cigarrillo?

Al ofrecer la petaca abierta, don Pedro hizo una pregunta. Máximo recobró la seriedad para contestarla.

—Yo no he dicho tanto como eso... Me parece que no. Cierto que, cuando las batallas son muy porfiadas y reñidas, puede suceder que el combatiente quede inválido; pero la Naturaleza, que es muy sabia, al someter a la mujer a tan rudas pruebas, le ofrece también las más impensadas reparaciones... Ahora no es ocasión de pensar en eso, sino en que la madre se restablezca y la chiquita se críe. Temo algún percance inmediato... Voy a ver... La señora se ha quedado tan abatida...

Entró Primitivo, y sin mostrar alteración ni susto, dijo que subiese don Máximo, que al capellán le había dado algo; que estaba como difunto.

—Vamos allá, hombre, vamos allá... Esto no estaba en el programa —murmuró Juncal—. ¡Qué trazas de mujercita tiene ese cura! ¡Qué poquito estuche! Lo que es éste no cogerá el trabuco aunque lleguen a levantarse las partidas con que anda soñando el jabalí del abad de Boán.

Dieciocho

Largos días estuvo Nucha detenida ante esas lóbregas puertas que llaman de la muerte, con un pie en el umbral, como diciendo: «¿Entraré? ¿No entraré?» Empujábanla hacia adentro las horribles torturas físicas que habían sacudido sus nervios, la fiebre devoradora que trastornó su cerebro al invadir su pecho la ola de la leche inútil, el desconsuelo de no poder ofrecer a su niña aquel licor que la ahogaba, la extenuación de su ser, del cual la vida huía gota a gota, sin que atajarla fuese posible. Pero la solicitaban hacia fuera la juventud, el ansia de existir que estimula a todo organismo, la ciencia del gran higienista, Juncal, y particularmente una manita pequeña, coloradilla, blanda; un puñito cerrado que asomaba entre los encajes de una chambra y los dobleces de un mantón.

El primer día que Julián pudo ver a la enferma no hacía muchos que se levantaba, para tenderse, envuelta en mantas y abrigos, sobre vetusto y ancho canapé.

No le era lícito incorporarse aún, y su cabeza

reposaba en almohadones doblados. Su rostro, enflaquecido y exangüe, amarilleaba como una faz de imagen de marfil, entre el marco del negro cabello reluciente. Bizcaba más, por habérsele debilitado mucho aquellos días el nervio óptico. Sonrió con dulzura al capellán y le señaló una silla. Julián clavaba en ella esa mirada donde rebosa la compasión, mirada delatora que en vano queremos sujetar y apagar cuando nos aproximamos a un enfermo grave.

—La encuentro a usted con muy buen semblante, señorita —dijo el capellán, mintiendo como un bellaco.

—Pues usted —respondió ella, lánguidamente— algo desmejorado está.

Confesó que, en efecto, no andaba bueno desde que..., desde que se había acatarrado un poco. Le daba vergüenza referir lo de la noche en vela, el desmayo, la fuerte impresión moral y física sufrida con tal motivo. Nucha empezó a hablarle de algunas cosas indiferentes, y pasó, sin transición, a preguntarle:

—¿Ha visto usted a la pequeñita?

—Sí, señora... El día del bautizo. ¡Angelito! Lloró bien cuando le pusieron la sal y cuando sintió el agua fría...

—¡Ah! Desde entonces ha crecido una cuarta lo menos y se ha vuelto hermosísima —y, alzando la voz y esforzándose, añadió—: ¡Ama, ama! Traiga la niña.

Oyéronse pasos como de estatua colosal que anda, y entró la mocetona color de tierra, muy oronda, con su vestido nuevo de merino azul, ribeteado de negro terciopelo de tira, con el cual se asemejaba a la gigantona tradicional de la catedral de Santiago, llamada la «Coca». A manera de pajarito posado en grueso tronco, venía la inocente criatura recostada en el magno seno que la nutría. Estaba dormida y tenía la calma, el dulce e insensible respirar que hace sagrado el sueño de los niños. Julián no se cansaba de mirarla así.

—¡Santita de Dios! —murmuró, apoyando los labios muy quedamente en la gorra, por no atreverse a la frente.

—Cójala usted, Julián... Ya verá lo que pesa. Ama, déle la niña...

No pesaba más que un ramo de flores, pero el capellán juró y perjuró que parecía hecha de plomo. Aguardaba el ama en pie, y él se había sentado con la chiquilla en brazos.

—Déjemela un poquito... —suplicó—. Ahora, mientras duerme... No despertará, de seguro, en mucho tiempo.

—Ya la llamaré cuando haga falta. Ama, váyase.

La conversación giró sobre un tema muy socorrido y muy del gusto de Nucha: las gracias de la pequeña. Tenía muchísimas, sí, señor, y el que lo dudase sería un gran majadero. Por ejemplo: abría los ojos con travesura incomparable; estornudaba con redomada picardía; apretaba con su manita el dedo de cualquiera, tan fuerte, que se requería el vigor de un Hércules para desasirse, y aún hacía otros donaires, mejores para callados que para archivados por la crónica. Al referirlos, el rostro exangüe de Nucha se animaba, sus ojos brillaban y la risa dilató sus labios dos o tres veces. Mas de pronto se nubló su cara, hasta el punto de que entre las pestañas le bailaron lágrimas, a las cuales no dio salida.

—No me han dejado criarla, Julián... Manías del señor de Juncal, que aplica la higiene a todo, y vuelta con la higiene y dale con la higiene... Me parece a mí que no iba a morirme por intentarlo dos meses, dos meses nada más. Puede que me encontrase mejor de lo que estoy, y no tuviese que pasar un siglo clavada en este sofá, con el cuerpo sujeto y la imaginación loca y suelta por esos mundos de Dios... Porque así no gozo descanso: siempre se me figura que el ama me ahoga la niña o me la deja caer. Ahora estoy contenta teniéndola aquí cerquita.

Sonrió a la chiquilla, dormida, y añadió:

—¿No le encuentra usted parecido?

—¿Con usted?

—¡Con su padre!... Es todito él en el corte de la frente...

No manifestó el capellán su opinión. Mudó de asunto y continuó aquel día y los siguientes cumpliendo la obra de caridad de visitar al enfermo. En la lenta convalecencia y total soledad de Nucha, falta le hacía que alguien se consagrase a tan piadoso oficio. Máximo Juncal venía un día sí y otro no; pero casi siempre de prisa, porque iba teniendo extensa clientela; le llamaban hasta de Vilamorta. El médico hablaba de política, exhalando un aliento de vaho de ron, tratando de pinchar y amoscar a Julián; y, en realidad, si Julián fuese capaz de amostazarse, habría de qué, con las noticias que traía Máximo. Todo eran iglesias derribadas, escándalos anti-religiosos, capillitas protestantes establecidas aquí y acullá; libertades de enseñanza, de cultos, de esto y de lo otro... Julián se limitaba a deplorar tamaños excesos y a desear que las cosas se arreglasen, lo cual no daba tela a Máximo para armar una de sus trifulcas favoritas, tan provechosas al esparcimiento de su bilis y tan fecundas en peripecias cuando tropezaba con curas ternes y carlistas, como el de Boán o el arcipreste.

Mientras el belicoso médico no venía, todo era paz y sosiego en la habitación de la enferma. Unicamente lo turbaba el llanto, prontamente acallado, de la niña. El capellán leía *El Año Cristiano* en alta voz, y poblábase el ambiente de historias con sabor novelesco y poético: «Cecilia, hermosísima joven e ilustre dama romana, consagró su cuerpo a Jesucristo; desposáronla sus padres con un caballero llamado Valeriano, y se efectuó la boda con muchas fiestas, regocijos y bailes... Sólo el corazón de Cecilia estaba triste...» Seguía el relato de la mística noche nupcial, de la conversión de Valeriano, del ángel que velaba a Cecilia para guardar su pureza, con el desenlace glorioso y épico del martirio. Otras veces era un soldado, como San Menna; un obispo, como San Severo... La narración, detallada y dramática, refería el interrogatorio del juez, las respuestas briosas y libres de los mártires, los tormentos, la flagelación con nervios de buey, el ecúleo, las uñas de hierro, las hachas encendidas aplicadas al costado... «Y el caballero de Cristo estaba con un corazón esforzado y quieto, con semblante sereno, con una boca llena de risa (como si no fuera él, sino otro el que padecía), haciendo burla de sus tormentos y pidiendo que se los acrecentaran...» Tales lecturas eran de fantástico efecto, particularmente al caer de las adustas tardes invernales, cuando las hojas secas de los árboles se arremolinaban danzando y las nubes densas y algodonáceas pasaban lentamente ante los cristales de la ventana profunda. Allá, a lo lejos, se oía el perpetuo sollozo de la represa, y chirriaban los carros, cargados de tallos de maíz o ramaje de pino. Nucha escuchaba con atención, apoyada la barba en la mano. De tiempo en tiempo, su seno se alzaba para suspirar.

No era la primera vez que observaba Julián, desde el parto, gran tristeza en la señorita. El capellán había recibido una carta de su madre, que encerraba quizá la clave de los disgustos de Nucha. Parece que la señorita Rita había engatusado de tal manera a la tía vieja de Orense, que ésta la dejaba por heredera universal, desheredando a su ahijada. Además, la señorita Carmen estaba cada vez más loca por su estudiante, y se creía en el pueblo que si don Manuel Pardo negaba el consentimiento, la chica saldría depositada. También pasaban cosas terribles con la señorita Manolita: don Víctor de la Formoseda la plantaba por una artesana, sobrina de un canónigo. En fin, Misia Rosario pedía a Dios paciencia para tantas tribulaciones (las de la casa de Pardo eran para Misia Rosario como propias). Si todo esto había llegado a oídos de Nucha por conducto de su marido o de su padre, no tenía nada de extraño que suspirase así. Por otra parte, ¡el decaimiento físico era tan visible! Ya no se parecía Nucha a otra Virgen, sino a la demacrada imagen de la Soledad. Juncal la pulsaba atentamente, le ordenaba alimentos muy nutritivos, la miraba con alarmante insistencia.

Atendiendo a la niña, Nucha se reanimaba. Cuidábala con febril actividad. Todo se lo quería hacer ella, sin ceder al ama más que la parte material de la cría. El ama, decía ella, era un tonel lleno de leche, que estaba allí para aplicarle la espita cuando fuese necesario y soltar el chorro: ni más ni menos. La comparación del tonel es exactísima: el ama tenía hechura, color e inteligencia de tonel. Poseía también, como los toneles, un vientre magno. Daba gozo de verla comer, mejor dicho, engullir, en la cocina. Sabel se entretenía en llenarle el plato o la taza a reverter, en ponerle delante medio pan, cebándola igual que a los pavos. Con semejante mostrenco, Sabel se la echaba de princesa, modelo de delicados gustos y selectas aficiones. Como todo es relativo en el mundo, para la gente de escalera abajo de la casa solariega el ama representaba un salvaje muy gracioso y ridículo, y se reían tanto más con sus patochadas cuanto más fácilmente podían incurrir ellos en otras mayores. Realmente, era el ama objeto curioso no sólo para los payos, sino por distintas razones, para un etnógrafo investigador. Máximo Juncal refirió a Julián pormenores interesantes. En el valle donde se asienta la parroquia de que el ama procedía —valle situado en los últimos confines de Galicia, lindando con Portugal—, las mujeres se distinguen por sus condiciones físicas y su modo de vivir: son una especie de amazonas, restos de las guerras galaicas, de que hablan los geógrafos latinos; que si hoy no pueden hacer la guerra sino a sus maridos, destripan terrones con la misma furia que antes combatían; andan medio en cueros, luciendo sus fornidas y recias carnazas; aran, cavan, siegan, cargan carros de rama y esquilmo, soportan en sus hombros de cariátide enormes pesos y viven, ya que no sin obra, por lo menos sin auxilio de varón, pues los del valle suelen emigrar a Lisboa, en busca de colocaciones, desde los catorce años, volviendo sólo al país un par de meses, para casarse y propagar la raza, y huyendo apenas cumplido su oficio de machos de colmena. A veces, en Portugal, reciben nuevas de infidelidades conyugales, y, pasando la frontera, una noche acuchillan a los amantes dormidos; éste fue el crimen del *Tuerto*, protegido por *Barbacana*, cuya historia había contado también Juncal. No obstante, las hembras de Castrodorna suelen ser tan honestas como selváticas.

El ama no desmentía su raza, por la anchura desmesurada de las caderas y rechonchez de los rudos miembros. Costó un triunfo a Nucha vestirla racionalmente, y hacerle trocar la corta saya de bayeta verde, que no le cubría la desnuda pantorrilla, por otra más cumplida y decorosa, consintiéndole únicamente el justillo, prenda clásica de ama de cría, que deja rebosar las repletas ubres, y los característicos pendientes de enorme argolla, el torques romano, conservado desde tiempo inmemorial en el valle. Fue una lid obligarla a usar zapatos a diario, porque todas sus congéneres los reservan para las fiestas repicadas; fue una penitencia enseñarle el nombre y uso de cada objeto, aun de los más sencillos y corrientes; fue pensar en lo excusado convencerla de que la niña que criaba era un ser delicado y frágil, que no se podía traer mal envuelto en retales de bayeta grana, dentro de una banasta mullida de helechos, y dejarse a la sombra de un roble, a merced del viento, del sol y de la lluvia, como los recién nacidos del valle de Castrodorna; y Máximo Juncal, que, aunque gran apologista de los artificios higiénicos, lo era también de las milagrosas virtudes de la Naturaleza, hallaba alguna dificultad en conciliar ambos extremos, y salía del paso apelando a su lectura más reciente, *El origen de las especies*, por Darwin, y aplicando ciertas leyes de adaptación al medio, herencia, etc., que le permitían afirmar que el método del ama, si no hacía reventar como un triquitraque a la criatura, la fortalecería admirablemente.

Por si acaso, Nucha no se atrevió a intentar la prueba, y dedicóse a cuidar en persona su tesoro, llevando la existencia atareada y cominera de las madres, en la cual es un acontecimiento que estén ahumadas las sopas y un fracaso que el agua no hierva. Ella lavaba a su hijita, la vestía, la fajaba, la velaba dormida y la entretenía despierta. La vida corría monótona, ocupadísima, sin embargo. El bueno de Julián, testigo de estas faenas, iba enterándose, poco a poco, de los para él misteriosos arcanos del aseo y tocado de una criatura, llegando a familiarizarse con los múltiples objetos que forman el complicado ajuar de los recientes: gorras, ombligueros, culeros, pañales, fajas, microscópicos zapatos de *crochet*, capillos y baberos. Tales prendas, blanquísimas, adornadas con bordados y encajes, sahumadas con espliego, templaditas al sano calor de la camilla —calor doméstico, si los hay—, las tenía el capellán muchas veces en el regazo, mientras la madre, con la niña tendida boca abajo, sobre su delantal de hule, pasaba y repasaba la esponja por las carnes de tafetán, escocidas y medio desolladas por la excesiva finura de su tierna epidermis; las rociaba con refrescantes polvos de almidón y, apretando las nalgas con los dedos, para que hiciesen hoyos, se las mostraba a Julián, exclamando con júbilo:

—¡Mire usted qué monada..., qué llenita se va poniendo!

En materia de desnudeces infantiles, Julián no era voto, pues sólo conocía las de los angelotes de los retablos; pero cavilaba para sus adentros que, a pesar de haber el pecado original corrompido toda la carne, aquella que le estaban enseñando era la cosa más pura y santa del mundo: un lirio, una azucena de candor. La cabezuela blanca, cubierta de lanúgine rubia y suave por cima de las costras de la leche, tenía el olor especial que se nota en los nidos de paloma donde hay pichones implumes todavía; y las manitas, cuyo pellejo rellenaba ya suave grasa, y cuyos dedos se redondeaban como los del Niño Dios cuando bendice; la faz, esculpida en cera color rosa; la boca, desdentada y húmeda como coral pálido recién salido del mar; los piececillos, encendidos por el talón a fuerza de agitarse en gracioso pataleo, eran otras tantas menudencias provocadoras de ese sentimiento mixto que despiertan los niños muy pequeños hasta en el alma más empedernida; sentimiento complejo y humorístico, en que entran la compasión, la abnegación, un poco de respeto y un mucho de dulce burla, sin hiel de sátira.

En Nucha, el espectáculo producía las hondas impresiones de la luna de miel maternal, exaltadas por un temperamento nervioso y una sensibilidad ya enfermiza. A aquel bollo blando, que aún parecía conservar la inconsistencia del gelatinoso protoplasma, que aún no tenía conciencia de sí propio ni vivía más que para la sensación, la madre le atribuía sentido y presciencia, le insuflaba en locos besos su alma propia, y, en su concepto, la chiquilla lo entendía todo y sabía y ejecutaba mil cosas oportunísimas, y hasta se mofaba discretamente, a su manera, de los dichos y hechos del ama. «Delirios impuestos por la Naturaleza con muy sabios fines», explicaba Juncal. ¡Qué fue el primer día en que una sonrisa borró la grave y cómica seriedad de la diminuta cara y entreabrió con celeste expresión el estrecho filete de los labios! No era posible dejar de recordar el tan traído como llevado símil de la luz de la aurora disipando las tinieblas. La madre pensó chochear de alegría.

—¡Otra vez, otra vez! —exclamaba—. ¡Encanto, cielito, cielito, monadita mía, ríete, ríete!

Por entonces, la sonrisa no se dignó presentarse más. La zopenca del ama negaba el hecho, cosa que enfurecía a la madre. Al otro día cupo a Julián la honra de encender la efímera lucecilla de la inteligencia naciente en la criatura, paseándole no sé qué baratijas relucientes delante de los ojos. Julián iba perdiendo el miedo a la nena, que al principio creía fácil de deshacer entre los dedos, como merengue; y mientras la madre enrollaba la faja y calentaba el pañal, solía tenerla en el regazo.

—Más me fío en usted que en el ama —decíale Nucha, confidencialmente, desahogando unos secretos celos maternales—. El ama es incapaz de sacramentos... Figúrese usted que para hacerse la raya, al peinarse, apoya el peine en la barbilla y lo va subiendo, por la boca y la nariz, hasta que acierta con la mitad de la frente; de otro modo no sabe... Me he empeñado en que no coma con los dedos, y ¿qué conseguí? Ahora come la carne asada con cuchara... Es un entremés, Julián. Cualquier día me estropea la chiquilla.

El capellán perfeccionaba sus nociones del arte de tener un chico en brazos sin que llore ni rabie. Consolidó su amistad con la pequeñuela un suceso que casi debiéramos pasar en silencio: cierto húmedo calorcillo que un día sintió Julián penetrar a través de los pantalones... ¡Qué acontecimiento! Nucha y él lo celebraron con algazara y risa, como si fuese lo más entretenido y chusco. Julián brincaba de contento y se cogía la cintura, que le dolía con tantas carcajadas. La madre le ofreció su delantal de hule, que él rehusó; ya tenía un pantalón viejo, destinado a perecer en la demanda, y por nada del mundo renunciaría a sentir aquella onda tibia... Su contacto derretía no sé qué nieve de austeridad cuajada sobre un corazón afeminado y virgen allá desde los tiempos del Seminario, desde que se había propuesto renunciar a toda familia y todo hogar en la tierra entrando en el sacerdocio; y al par encendía en el misterioso fuego ternura humana, expansiva y dulce; el presbítero empezaba a querer a la niña con ceguera, a figurarse que si la viese morir, se moriría él también, y otros muchos dislates por el estilo, que cohonestaba con la idea de que, al fin, la chiquilla era un ángel. No se cansaba de admirarla, de devorarla con los ojos, de considerar sus pupilas, líquidas y misteriosas, como anegadas en leche, en cuyo fondo parecía reposar la serenidad misma.

Una penosa idea le ocurría de cuando en cuando. Acordábase de que había soñado con instituir en aquella casa el matrimonio cristiano cortado por el patrón de la Sacra Familia. Pues bien: el santo grupo estaba disuelto; allí faltaba San José o le sustituía un clérigo, que era peor. No se veía al marqués casi nunca; desde el nacimiento de la niña, en vez de mostrarse más casero y sociable, volvía a la andadas, a su vida de cacerías, de excursiones a casa de los abades e hidalgos que poseían buenos perros y gustaban del monte, a los cazaderos lejanos. Pasábase a veces una semana fuera de los pazos de Ulloa. Su hablar era más áspero; su genio, más egoísta e impaciente; sus deseos y órdenes se expresaban en forma más dura.

Y aún notaba Julián otros alarmantes indicios. Le inquietaba ver que Sabel recibía otra vez su antigua corte de sultana favorita, y que la *Sabia* y su progenie, con todas las parleras comadres y astrosos mendigos de la parroquia, pululaban allí, huyendo a escape cuando él se acercaba, llevando en el seno o bajo el mandil bultos sospechosos. Perucho ya no se ocultaba, antes lo encontraba por todas partes enredado en los pies, y, en suma, las cosas iban tornando al ser y estado que tuvieron antes.

Trataba el bueno del capellán de comulgarse a sí propio con ruedas de molino, diciéndose que aquello no significaba nada; pero la maldita casualidad se empeñó en abrirle los ojos cuando no quisiera. Una mañana, que madrugó más de lo acostumbrado para decir su misa, resolvió advertir a Sabel que le tuviese dispuesto el chocolate dentro de media hora. Inútilmente llamó a su cuarto, situado cerca de la torre en que Julián dormía. Bajó con esperanza de encontrarla en la cocina, y al pasar ante la puerta del gran despacho, próximo al archivo, donde se había instalado don Pedro desde el nacimiento de su hija, vio salir de allí a la moza, con descuidado traje y soñolienta. Las reglas psicológicas aplicables a las conciencias culpadas exigían que Sabel se turbase; quien se turbó fue Julián. No sólo se turbó, pero subió de nuevo a su dormitorio, notando una sensación extraña, como si le hubiesen descar-

gado un fuerte golpe en las piernas, quebrándose-
las. Al entrar en su habitación, pensaba esto o
algo análogo: «Vamos a ver: ¿quién es el guapo
que dice misa hoy?»

Diecinueve

No, ese guapo no era él. ¡Buena misa sería la
que dijese, con la cabeza hecha una olla de gri-
llos! Hasta reprimir los amotinados pensamientos que le acuciaban, hasta adoptar una resolución firme y valedera, Julián no se atrevía ni a
pensar en el santo sacrificio.

La cosa era bien clara. Situación, la misma del
año penúltimo. Tenía que marcharse de aquella
casa, echado por el feo vicio, por el delito infame.
No le era lícito permanecer allí ni un instante
más. Salvo el debido respeto, se había llevado la
trampa el matrimonio cristiano, en cierto modo
obra suya, y ya no quedaba rastro de hogar, sino
una sentina de corrupción y pecado. A otra parte,
pues, con la música.

Salvo que... Vaya, hay cosas más fáciles de
proyectar que de hacer en este mundo. Todo era
una montaña: encontrar pretexto, despedirse, preparar el equipaje... La primera vez que pensó en
irse de allí ya le costaba algún esfuerzo; hoy, la
sola idea de marchar le producía el mismo efecto
que si le echasen sobre el alma un paño mojado
en agua fría. ¿Por qué le disgustaba tanto la perspectiva de salir de los pazos? Bien mirado, él era
un extraño en aquella casa.

Es decir, eso de extraño... Extraño, no; pues
vivía unido espiritualmente a la familia por el
respeto, por la adhesión, por la costumbre. Sobre
todo, la niña, la niña. El acordarse de la niña le
dejó como embobado. No podía explicarse a sí
mismo el gran sacudimiento interior que le cau-

saba pensar que no volvería a cogerla en brazos.
¡Mire usted que estaba encariñado con la tal muñeca! Se le llenaron de lágrimas los ojos.

«Bien decían en el Seminario —murmuró con
despecho— que soy muy apocado y muy... así...,
como las mujeres, que por todo se afectan. ¡Vaya
un sacerdote ordenado de misa! Si tengo tal afición a los chiquillos, no debí abrazar la carrera
que abracé. No, no; esto que voy diciendo es un
desatino mayor todavía... Si me gustan los chiquillos y tengo vocación de ayo o niñero, ¿quién
me priva de cuidar a los que andan descalzos por
las carreteras pidiendo limosna? Son hijos de
Dios lo mismo que esa pobre pequeña de aquí...
Hice mal, muy mal, en tomarle tanta afición...
Pero es que sólo un perro..., ¡qué!, ni un perro...;
sólo una fiera puede besar a un angelito y no
quererle bien.»

Resumiendo después sus cavilaciones, añadió
para sí: «Soy un majadero, un Juan Lanas. No sé
a qué he venido aquí la vez segunda. No debí
volver. Estaba visto que el señorito tenía que
parar en esto. Mi poca energía tiene la culpa. Con
riesgo de la vida debí barrer esa canalla, si no por
buenas, a latigazos. Pero yo no tengo agallas,
como dice muy bien el señorito, y ellos pueden
y saben más que yo, a pesar de ser más brutos.
Me han engañado, me han embaucado; no he
puesto en la calle a esa moza desvergonzada, se
han reído de mí y ha triunfado el infierno.»

Mientras sostenía este monólogo, iba sacando
de un cajón de la cómoda prendas de ropa blanca, a fin de hacer su equipaje, pues como todas
las personas irresolutas, solía precipitarse en los
primeros momentos y adoptar medidas que le
ayudaban a engañarse a sí propio. Al paso que
rellenaba la maleta, razonaba para consigo: «Señor, Señor, ¿por qué ha de haber tanta maldad
y tanta estupidez en la tierra? ¿Por qué el hom-

bre ha de dejar que le pesque el diablo con tan tosco anzuelo y cebo tan ruin? —diciendo esto alineaba en el baúl calcetines—. Poseyendo la perla de las mujeres, el verdadero trasunto de la mujer fuerte, una esposa castísima —ese superlativo se le ocurrió al doblar cuidadosamente la sotana nueva—, ir a caer precisamente con una vil mozuela, una sirvienta, una fregona, una desvergonzada, ¡que se va a picos pardos con el primer labriego que encuentra!»

Llegaba aquí del soliloquio, cuando trataba, sin éxito, de acomodar el sombrero de canal de modo que la cubierta de la maleta no lo abollase.

El ruido que hizo la tapa al descender, el gemido armonioso del cuero, parecióle una voz irónica que le respondía: «Por eso, por eso mismo.»

«¡Será posible! —murmuró el bueno del capellán—. ¡Será posible que la abyección, que la indignidad, que la inmundicia misma del pecado atraiga, estimule, sea un aperitivo, como las guindillas rabiosas, para el paladar estragado de los esclavos del vicio! Y que en esto caigan, no personas de poco más o menos, sino señores de nacimiento, de alcurnia; señores que...»

Detúvose, y, reflexivo, contó un montón de pañuelos de narices que sobre la cómoda reposaba: «Cuatro, seis, siete... Pues yo tenía una docena, todos marcados... Pierden aquí la ropa bastante...»

Volvió a contar: «Seis, siete... Y uno en el bolsillo, ocho... Puede que haya otro en la lavandera...»

Dejólos caer de golpe. Acababa de recordar que uno de aquellos pañuelos se lo había atado a la niñita debajo de la barba, para impedir que la baba le rozase el cuello. Suspiró hondamente, y abriendo otra vez el maletín, notó que la seda del sombrero de canal se estropeaba con la tapa.

«No cabe», pensó, y parecióle enorme dificultad para su viaje no poder acomodar la canaleja. Miró el reloj: señalaba las diez. A las diez o poco más comía la chiquita su sopa, y era la risa del mundo verla con el hocico embadurnado de puches, empeñada en coger la cuchara y sin acertar a lograrlo. ¡Estaría tan mona! Resolvió bajar; al día siguiente le sería fácil colocar mejor su sombrero y resolver la marcha. Por veinticuatro horas más o menos...

Este medicamento emoliente de la espera equivale, para la mayor parte de los caracteres, a infalible específico. No hay que vituperar su empleo, en atención a lo que consuela; en rigor, la vida es una serie de aplazamientos, y sólo hay desenlace definitivo, el último. Así que Julián concibió la luminosa idea de aguardar un poco, sintióse tranquilo; aún más: contento. No era su carácter muy jovial, propendiendo a una especie de morosidad soñadora y mórbida, como la de las doncellas anémicas; pero en aquel punto respiraba con tal desahogo por haber encontrado una solución, que sus manos temblaban, deshaciendo con alegre presteza el embutido de calcetines y ropa blanca y dando amable libertad al canal y al manteo. Después se lanzó por las escaleras, dirigiéndose a la habitación de Nucha.

Nada aconteció aquel día que lo diferenciase de los demás, pues allí la única variante solía ser el mayor o menor número de veces que mamaba la chiquilla, o la cantidad de pañales puestos a secar. Sin embargo, en tan pacífico interior veía el capellán desarrollarse un drama mudo y terrible. Ya se explicaba perfectamente las melancolías, los suspiros ahogados de Nucha. Y mirándola a la cara y viéndola tan consumida, con el color macilento, los ojos mayores y más vagos, la hermosa boca contraída siempre, menos cuando sonreía a su hija, calculaba que la señorita, por fuerza, debía de saberlo todo, y una lástima profunda le inundaba el alma. Reprendióse a sí mismo por haber pensado siquiera en marcharse. Si la señorita necesitaba de un amigo, un defensor, ¿en quién lo encontraría más que en él? Y lo necesitaría, de fijo.

La misma noche, antes de acostarse, presenció el capellán una escena extraña, que le sepultó en mayores confusiones. Como se le hubiese acabado el aceite de su velón de tres mecheros y no pudiese rezar ni leer, bajó a la cocina en demanda de combustible. Halló muy concurrido el sarao de Sabel. En los bancos que rodeaban el fuego no cabía más gente: mozas que hilaban, otras que mondaban patatas, oyendo las chuscadas y chocarrerías del tío Pepe de Naya, vejete que era un puro costal de malicias y que, viniendo a moler un saco de trigo al molino de Ulloa, donde pensaba pasar la noche, no encontraba malo refocilarse en los pazos con el cuenco de caldo de unto y tajadas de cerdo que la hospitalaria Sabel le ofrecía. Mientras él pagaba el escote contando chascarrillos en la gran mesa de la cocina, que desde el casamiento de don Pedro no usaban los amos, se veían, no lejos de la turbia luz de aceite, relieves de un festín más suculento; restos de carne en platos engrasados, una botella de vino descorchada, una media tetilla, todo amontonado en un rincón, como barrido despreciativamente por el hartazgo; y en el espacio libre de la mesa, tendidos en hilera, hasta media docena de naipes, que si recortados en forma ovalada por exceso de uso, como aquellos de que se sirvieron Rinconete y Cortadillo, no les cedían en los sucios y pringosos. En pie, delante de ellos, la señora María la *Sabia*, extendiendo el dedo, negro y nudoso cual seca rama de árbol, los consultaba con ademán reflexivo. Encorvada la horrenda sibila, alumbrada por el vivo fuego del hogar y la luz de la lámpara, ponía miedo su estoposa pelambrera, su catadura de bruja en aquelarre, más monstruosa por el bocio enorme, ya que le desfiguraba el cuello y remedaba un segundo rostro, rostro de visión infernal, sin ojos ni labios, liso y reluciente a modo de manzana cocida. Julián se detuvo en lo alto de la escalera, contemplando las prácticas supersticiosas, que se interrumpirían de seguro si sus zapatillas hiciesen ruido y delatasen su presencia. Si él conociese a fondo la tenebrosísima y aún no desacreditada ciencia de la cartomancía, ¡cuánto más interesante le parecería el espectáculo! Entonces podría ver reunidos allí, como en el reparto de un drama, los personajes todos que jugaban en su vida y ocupaban su imaginación. Aquel rey de bastos, con hopalanda azul ribeteada de colorado, los pies simétricamente dispuestos, la gran maza verde al hombro, se le figuraba bastante temible si supiese que representaba a un hombre moreno, casado (don Pedro). La sota del mismo palo se le antojaría menos fea si comprendiese que era símbolo de una señorita morena también (Nucha). A la de copas le daría un puntapié por insolente y borracha, atendido que personificaba a Sabel, una moza rubia y soltera. Lo más grave sería verse a sí mismo —un joven rubio— significado por el caballo de copas, azul por más señas, aunque ya todos estos colorines los había borrado la mugre.

¡Pues qué sucedería si después, cuando la vieja barajó los naipes y, repartiéndolos en cuatro montones, empezó a interpretar su sentido fatídico, pudiese él oír distintamente todas las palabras que salían del antro espantable de su boca! Había allí concordancias de la sota de bastos con el ocho de copas, que anunciaban nada menos que amores secretos de mucha duración; apariciones del ocho de bastos, que vaticinaban riñas entre cónyuges; reuniones de la sota de espadas con la de copas patas arriba, que encerraban tétricos augurios de viudez por muerte de la esposa. A bien que el cinco del mismo palo profetizaba después unión feliz. Todo esto, dicho por la sibila en voz baja y cavernosa, lo escuchaba solamente la bella fregatriz Sabel, que con los brazos cruzados tras la espalda, el color arrebatado, se inclinaba sobre el oráculo, que más parecía provocarla a curiosidad que a regocijo. La jarana con que en el hogar se celebraban los chistes del señor Pepe impedían que nadie atendiese al silabeo de la vieja. Merced a la situación de la escalera, dominaba Julián la mesa, trípode y ara del temeroso rito, y sin ser visto podía ver y entreoír algo. Escuchaba, tratando de entender mejor lo que sólo confusamente percibía, y como al hacerlo cargase sobre el barandal de la escalera, éste crujió levemente, y la bruja alzó su horrible carátula. En un santiamén recogió los naipes, y el capellán bajó algo confuso de su espionaje involuntario, pero tan preocupado con lo que creía haber sorprendido, que ni se le ocurrió censurar el ejercicio de la hechicería. La bruja, empleando el tono humilde y servil de siempre, se apresuró a explicarle que aquello era mero pasatiempo por *se adivirtir* un poco

Volvió Julián a su cuarto, agitadísimo. Ni él mismo sabía lo que le correteaba por el magín. Bien presumía antes a cuántos riesgos se exponían Nucha y su hija viviendo en los pazos; ahora..., ahora los divisaba inminentes, clarísimos. ¡Tremenda situación! El capellán le daba vueltas a su cerebro excitado: a la niña la robarían para matarla de hambre; a Nucha la envenenarían tal vez. Intentaba serenarse. ¡Bah! No abundan tanto los crímenes por esos mundos, a Dios gracias. Hay jueces, hay magistrados, hay verdugos. Aquel hato de bribones se contentaría con explotar al señorito y a la casa, con hacer rancho de ella, con mandar, anulando en su dignidad y poderío doméstico a la señorita. Pero... ¿si no se contentaba?

Dio cuerda a su velón, y apoyando los codos sobre la mesa intentó leer en las obras de Balmes, que le había prestado el cura de Naya, y en cuya lectura encontraba grato solaz su espíritu, prefiriendo el trato con tan simpática y persuasiva inteligencia a las honduras escolásticas de Prisco y San Severino. Mas a la sazón no podía entender una sola línea del filósofo, y sólo oía los tristes ruidos exteriores, el quejido constante de la presa, el gemir del viento en los árboles. Su acalorada fantasía le fingió entre aquellos rumores quejumbrosos otro más lamentable aún, porque era personal: un grito humano. ¡Qué disparatada idea! No hizo caso y siguió leyendo. Pero creyó escuchar de nuevo el «¡ay!» tristísimo. ¿Serían los perros? Asomóse a la ventana: la luna bogaba en un cielo nebuloso, y allá, en lo lejos, se oía el aullar de un perro, ese aullar lúgubre que los aldeanos llaman «ventear la muerte» y juzgan anuncio seguro del próximo fallecimiento de una persona. Julián cerró la ventana, estremeciéndose. No despuntaba por valentón, y sus temores instintivos se aumentaban en la casa solariega, que le producía nuevamente la dolorosa impresión de los primeros días. Su temperamento linfático no poseía el secreto de ciertas saludables reacciones, con las cuales se desecha todo vano miedo, todo fantasma de la imaginación. Era capaz, y demostrado lo tenía, de arrostrar cualquier riesgo grave, si creía que se lo ordenaba su deber; pero no de hacerlo con ánimo sereno, con el hermoso desdén del peligro, con el buen humor heroico que sólo cabe en personas de rica y roja sangre y músculos firmes. El valor propio de Julián era valor temblón, por decirlo así; el breve arranque nervioso de las mujeres.

Volvía a su conferencia con Balmes, cuando... ¡Jesús nos valga! ¡Ahora sí, ahora sí que no cabía duda! Un chillido sobreagudo de terror había subido por el oscuro caracol y entrado por la puerta entornada. ¡Qué chillido! El velón le bailaba en las manos a Julián... Bajaba, sin embargo, muy aprisa, sin sentir sus propios movimientos, como en las espantosas caídas que damos soñando. Y volaba por los salones recorriendo la larga crujía para llegar hacia la parte del archivo, donde había sonado el grito horrible... El velón, oscilando más y más en su diestra trémula, proyectaba en las paredes caleadas extravagantes manchones de sombra... Iba a dar la vuelta al pasillo que dividía el archivo del cuarto de don Pedro, cuando vio... ¡Dios santo! Sí, era la escena misma, tal cual se la había figurado él... Nucha en pie, pero arrimada a la pared, con el rostro desencajado de espanto, los ojos, no ya vagos, sino llenos de extravío mortal; enfrente, su marido, blandiendo un arma enorme... Julián se arrojó entre los dos ... Nucha volvió a chillar:

—¡Ay, ay! ¡Qué hace usted! ¡Que se escapa! ... ¡Que se escapa!

Comprendió entonces el alucinado capellán lo que ocurría, con no poca vergüenza y confusión suya... Por la pared trepaba aceleradamente, deseando huir de la luz, una araña de desmesurado grandor, un monstruoso vientre columpiado en ocho velludos zancos. Su carrera era tan rápida, que inútilmente trataba el señorito de alcanzarla con la bota; de repente Nucha se adelantó, y con voz entre grave y medrosa repitió ingenuamente lo que había dicho mil veces en su niñez:

—¡San Jorge..., para la araña!

El feo insecto se detuvo a la entrada de la zona de sombra; la bota cayó sobre él. Julián, por reacción natural del miedo disipado, que se trueca en inexplicable gozo, iba a reírse del suceso; pero notó que Nucha, cerrando los ojos y apoyándose en la pared, se cubría la cara con el pañuelo.

—No es nada, no es nada... —murmuraba—. Un poco de llanto nervioso... Ya pasará... Estoy aún algo débil...

—¡Valiente cosa para tanto alboroto! —exclamó el marido, encogiéndose de hombros—. ¡Os crían con más mimo! En mi vida he visto tal. Don Julián, ¿usted creería que la casa se venía abajo? ¡Ea!, a recogerse. Buenas noches.

Tardó bastante el capellán en dormirse. Recapacitaba en sus terrores y conocía su ridiculez; prometíase vencer aquella pusilanimidad suya; pero duraba aún el desasosiego: la impulsión estaba comunicada y almacenada en sinuosidades cerebrales muy hondas. Apenas le otorgó sus favores el sueño, vino con él una legión de pesadillas a cuál más negra y opresora. Empezó a soñar con los pazos, con el gran caserón; mas por extraña anomalía, propia del sueño, cuyo fundamento son siempre nociones de lo real, pero barajadas, desquiciadas y revueltas merced al anárquico influjo de la imaginación, no veía la huronera tal cual la había visto siempre, con su vasta mole cuadrilonga, sus espaciosos salones, su ancho portalón inofensivo, su aspecto amazacotado, conventual, de construcción del siglo XVIII; sino que, sin dejar de ser la misma, había mudado de forma; el huerto, con bojes y estanque, era ahora ancho y profundo foso; las macizas murallas se poblaban de saeteras, se coronaban de almenas; el portalón se volvía puente levadizo con cadenas rechinantes; en suma: era un castillote feudal hecho y derecho, sin que le faltase ni el romántico aditamento del pendón de los Moscosos flotando en la torre del homenaje; indudablemente, Julián había visto alguna pintura o leído alguna medrosa descripción de esos espantajos del pasado, que nuestro siglo restaura con tanto cariño. Lo único que en el castillo recordaba los pazos actuales era el majestuoso escudo de armas; pero aun en este mismo existía diferencia notable, pues Julián distinguía claramente que se habían animado los emblemas de piedra, y el pino era un árbol verde en cuya copa gemía el viento, y los dos lobos rampantes movían las cabezas, exhalando aullidos lúgubres. Miraba Julián fascinado hacia lo alto de la torre, cuando vio en ella alarmante figurón: un caballero con visera calada, todo cubierto de hierro; y aunque ni un dedo de la mano se le descubría, con el don adivinatorio que se adquiere soñando, Julián percibía, al través de la celada, la cara de don Pedro. Furioso, amenazador, enarbolaba don Pedro un arma extraña, una bota de acero, que se disponía a dejar caer sobre la cabeza del capellán. Este no hacía movimiento alguno para desviarse, y la bota tampoco acababa de caer; era una angustia intolerable, una agonía sin término; de repente sintió que se le posaba en el hombro una lechuza feísima, con greñas blancas. Quiso gritar; en sueños el grito se queda helado en la garganta siempre. La lechuza reía silenciosamente. Para huir de ella saltaba el foso, mas éste ya no era foso, sino la represa del molino; el castillo feudal también mudaba de hechura sin saberse cómo; ahora se parecía a la clásica torre que tienen en las manos las imágenes de Santa Bárbara; una construcción de cartón pintado, hecha de sillares muy cuadraditos, y a cuya ventana asomaba un rostro de mujer, pálido, descompuesto... Aquella mujer sacó un pie, luego otro..., fue descolgándose por la ventana abajo... ¡Qué asombro! ¡Era la sota de bastos, la mismísima sota de bastos, muy sucia, muy pringosa! Al pie del muro la esperaba el

caballo de espadas, una rara alimaña azul, con la
cola rayada de negro. Mas a poco, Julián reconoció su error: ¡qué caballo de espadas! No era
sino San Jorge en persona, el valeroso caballero
andante de las celestiales milicias, con su dragón
debajo, un dragón que parecía araña, en cuya te-
nazuda boca hundía la lanza con denuedo... Brillante y aguda, la lanza descendía, se hincaba, se
hincaba... Lo sorprendente es que el lanzazo lo
sentía Julián en su propio costado... Lloraba
muy bajito, queriendo hablar y pedir misericor-
dia; nadie acudía en su auxilio, y la lanza le tenía
ya atravesado de parte a parte... Despertó repentinamente, resintiéndose de una punzada dolorosa en la mano derecha, sobre la cual había gra-
vitado el peso del cuerpo todo al acostarse del
lado izquierdo, posición favorable a las pesadillas.

Veinte

Los sueños de las noches de terror suelen parecer risibles apenas despunta la claridad del
nuevo día; pero Julián, al saltar de la cama, no
consiguió vencer la impresión del suyo. Proseguía el hervor de la imaginación sobreexcitada:
miró por la ventana, y el paisaje le pareció tétrico y siniestro; verdad es que entoldaban la bóveda celeste nubarrones de plomo con reflejos
lívidos, y que el viento, sordo unas veces y sibi-
lante otras, doblaba los árboles con ráfagas repentinas. El capellán bajó la escalera de caracol
con ánimo de decir misa, que, a causa del mal
estado de la capilla señorial, acostumbraba celebrar en la parroquia. Al regresar y acercarse a la
entrada de los pazos, un remolino de hojas secas
le envolvió los pies, una atmósfera fría le sobre-
cogió, y la gran huronera de piedra se le presen-

tó imponente, ceñuda y terrible, con aspecto de prisión, como el castillo que había visto soñando. El edificio, bajo su toldo de negras nubes, con el ruido temeroso del cierzo, que lo fustigaba, era amenazador y siniestro. Julián penetró en él con el alma en un puño. Cruzó rápidamente el helado zaguán, la cavernosa cocina, y, atravesando los salones solitarios, se apresuró a refugiarse en la habitación de Nucha, donde acostumbraban servirle el chocolate por orden de la señorita.

Encontró a ésta más desemblantada que de costumbre. Al abatimiento que de ordinario se revelaba en su afilado rostro, se agregaba una contracción, un azaramiento, indicio de gran tirantez nerviosa.

Tenía a la niña en brazos, y al ver llegar a Julián le hizo rápidamente seña de que no chistase ni se menease, que el angelito andaba en tratos de aletargarse al calor del seno maternal. Inclinada sobre la criatura, Nucha le echaba el aliento para mejor adormecerla, y arreglaba con febriles movimientos el pañolón calcetado que envolvía, como el capullo a la oruga, aquella vida naciente. Pestañeó la niña dos o tres veces, y luego cerró los ojitos, mientras su madre no cesaba de arrullarla con una nana aprendida del ama, una especie de gemido cuya base era triste: ¡lai..., lai!, la queja lenta y larga de todas las canciones populares en Galicia. El canto fue descendiendo, hasta concluir en la pronunciación melancólica y cariñosa de una sola letra, la «e» prolongada; y levantándose en puntas de pie, Nucha depositó a su hija en la cuna muy delicada y cuidadosamente, pues la chiquilla era tan lista —en opinión de su madre—, que distinguía al punto la cuna del brazo, y era capaz de despertar del sopor más profundo si se enteraba de la sustitución.

Por lo mismo, Julián y Nucha se hablaron muy quedo, mientras la señorita manejaba la aguja de *crochet*, confeccionando unos zapatitos que parecían bolsas. Julián empezó por preguntar si se le había quitado el susto de la noche anterior.

—Sí; pero todavía estoy no sé cómo.

—Yo tampoco les tengo afición a esos bichos asquerosos... No los había visto tan gordos hasta que vine a la aldea. En el pueblo apenas los hay.

—Pues yo —contestó Nucha— era antes muy valiente; pero desde... que nació la pequeña, no sé qué me pasa; parece que me he vuelto medio tonta, que tengo miedo a todo...

Interrumpió su labor y alzó la cara; sus grandes ojos estaban dilatados; sus labios, ligeramente trémulos.

—Es una enfermedad, es una manía; yo lo conozco, pero no lo puedo remediar; no pienso sino en cosas de susto, en espantos... ¿Ve usted qué chillidos di ayer por la dichosa araña? Pues de noche, cuando me quedo sola con la niña (porque el ama durmiendo es lo mismo que si estuviese muerta: aunque le disparen al oído un cañón de a ocho, no se mueve), haría a cada paso escenas por el estilo si no me dominase. No se lo digo a Juncal por vergüenza; pero veo cosas muy raras. La ropa que cuelga me representa siempre hombres ahorcados, o difuntos que salen del ataúd con la mortaja puesta; no importa que, mientras está el quinqué encendido, antes de acostarme, la arregle así o asá; al fin toma esas hechuras extravagantes aun no bien apago la luz y enciendo la lamparilla. Hay veces que distingo personas sin cabeza; otras, al contrario, les veo la cara con todas sus facciones, la boca muy abierta y haciendo muecas... Esos mamarrachos que hay pintados en el biombo se mueven, y cuando crujen las ventanas con el viento, como esta noche, me pongo a cavilar si son almas del otro mundo que se quejan...

—¡Señorita! —exclamó, dolorosamente, Julián—. ¡Eso es contra la fe! No debemos creer en aparecidos ni en brujerías.

—¡Si yo no creo! —repuso la señorita, riendo nerviosamente—. ¿Usted se figura que soy como el ama, que dice que ha visto en realidad la *compaña*, con su procesión de luces, allá a las altas horas? En mi vida he dado crédito a paparruchas semejantes; por eso digo que debo de estar enferma, cuando me persiguen visiones y vestiglos... La tema constante del señor de Juncal: «Fortalecerse, criar sangre...» Lástima que la sangre no se compre en la tienda... ¿No le parece a usted?

—O que... los sanos no se la podamos regalar a... los que... la necesitan...

Dijo esto el presbítero titubeando, poniéndose encendido hasta la nuca, porque su impulso primero había sido exclamar: «Señorita Marcelina, aquí está mi sangre, a la disposición de usted.»

El silencio producido por arranque tan vivo duró algunos segundos, durante los cuales ambos interlocutores miraron fijamente, distraídos y ensimismados, el paisaje que se alcanzaba desde la ancha y honda ventana fronteriza. Al pronto no le vieron; luego, su aspecto sombrío le fue entrando, mal de su grado, por los ojos hasta el alma. Eran las montañas negras, duras, macizas en apariencia, bajo la oscurísima techumbre del cielo tormentoso; era el valle alumbrado por las claridades pálidas de un angustiado sol; era el grupo de castaños, inmóvil unas veces, otras visiblemente sacudido por la racha del ventarrón furioso y desencadenado... A un mismo tiempo exclamaron los dos, capellán y señorita:

—¡Qué día tan triste!

Julián reflexionaba en la rara coincidencia de

los terrores de Nucha y los suyos propios; y, pensando alto, prorrumpía:

—Señorita, también esta casa... Vamos, no es por decir mal de ella, pero... es un poco miedosa. ¿No le parece?

Los ojos de Nucha se animaron, como si el capellán le hubiese adivinado un sentimiento que no se atrevía a manifestar.

—Desde que ha venido el invierno —murmuró, hablando consigo misma—, no sé qué tiene ni qué trazas saca..., que no me parece la misma... Hasta las murallas se han vuelto más gordas y la piedra más oscura... Será una tontería, ¡ya sé que lo será!, pero no me atrevo a salir de mi habitación, yo que antes revolvía todos los rincones y andaba por todas partes... Y no tengo remedio sino dar una vuelta por ella... Necesito ver si hay abajo, en el sótano, arcones para la ropa blanca... Hágame el favor de venir, Julián, ahora que la niña duerme... Quiero quitarme de la cabeza estas aprensiones y estas tontunas.

Intentó el capellán disuadirla; temía que se cansase, que se enfriase al atravesar los salones, al bajar al claustro... Marcelina no dio más respuesta que dejar la labor, envolverse en su mantón y echar a andar. Cruzaron a buen paso la fila de habitaciones extensas, desamuebladas, casi vacías, donde las pisadas retumbaban sordamente. De tiempo en tiempo, Nucha volvía la cabeza atrás, a ver si la seguía su acompañante, y el ademán de volverla revelaba alteración y zozobra. En la diestra columpiaba un manojo de llaves.

Salieron al claustro superior, y por una escalerilla muy pendiente descendieron al inferior, cuyas arcadas eran de piedra.

Llegados al patín que cerraba el grave claustro, Nucha señaló a un pilar que tenía incrustada una argolla de hierro, de la cual colgaba aún un eslabón comido de orín.

—¿Sabe usted qué era esto? —murmuró con apagada voz.

—No sé —respondió Julián.

—Dice Pedro —explicó la señorita— que estuvo aquí la cadena con que tenían sujeto sus abuelos a un negro esclavo... ¿No parece mentira que se hiciesen semejantes crueldades? ¡Qué tiempos tan malos, Julián!

—Señorita..., a don Máximo Juncal, que no piensa más que en política, todo se le vuelve hablar de eso; pero, mire usted, en cada tiempo hay su legua de mal camino... Bastantes barbaridades hacen hoy en día, y la religión anda perdida desde estas grescas.

—Pero como aquí —observó Nucha, formulando sencillamente una observación histórico-filosófica de bastante alcance— no ve uno sino las atrocidades de los señores de otro tiempo..., parece que son las únicas que le dan en qué pensar... ¿Por qué serán tan malos cristianos los hombres? —añadió, entreabriendo los labios con cándido asombro.

El cielo se oscureció más en el momento de expresarse así Nucha; un relámpago alumbró súbitamente las profundidades de las arcadas del claustro y el rostro de la señorita, que adquirió a la luz verdosa el aspecto trágico de una faz de imagen.

—¡Santa Bárbara bendita! —articuló, piadosamente, el capellán, estremeciéndose—. Volvámonos arriba, señorita... Está tronando. Como este año no tuvimos «cordonazo de San Francisco»..., ya se ve: el equinoccio no quiere pasar sin esto... ¿Subimos?

—No —protestó Nucha, empeñada en combatir sus propios terrores—. Esta es la puerta del sótano... ¿Cuál será la llave?

La buscó algún tiempo en el manojo. Al introducirla en la cerradura y empujar la puerta, otro relámpago bañó de claridad fantasmagórica el sitio en que iba a penetrar; rodó el carro del trueno, pausado al principio, después ronco y formidable, como una voz hinchada por la cólera, y Nucha retrocedió con espanto.

—¿Qué ocurre, señorita querida? ¿Qué sucede? —gritó el capellán.

—¡Nada!... ¡Nada! —tartamudeó la señora de Ulloa—. Se me figuró, al abrir, que estaba ahí dentro un perro muy grande, sentado, y que se levantaba, y se me echaba para morderme... ¿Si no los tendré cabales? Pues mire usted que juraría haberlo visto.

—¡El Dulce Nombre! No, señorita; es que hace frío aquí, es que truena, es que es una locura andar ahora revolviendo en los sótanos... Retírese usted; yo buscaré lo que haga falta.

—No —replicó Nucha con energía—. Ya me carga de veras ser tan boba... Quiero entrar antes, para que vea usted si comprendo perfectamente que todas son necesidades... ¿Trae usted la cerilla? —gritó ya desde dentro.

El capellán la encendió, y a su luz, mortecina y dudosa, vieron el sótano, mejor dicho, entrevieron las paredes destilando humedad; el confuso montón de objetos, retirados allí por inservibles y pudriéndose en los rincones; el conjunto de cosas informes y, por lo mismo, temerosas y vagas. En la penumbra de aquel lugar casi subterráneo, en el hacinamiento de vejestorios retirados por inservibles y entregados a las ratas, la pata de una mesa parecía un brazo momificado, la esfera de un reloj era la faz blanquecina de un muerto, y unas botas de montar, carcomidas, asomando por entre papeles y trapos, despertaban en la fantasía la idea de un hombre asesinado y oculto allí. No obstante, Nucha, con paso resuelto, fue derecha al caos húmedo y medroso, y con la voz ahogada y conmovida de los que acaban de obtener un gran triunfo sobre sí mismos, gritó:

—Aquí está el arcón...; que me lo suban después...

Salió muy animada, satisfecha de su resolución, vencedora en la lucha cuerpo a cuerpo con el caserón que la asustaba. Al subir otra vez por la escalerilla volvió a sobrecogerla el fragor de un trueno, más hondo, poderoso y cercano que los anteriores. ¡Era preciso encender la vela del Santísimo y rezar el Trisagio!

Así lo hicieron al punto. La vela fue colocada sobre la cómoda de Nucha: un cirio bastante largo aún, de cera de color naranja, con muchas lágrimas y un pabilo que chisporroteaba y no acababa de arder. Antes de arrodillarse cerraron las maderas de la ventana, para evitar que la ojeada fulgurante del relámpago lo deslumbrase a cada minuto. Rugía con creciente ira el viento, y la tronada se había situado sobre los pazos, oyéndose su estruendo lo mismo que si corriese por el tejado un escuadrón de caballos a galope o si un gigante se entretuviese en arrastrar un peñasco y llevarlo a tumbos por encima de las tejas. ¡Con cuánto fervor empezó el capellán a guiar el Trisagio misterioso! Anonadándose ante la cólera divina, cuya violencia sacudía y hacía retemblar los pazos como si fuesen una choza, pronunciaba:

De la subitánea muerte
del rayo y de la centella
libra este Trisagio, y sella
a quien lo reza; y advierte...

Nucha, de repente, se incorporaba, lanzando un chillido, y corría al sofá, donde se reclinaba, lanzando interrumpidas carcajadas histéricas que sonaban a llanto. Sus manos crispadas arranca-

ban los corchetes de su traje, o comprimían sus
sienes, o se clavaban en los almohadones del sofá,
arañándolos con furor... Aunque tan inexperto,
Julián comprendió lo que ocurría: el espasmo
inevitable, la explosión del terror reprimido, el
pago del alarde de valentía de la pobre Nucha...
— ¡Filomena, Filomena! Aquí, mujer, aquí...
Agua, vinagre..., el frasquito aquel... ¿Dónde está
el frasco que vino de la botica de Cebre? Aflójele
el vestido... Ya me vuelvo de espaldas, mujer;
no necesitaba avisármelo... Unos pañitos fríos en
las sienes... ¡Si truena, que truene! Deje tronar...
Acuda a la señorita... Déle aire con este papel,
aunque sea... ¿Ya está cubierta y floja? Se lo
daré yo poquito a poco... Que respire bien el vinagre...

Veintiuno

Notóse días después alguna mejoría en el estado general de la señora de Ulloa, con lo cual el
capellán revivió y se le animó también el marchito
semblante. El marqués andaba en extremo distraído, organizando una cacería a los lejanos
montes de Castrodorna, más allá del río; el tiempo se aseguraba; las noches eran de heladas, claras y glaciales; acercábase el plenilunio, y todo
prometía feliz éxito. La víspera de la salida al
cazadero vinieron a dormir a los pazos el notario
de Cebre, el señorito de Limioso, el cura de Boán,
el de Naya y un cazador furtivo, escopeta negra
infalible, conocido en el país por el alias de *Bico
de Rato* (hocico de ratón), mote apropiadísimo a
la color tiznada de su cara, donde giraban dos
ojuelos vivarachos. Llenóse la casa de ruido, de
tilinteo de cascabeles, de cadencia de uñas de perros sobre los pisos de madera, de voces sonoras
y de órdenes para tener en punto al amanecer

todos los arreos de caza. La cena fue regocijada
y ruidosa; se bromeó, se contaron de antemano
las perdices que habían de sucumbir, se saborea-
ron por adelantado las provisiones que se llevaban al monte y se remojó previamente el gaznate
con jarros de un tinto añejo que daba gloria. A
la hora de los postres y del café, habiéndose re-
tirado Nucha, que por el ansia de su niña se re-
cogía temprano, subieron de la cocina Primitivo
y el *Ratón*, y los futuros compañeros de glorias y
fatigas comenzaron a fraternizar, fumando y trin-
cando a competencia. Era el momento más sa-
broso, el verdadero instante de felicidad espiritual
para un cazador de raza; era el minuto de las
anécdotas cinegéticas y, sobre todo, de los em-
bustes.

Para éstos se establecía turno pacífico, pues
nadie renunciaba a soltar su correspondiente bola,
y crecían en magnitud conforme se enredaba la
plática. Formaban círculo los cazadores, y a sus
pies dormían, enroscados, los perros, con un ojo
cerrado y otro entreabierto y de párpado convul-
so; a veces, cuando se aplacaban las risotadas y
las frases chistosas, se oía a los canes tocar la
guitarra, espulgarse a toda costa, ladrar por sueños, sacudir las orejas y suspirar con resignación.
Nadie les hacía caso.

El *Hocico de Ratón* tiene la palabra:

—¡Puede que no me lo crean, y es tan cierto
como que habemos de morir y la tierra nos ha de
comer! Para más verdad, fue un día de San Sil-
vestre...

—Andarían las brujas sueltas —interrumpió el
cura de Boán.

—Si eran *meigas* o era el *trasno*, yo no lo sé:
pero lo mismo que habemos de dar cuenta a Dios
nuestro Señor de nuestras acciones, me pasó lo
que les voy a contar. Andaba yo tras una perdiz,
agachadito, agachadito —y el *Ratón* se agachaba,

en efecto, siguiendo su inveterada costumbre de representar cuanto hablaba—, porque no llevaba pero ni *diaño* que lo valiese, y estaba, con perdón de las barbas que me escuchan, para montar a caballo de un vallado, cuando oigo, ¡tras, tris, tras, tras!, ¡tipirí, tipirá!, el andar de una liebre; ¡más lista venía... que las *zantellas*! Pues, señor..., viro la cabeza mismo así..., ¡con perdón de las barbas!, con mi escopeta más agarrada que la Búla..., y de repente, ¡pam!, me pasa una cosa del otro mundo por encima de la cabeza, y me caigo del vallado abajo...

Explosión de preguntas, de risas, de protestas.

—¿Una cosa del otro mundo?

—¿Un ánima del Purgatorio?

—Pero él, ¿era persona o animal, o qué mil rayos era?

—Abrir la puerta, que esta mentira no cabe en la habitación.

—¡Así Dios me salve y me dé la gloria como es verdad! —clamó el *Hocico de Ratón*, poniendo el semblante más compungido del mundo—. ¡Era, con perdón, la descarada liebre, que brincó por *riba* de mí y me tiró patas arriba!

La aclaración produjo verdadero delirio. Don Eugenio, el abad de Naya, literalmente, se descalzaba de risa, apretándose las caderas con ambas manos, quejándose y derramando lágrimas; el marqués de Ulloa lanzaba carcajadas poderosas; hasta Primitivo modulaba una risa opaca y turbia. El bueno del *Ratón* no podía ya entreabrir los labios para hablar sin que la hilaridad se desatase.

En toda reunión de cazadores —gente amiga de bromas pesadas— hay un bufón, un juglar, un gracioso obligado, y este papel correspondía de derecho a la escopeta negra, que se prestaba a desempeñarlo de bonísima gana. Acostumbrado a pasarse los días y las noches al sereno, en espe-

ra de la liebre, del conejo o de la perdiz; hecho
a apretarse la cintura con una cuerda, a la manera de los salvajes, en las muchas ocasiones en que
le faltaba un mendrugo de pan que roer, el mísero *Ratoncillo* era dichoso cuando le tocaba cazar
con gente de pro, de la que se lleva al cazadero
botas henchidas de lo añejo, lacones cocidos y
cigarros; ufanábase cuando le celebraban sus pa-
trañas; las narraba cada día con mayor seriedad,
convicción y tono ingenuo, y a todas las chanzas
respondía invocando a Dios y a los santos de la
corte celestial en apoyo de sus aseveraciones es-
trambóticas.

En pie, con las manos en los bolsillos del pantalón, mapamundi de remiendos, y moviendo con
risible rapidez nariz y boca, que tenía de color
de unto rancio, aguardaba a que le pidiesen algún
nuevo episodio tan verosímil como el de la liebre;
pero ahora el turno le correspondía a don Eugenio.

—¿Saben —decía, medio llorando y salivando
aún de risa— un caso que pasó entre el canónigo
Castrelo y un señor muy chistoso, Ramírez de
Orense?

—¡El canónigo Castrelo! —exclamaron el cura
de Boán y el marqués—. ¡Qué apunte! ¡De órda-
go! Ese las suelta... como la torre de la catedral.

—Pues verán, verán cómo se encontró con la
horma de su zapato donde menos se lo pensaba.
Era una noche, en el Casino, y estaban jugando al
tresillo. Castrelo se puso, como de costumbre, a
espetar cuentos de caza... ¡Mentira todos! Después que se hartó, quiso encajar la más gorda, y
dijo, serio: «Sabrán ustedes que una mañana salí
yo al monte, y entre unas matas oí... así... un ruido sospechoso. Me acerco muy despacito...; el
ruido seguía, dale que tienes. Me acerco más...,
y ya no me cabe duda de que hay allí escondida
una pieza. Armo, apunto, disparo..., ¡pum, pum!

¿Y qué creerán ustedes que maté, señores?» Todo el mundo a nombrar animales diferentes: que lobo, que zorro, que jabalí, y hasta hubo uno que nombró un oso... Castrelo a decir que no con la cabeza..., hasta que, por último, saltó: «Pues ni zorro, ni lobo, ni jabalí... Lo que maté era... ¡un tigre de Bengala!»

—¡Hombre, don Eugenio!... ¡No fastidiar! —gritaron, unánimemente, los cazadores—. ¿Había de atreverse Castrelo...? ¿Cómo no le deshicieron el morro de una bofetada allí mismo?

Don Eugenio, no consiguiendo que le oyesen, hacía con la mano señas de que faltaba lo mejor del cuento.

—¡Paciencia! —exclamó por fin—. Tengan paciencia, que no se acabó. Pues, señor, ya ustedes comprenderán que en el Casino se armó una gresca. Empezaron a insultar a Castrelo y a tratarle de mentiroso en su cara. Sólo el señor de Ramírez estaba muy formal y apaciguaba a los alborotadores. «No hay que asombrarse; yo les contaré a ustedes una cosa que me pasó a mí cazando, que es más rara todavía que la del señor Castrelo.»

El canónigo empieza a escamarse, y la gente a entender.

—Sabrán ustedes que una mañana salí yo al monte, y entre unas matas oí... así... un ruido sospechoso. Me acerco muy despacito... El ruido seguía, dale que tienes. Me acerco más... Ya no me cabe duda de que hay allí escondida una pieza. Armo..., apunto..., disparo... ¡Pum, pum! ¿Y qué creerá usted que maté, señor canónigo?

—¿Cómo demonios lo he de saber? Sería... un león.

—¡Ca!

—Pues sería... un elefante.

—¡Caaa!

—Sería... lo que usted guste, caramba.

—¡Una sota de bastos, señor Castrelo! ¡Era una sota de bastos!

Minutos de no entenderse. El *Ratón* reíase con una especie de hipo agudo; el señorito de Limioso, ronco y gravemente; el cura de Boán, no sabiendo cómo desahogar el regocijo, pateaba en el suelo y abofeteaba la mesa.

—¡Ey! —gritó don Eugenio—. *Bico de Rato,* ¿no te has tropezado tú nunca con ningún tigre? Echa un vasito, y cuéntanos si te encontraste alguno por ahí, hombre.

Atizóse el *Ratón* su medio cuartillo; brilláronle los ojuelos, limpió el labio con la bocamanga de la mugrienta chaqueta y declaró con acento sincero y candoroso:

—Lo que es *trigues*..., por estos montes no debe de *los haber,* que si no, ya los tendría matados; pero les diré lo que me pasó un día de la Virgen de agosto...

—¿A las tres y diez minutos de la tarde? —preguntó don Eugenio.

—No...; habían de ser las once de la mañana, y puede que aún no las fuesen. Pero ¡créanme, como esa luz que nos está alumbrando! Venía yo de tirar a las tórtolas en un sembrado, y me encontré a la chiquilla del tío Pepe, de Naya, que traía la vaca mismo cogida así —y hacía ademán de arrollarse una cuerda a la muñeca—. «Buenos días.» «Santos y buenos.» «¿Me da las *rulas?*» «¿Y qué me das por ellas, rapaza?» «No tengo un *ichavo* triste.» «Pues déjame mamar de la vaquiña, que rabio de sed.» «Mame luego, pero no lo chupe todo.» Me arrodillo así —el *Ratón* medio se hincó de hinojos ante el abad de Naya—, y ordeñando en la palma de la mano, con perdón, zampo la leche. ¡Qué fresca! «Vaya, rapaza... ¡San Antón te guarde la vaca!» Ando, ando, ando, ando, y al cuarto de legua de allí me entra un sueño por todo el cuerpo..., como que me voy quedando

tonto. «¡A *escotar!*» Me meto por el monte arriba
y, cristiano, me tumbo así..., con perdón..., y saco
el sombrero, y lo dejo de esta manera, reparen
bien, sobre la hierba. Sueño fue, que hasta de allí
a hora y media no volví en mi acuerdo. Voy a
apañar mi sombrero para largar... Lo mismo que
todos nos habemos de morir y resucitar en la
gloria del día del Juicio, me veo debajo una serpiente más gorda que mi brazo derecho..., ¡con
perdón!

—Pero ¿no que el izquierdo? —interrumpió don
Eugenio picarescamente.

—¡Muchísimo más gorda! —continuó el *Ratón*,
imperturbable—, y toda rollada, rollada, rollada,
que cabía ahí debajo..., y durmiendo como una
santa de Dios.

—Pero roncar, ¿no roncaba?

—¡La condenada acudía al olor de la leche...,
y valió que le dio idea de esconderse en el cha-
peo..., que las intenciones bien se las conocí...
Eran de metérseme por la boca, ¡con perdón de
las barbas honradas!

Aunque se armó la gran algazara, la moderó
algún tanto el cura de Boán recordando las di-
versas ocasiones en que se oían contar casos análogos: sierpes que se encontraban en los establos
mamando del pezón de las vacas; otras que se
deslizaban en la cuna de los niños para beberles
la leche en el estómago...

Asistía Julián a la velada, entretenido y contento, porque la alegría y el humor de los cazadores le disipaba las ideas congojosas de algunos
días atrás; el miedo a la *Sabia,* a Primitivo, a los
pazos; los lúgubres presentimientos, acrecenta-
dos por la comunicación de los terrores nerviosos
de Nucha. Don Eugenio, viéndole animado, le porfiaba para que fuese a hacerles una visita al cazadero; negábase Julián, pretextando la necesidad
de decir misa, de rezar las horas canónicas; en

realidad era que no quería dejar enteramente sola a la señorita.

Al cabo, tanto insistió don Eugenio, que hubo de prometer, aplazando para el último día.

—No ha de haber nada de eso —exclamó el bullicioso párroco—. Mañana, por la mañanita, nos le llevamos con nosotros... Se vuelve de allá pasado mañana temprano.

Toda resistencia hubiera sido inútil, y más en tal momento, cuando la jarana crecía y el vino menguaba en los jarros. Julián sabía que aquella gente, maleante y retozona, era capaz de llevarle por fuerza si se negaba a ir de grado.

Veintidós

Tuvo, pues, que salir al romper el alba, dando diente con diente, caballero en la mansa pollinita y siendo blanco de las bromas de los cazadores, porque iba vestido de modo asaz impropio para la ocasión, sin zamarra, ni polainas de cuero, ni sombrerazo, ni armas ofensivas o defensivas de ninguna especie.

El día asomaba despejado y magnífico; en las hierbas resplandecían las cristalizaciones de la escarcha; la tierra se estremecía de frío y humeaba levemente a la primera caricia del sol; el paso animado y gimnástico de los cazadores resonaba militarmente sobre el terreno endurecido por la helada.

Desde el cazadero, adonde llegaron a cosa de las nueve, desparramáronse por el monte. Julián, no sabiendo qué hacer de su persona, quedóse pegado a don Eugenio, y le vio realizar dos proezas cinegéticas y meter en el morral dos pollitos de perdiz, tibios aún de la recién arrancada vida. Es le advertir que don Eugenio no gozaba fama de diestro tirador, por lo cual, al reunirse los caza-

dores a mediodía para comer en un repuesto enci-
nar, el párroco de Naya invocó el testimonio de
Julián para que asegurase que se las había visto
tirar al vuelo.

—¿Y qué es tirar al vuelo, don Julián? —le pre-
guntaron todos.

Como el capellán se quedase parado al hacér-
sele tan insidiosa pregunta, ocurrióseles a los cazadores que sería cosa muy divertida darle a
Julián una escopeta y un perro y que intentase
cazar algo. Quieras no quieras, fue preciso con-
formarse. Se le destinó el *Chonito*, perdiguero infalible, recastado, de hocico partido, el más ardiente y seguro de cuantos canes iban allí.

—En cuanto vea que el perro se para —explicá-
bale don Eugenio al novel cazador, que apenas
sabía por dónde coger el arma mortífera—, se
prepara usted, y le anima para que entre..., y al
salir las perdices, las apunta y hace fuego cuando
se tiendan... Si es la cosa más fácil del mundo...

Chonito caminaba con la nariz pegada al suelo;
sus ijares se estremecían de impaciencia; de cuando en cuando se volvía para cerciorarse de que le
acompañaba el cazador. De pronto tomó el trote
hacia un matorral de urces, y, repentinamente, se
quedó parado, en actitud escultural, tenso e inmóvil, como si lo hubiesen fundido de bronce
para colocarlo en un zócalo.

—¡Ahora! —exclamó el de Naya—. ¡Eh, Julián,
mándele que entre!...

—Entra, *Chonito*, entra —murmuró, lánguidamente, el capellán.

El perro, sorprendido por el tono suave de la
orden, vaciló; por fin se lanzó entre los urces, y
al punto mismo se oyó un revoloteo, y el bando
salió en todas direcciones.

—¡Ahora, condenado, ahora! ¡Ese tiro! —gritó
don Eugenio.

Julián apretó el gatillo... Las aves volaron raudamente y se perdieron de vista en un segundo. *Chonito*, confuso, miraba al que había disparado, a la escopeta y al suelo; el hidalgo animal parecía preguntar con los ojos dónde se encontraba la perdiz herida, para portarla..

Media hora después se repitió la escena y el desengaño de *Chonito*. Ni fue el último, porque más adelante, en un sembrado, aún levantó el can un bando tan numeroso, tan próximo, y que salía tan a tiro, que era casi imposible no tumbar dos o tres perdices disparando a bulto. Otra vez hizo fuego Julián. El perdiguero ladraba de entusiasmo y de gozo... Mas ninguna perdiz cayó. Entonces *Chonito*, clavando en el capellán una mirada casi humana, llena de desprecio, volvió grupas y se alejó, corriendo a todo correr, sin dignarse oír las imperativas voces con que lo llamaban...

No hay cómo encarecer lo que se celebró este rasgo de inteligencia a la hora de la cena. Se hizo chacota de Julián, y, en penitencia de su torpeza, se le condenó a asistir inmediatamente, cansado y todo, a la espera de las liebres.

La luna de aquella noche de diciembre semejaba disco de plata bruñida colgado de una cúpula de cristal oscuro; el cielo se ensanchaba y se elevaba por virtud de la serenidad y transparencia casi boreales del ambiente.

Caía helada, y en el aire parecía que se cruzaban millares de finísimas agujas, que apretaban las carnes y reconcentraban el calor vital en el corazón. Pero para la liebre, vestida con su abrigado manto de suave y tupido pelo, era noche de festín, noche de pacer los tiernos retoños de los pinos, la fresca hierba impregnada de rocío, las aromáticas plantas de la selva; y noche también de amor, noche de seguir a la tímida doncella de luengas orejas y breve rabo, sorprenderla, conmoverla y arrastrarla a las sombrías profundidades del pinar...

Tras de los pinos y matorrales se emboscaban en noches así los cazadores. Tendidos boca abajo, cubierto con un papel el cañón de la carabina, a fin de que el olor de la pólvora no llegue a los finos órganos olfativos de la liebre, aplican el oído al suelo, y así se pasan a veces horas enteras. Sobre el piso, endurecido por el hielo, resuena claramente el trotecillo irregular de la caza; entonces el cazador se estremece, se endereza, afianza en tierra la rodilla, apoya la escopeta en el hombro derecho, inclina el rostro y palpa nerviosamente el gatillo antes de apretarlo. A la claridad lunar divisa, por fin, un monstruo de fantástico aspecto, pegando brincos prodigiosos, apareciendo y desapareciendo como una visión: la alternativa de la oscuridad de los árboles y de los rayos espectrales y oblicuos de la luna hace parecer enorme a la indefensa liebre, agiganta sus orejas, presta a sus saltos algo de funambulesco y temeroso, a sus rápidos movimientos una velocidad que deslumbra. Pero el cazador, con el dedo ya en el gatillo, se contiene y no dispara. Sabe que el fantasma que acaba de cruzar al alcance de sus perdigones es la hembra, la Dulcinea perseguida y recuestada por innumerables galanes en la época del celo, a quien el pudor obliga a ocultarse de día en su gazapera, que sale de noche, hambrienta y cansada, a descabezar cogollos de pino, y tras de la cual, desalados y hechos almíbar, corren por lo menos tres o cuatro machos, deseosos de románticas aventuras. Y si se deja pasar delante a la dama, ninguno de los nocturnos rondadores se detendrá en su carrera loca, aunque oiga el tiro que corta la vida de su rival, aunque tropiece en el camino su ensangrentado cadáver, aunque el tufo de la pólvora le diga: «¡Al final de tu idilio está la muerte!»

No, no se pararán. Acaso el instinto de cobar-

día propio de su raza los moverá a agazaparse
breves minutos detrás de un arbusto o de una
peña; pero al primer imperceptible efluvio amo-
roso que les traiga la constante brisa; al primer
hálito de la hembra que se destaque del olor de
la resina exhalado por los pinares, los fogosos per-
seguidores se lanzarán de nuevo con más brío,
ciegos de amor, convulsos de deseo, y el cazador
que los acecha los irá tendiendo uno por uno a
sus pies, sobre la hierba en que soñaron tener el
lecho nupcial.

Veintitrés

En el corazón de la tierna heredera de los Ulloa
tenía el capellán, desde hacía algún tiempo, un
rival completamente feliz y victorioso: Perucho.
Le bastó presentarse para triunfar. Entró un
día en la punta de sus pies y, sin ser sentido, fue
arrimándose a la cuna.
Nucha le ofrecía de cuando en cuando golosi-
nas y calderillas, y el rapaz, como suele suceder
a las fieras domesticadas, contrajo excesiva familiaridad y apego, y costaba trabajo echarle de allí,
encontrándosele por todas partes, donde menos
se pensaba, a manera de gatito pequeño viciado
en el mimo y la compañía.
Muchísimo le llamó la atención la chiquitina al
pronto. Ni los pollos nuevos cuando rompían el
cascarón, ni los cachorros de la *Linda*, ni los recentales de la vaca, consiguieron nunca fijar así
las miradas atónitas de Perucho. No podía él
darse cuenta de cómo ni por dónde había venido
tan gran novedad; sobre este tema se perdía en
reflexiones. Rondaba la cuna incesantemente, poniéndose en riesgo notorio de recibir algún pes-
cozón del ama, y, como no le expulsasen, se estaba buena pieza con el dedito en la boca, absorto

y embelesado, más parecido que nunca a los amorcillos de los jardines que dicen con su actitud: «Silencio.» Jamás se había visto quieto tantas horas seguidas. Así que la niña empezó a tener asomos de conciencia de la vida exterior, dio claras muestras de que si ella le interesaba a Perucho, no le importaba menos Perucho a ella. Ambos personajes reconocieron en seguida su mutua importancia, y a este reconocimiento siguieron evidentes señales de concordia y regocijo. Apenas veía la chiquilla a Perucho, brillaban sus ojuelos, y de su boca entreabierta salía, unido a la cristalina y caliente baba de la dentición, un amorosísimo gorjeo. Tendía ansiosamente las manos, y Perucho, comprendiendo la orden, acercaba la cabeza, cerrando los párpados; entonces la pequeña saciaba su anhelo, tirando a su sabor del pelo ensortijado, metiendo los dedos de punta por boca, orejas y nariz, todo acompañado del mismo gorjeo y entreverado con chillidos de alegría cuando, por ejemplo, acertaba con el agujero de la oreja.

Pasados los dos o tres primeros meses de lactancia, el genio de los niños se agria, y sus llantos y rabietas son frecuentes, porque empiezan los fenómenos precursores de la dentición a molestarlos. Cuando tal sucedía a su niña, Nucha solía emplear con buen resultado el talismán de la presencia de Perucho. Un día que el berrenchín no cesaba, fue preciso acudir a expedientes más heroicos: sentar a Perucho en un silleta baja y ponerle en brazos a la chiquitina. El se estaba quieto, inmóvil, con los ojos muy abiertos y fijos, sin osar respirar, tan hermoso que daban ganas de comérselo. La chiquilla, sin transición, había pasado de la furia a la bonanza, y reía abriendo un palmo de desdentada boca; reía con los labios, con el mirar, con los pies bailarines, que descargaban pataditas menudas en el muslo de Perucho.

No se atrevía el rapaz ni a volver la cabeza, de
puro encantado.

A medida que la chiquilla atendía más, Perucho
se ingeniaba en traerle juguetes inventados por
él, que la divertían infinito. No se sabe lo que
aquel galopín discurría para encontrar a cada
paso cosas nuevas, ya fuesen flores, ya pajaritos
vivos, ya ballestas de caña, y todo género de por-
querías, que era lo que más entusiasmaba a la
pequeña. Presentábase a lo mejor con una rana
atada por una pata, perneando en grotescas con-
torsiones, o ufanadísimo con un ratón acabadito
de nacer, tan chico y asustado, que daba lástima.
Tenía aquel cachidiablo la especialidad de los juguetes animados. En su *pucho*, roto y agujereado,
almacenaba lagartijas, mariposas y mariquitas de
Dios; en sus bolsillos y seno, nidos, frutos y gusanos. La señorita le tiraba bondadosamente de
las orejas.

—Como vuelvas a traer aquí tales ascos..., verás, verás. Te he de colgar de la chimenea como
a los chorizos, para que te ahumes.

Julián transigía con estas intimidades mientras no sorprendió el secreto de otras harto menos inocentes. Desde que madrugando había visto
a Sabel salir del cuarto de don Pedro, dábale un
vuelco la sangre cada vez que tropezaba al chiquillo y notaba el afecto con que le trataba Nucha
a veces.

Cierto día entró el capellán en la habitación de
la señorita y encontró un inesperado espectáculo.
En el centro de la cámara humeaba un colosal
barreñón de loza, lleno de agua caliente, y estre-
chamente abrazados y en cueros, el chiquillo sosteniendo en brazos a la niña, estaban Perucho y
la heredera de Ulloa en el baño. Nucha, en cucli-
llas, vigilaba el grupo.

—No hubo otro medio de reducirla a bañarse
—exclamó al advertir la admiración de Julián—;

y como don Máximo dice que el baño le conviene...

—No me pasmo yo de ella —respondió el capellán—, sino de él, que le teme más al agua que al fuego.

—A trueque de estar con la nena —replicó Nucha—, se deja él bañar aunque sea en pez hirviendo. Ahí los tiene usted en sus glorias. ¿No parecen un par de hermanitos?

Al pronunciar sin intención la frase, Nucha, desde el suelo, alzaba la mirada hacia Julián. La descomposición de la de éste fue tan instantánea, tan reveladora, tan elocuente, tan profunda, que la señora de Moscoso, apoyándose en una mano, se irguió de pronto, quedándose en pie frente a él. En aquel rostro consumido por la larga enfermedad, y bajo cuya piel fina se traslucía la ramificación venosa; en aquellos ojos vagos, de ancha pupila y córnea húmeda, cercados de azulada ojera, vio Julián encenderse y fulgurar tras las negras pestañas una luz horrible, donde ardían la certeza, el asombro y el espanto. Calló. No tuvo ánimos para pronunciar una sola frase, ni disimulo para componer sus facciones alteradas.

La niña, en el tibio bienestar del baño, sonreía, y Perucho, sosteniéndola por los sobacos, hablándole con tierna algarabía de diminutivos cariñosos, la columpiaba en el líquido transparente, le abría los muslos para que recibiese en todas partes la frescura del agua, imitando con religioso esmero lo que había visto practicar a Nucha. Ocurría la escena en un salón de los más chicos de la casa, dividido en dos por descomunal y maltratadísimo biombo del siglo pasado, pintado harto fantásticamente con paisajes inverosímiles: árboles picudos en fila que parecían lechugas; montañas semejantes a quesos de San Simón, nubarrones de hechura de panecillos y casas con techo colorado, dos ventanas y una puerta, siempre de

ente al espectador. Ocultaba el biombo la cama
e Nucha, de copete dorado y columnas salomó-
icas, y la cunita de la niña. Inmóvil por el espa-
o de algunos segundos, la señorita recobró de
mproviso la acción. Se inclinó hacia el barreño
arrancó de golpe a su hija de brazos de Perucho.

La criatura, sorprendida y asustada por el brus-
o movimiento, interrumpida su diversión, rompió
n llanto desconsolado y repentino, y su madre,
n hacerle caso, entró corriendo tras el biom-
o, la echó en la cuna y medio la arropó, volvien-
o a salir inmediatamente. Aún permanecía Pe-
ucho en el agua, asaz asombrado; la señorita le
sió de los hombros, del pelo, de todas partes, y
mpujándole cruelmente, desnudo como estaba,
e persiguió por el salón hasta expulsarle a em-
ellones.

—¡Largo de aquí! —decía, más pálida que nun-
a y con los ojos llameantes—. ¡Que no te vea yo
ntrar!... Como vuelvas, te azoto; ¿entiendes?,
te azoto!

Pasó tras el biombo otra vez, y Julián la siguió
turdido, sin saber lo que le sucedía. Con la ca-
eza baja, los labios temblones, la señora de Mos-
oso arreglaba, sin disimular el desatiento de las
nanos, los pañales de su hija, cuyo llorar tenía
a las inflexiones propias de la pena en las perso-
as mayores.

—Llame usted al ama —ordenó, secamente,
Jucha.

Corrió Julián a obedecer. A la puerta del salón
e cerraba el paso una cosa tendida en el suelo;
lzó el pie; era Perucho, en cueros, acurrucado.
Jo se le oía el llanto; veíase únicamente el brillo
le los gruesos lagrimones y el vaivén del acongo-
ado pecho. Compadecido, el capellán levantó a
a criatura. Sus carnes, mojadas aún, estaban
moratadas y yertas.

—Ven por tu ropa —le dijo—. Llévala a
madre para que te vista. Calla.

Insensible como un espartano al mal físico, P
rucho sólo pensaba en la injusticia cometi
con él.

—No hacía mal... —balbució, ahogándose
No hacía mal... ningu... no...

Volvió Julián con el ama; pero la criatura ta
dó bastante en consolarse al pecho. Ponía la b
quita en el pezón, y de repente torcía la car
hacía pucheros, iniciaba un llanto quejumbros
Nucha, con andar automático, salió del retiro fo
mado por el biombo y se acercó a la ventan
haciendo señas a Julián de que la siguiese.
demudados ambos, se contemplaron algunos m
nutos silenciosamente: ella, preguntando con in
periosa ojeada; él, resuelto ya a engañar, a me
tir. Hay problemas que sólo lo son planteados
sangre fría; en momentos de apuro los resuel
el instinto con seguridad maravillosa. Julián e
taba determinado a faltar a la verdad sin escr
pulos.

Al cabo, Nucha preguntó con sordo acento:

—No crea que es la primera vez que se m
ocurre que ese... chiquillo es... hijo de mi marid
Lo he pensado ya; sólo que fue como un relán
pago, de esas cosas que desecha uno apenas la
concibe. Ahora ya..., ya estamos en otro cas
Sólo con ver su cara de usted...

—¡Jesús! ¡Señorita Marcelina!... ¿Qué tien
que ver mi cara...? No se acalore, le ruego que n
se acalore... ¡Por fuerza esto es cosa del dem
nio! ¡Jesús mil veces!

—No, no me acaloro —exclamó ella, respirand
fuerte y pasándose por la frente la palma exte
dida.

—¡Válgame Dios! Señorita, a usted le va ma
Se le ha vuelto un color... Estoy viendo que le d
el ataque. ¿Quiere la cucharadita?

—No, no y no; esto no es nada: un poco de ahogo en la garganta. Esto lo... noto muchas veces; es como una bola que se me forma allí... Al mismo tiempo parece que me barrenan la sien... Al caso, al caso. Decláreme usted lo que sabe. No calle nada.

—Señorita... —Julián resolvió entonces, en su interior, apelar a eso que llaman subterfugio jesuítico y no es sino natural recurso de cuantos, detestando la mentira, se ven compelidos a temer la verdad—. Señorita... Reniego de mi cara. ¡Lo que se le ha ido a ocurrir! Yo no pensaba en semejante cosa. No, señora, no.

La esposa hincó más sus ojos en los del capellán e hizo dos o tres interrogaciones concretas, terminantes. Aquí del jesuitismo; mejor dicho, de la verdad cogida por donde no pincha ni corta.

—Me puede usted creer..., ya ve que no había de tener gusto en decir una cosa por otra..., no sé de quién es el chiquillo. Nadie lo sabe de cierto. Parece natural que sea del querido de la muchacha.

—¿Usted está seguro de que tiene... querido?

—Como de que ahora es de día.

—¿Y de que el querido es un mozo aldeano?

—Sí, señora; un rapaz, guapo por cierto; el que toca la gaita en las fiestas de Naya y en todas partes. Le he visto venir aquí mil veces, el año pasado, y... andaban juntos. Es más: me consta que trataban de sacar los papeles para casarse. Sí, señora: me consta. Ya ve usted que...

Nucha respiró de nuevo, llevándose la diestra a la garganta, que sin duda le oprimía el consabido ahogo. Sus facciones se serenaron un tanto, sin recobrar su habitual compostura y apacibilidad encantadora; persistía la arruga en el entrecejo, el extravío en el mirar.

—¡Mi niña... —articuló en voz baja—, mi niña abrazada por él! Aunque diga y jure y perjure...

Julián, esto hay que remediarlo. ¿Cómo voy a vivir de esa manera? ¡Ya me debía usted avisar antes! Si el chiquillo y la mujer no salen de aquí, yo me volveré loca. Estoy enferma; estas cosas me hacen daño..., daño.

Sonrió con amargura, y añadió:

—Tengo poca suerte... No he hecho mal a nadie, me he casado a gusto de papá, y... mire usted cómo se arreglan las cosas.

—Señorita...

—No me engañe usted también —recalcó el «también»—. Usted se ha criado en mi casa, Julián. Para mí es usted como de la familia. Aquí no cuento con otro amigo. Aconséjeme.

—Señorita —exclamó el capellán con fuego—, quisiera librarla de todos los disgustos que pueda tener en el mundo, aunque me costase sangre de las venas.

—O esa mujer se casa y se va —pronunció Nucha—, o...

Interrumpió aquí la frase. Hay momentos críticos en que la gente acaricia dos o tres soluciones violentísimas, extremas, y la lengua, más cobarde, no se atreve a formularlas.

—Pero, señorita Marcelina, no se mate así —insistió Julián—. Son figuraciones, señorita; figuraciones.

Ella le tomó las manos entre las suyas, que ardían.

—Dígale usted a mi marido que la eche, Julián. ¡Por amor de Dios y su Madre santísima!

El contacto de aquellas manos febriles, la súplica, turbaron al capellán de un modo inexplicable, y, sin reflexionar, exclamó:

—¡Tantas veces se lo he dicho!

—¡Ve usted! —repuso ella, sacudiendo la cabeza y cruzando las manos.

Enmudecieron. En la campiña se oía el ronco graznido de los cuervos; tras el biombo, la niña lloriqueaba, inconsolable. Nucha se estremeció dos o tres veces. Por último, articuló, dando con los nudillos en los vidrios de la ventana:

—Entonces seré yo...

El capellán murmuró como si rezase:

—Señorita... Por Dios... No se revuelva la cabeza... Déjese de eso...

La señora de Moscoso cerró los ojos y apoyó la faz en los vidrios de la ventana. Procuraba contenerse: la energía y serenidad de su carácter quería salir a flote en tan deshecha tempestad. Pero agitaba sus hombros un temblor, que delataba la tiranía del sistema nervioso sobre su debilitado organismo. El temblor, por fin, fue disminuyendo y cesando... Nucha se volvió, con los ojos secos y los nervios domados ya.

Veinticuatro

Poco después sufrió una metamorfosis el vivir entumecido y soñoliento de los pazos. Entró allí cierta hechicera más poderosa que la señora María la *Sabia*: la política, si tal nombre merece el enredijo de intrigas y miserias que en las aldeas lo recibe. Por todas partes cubre el manto de la política intereses egoístas y bastardos, apostasías y vilezas; pero, al menos, en las capitales populosas, la superficie, el aspecto, y a veces los empeños de la lid, presentan carácter de grandiosidad. Ennoblece la lucha la magnitud del palenque; asciende a ambición la codicia, y el fin material se sacrifica, en ocasiones, al fin ideal de la victoria por la victoria. En el campo, ni aun por hipocresía o histrionismo se aparenta el menor propósito elevado y general. Las ideas no entran en juego, sino solamente las personas y en el terreno más mezquino: rencores, odios, rencillas, lucro miserable, vanidad microbiológica. Un combate naval en una charca.

Forzoso es reconocer, no obstante, que en la época de la revolución, la exaltación política, la fe en las teorías llevada al fanatismo, lograba infiltrarse doquiera, saneando con ráfagas de huracán el mefítico ambiente de las intrigas cotidianas en las aldeas. Vivía entonces España pendiente de una discusión de Cortes, de un grito que se daba aquí o acullá, en los talleres de un arsenal o en los vericuetos de una montaña; y cada quince días o cada mes se agitaban, se debatían, se querían resolver definitivamente cuestiones hondas, problemas que el legislador, el estadista y el sociólogo necesitan madurar lentamente, meditar quizá años enteros antes de descifrarlos, y que una multitud en revolución decide en pocas horas, mediante una acalorada discusión parlamentaria o una manifestación clamorosa y callejera. Entre el almuerzo y la comida se reformaba, se innovaba una sociedad; fumando un cigarro se descubrían nuevos principios, y en el fondo de la vorágine batallaban las dos grandes soluciones de raza, ambas fuertes porque se apoyaban en algo secular, lentamente sazonado al calor de la Historia: la monarquía absoluta y la constitucional, por entonces disfrazada de monarquía democrática.

La conmoción del choque llegaba a todas partes, sin exceptuar las fieras montañas que cercan a los pazos de Ulloa. También allí se politiqueaba. En las tabernas de Cebre, el día de la feria, se oía hablar de libertad de cultos, de derechos individuales, de abolición de quintas, de federación, de plebiscito —pronunciado como Dios quería, por supuesto—. Los curas, al terminar las funciones, entierros y misas solemnes, se demoraban en el atrio, discutiendo con calor algunos síntomas recientes y elocuentísimos, la primera salida

e aquellos famosos cuatro sacristanes y otras
ienudencias. El señorito de Limioso, tradiciona-
ista inveterado, como su padre y abuelo, había
echo dos o tres misteriosas excursiones hacia la
arte del Miño, cruzando la frontera de Portugal,
 susurrábase que celebraba entrevistas en Tuy
on ciertos pájaros; afirmábase también que las
eñoritas de Molende estaban ocupadísimas cons-
-uyendo cartucheras y no sé qué más arreos bé-
:cos, y a cada paso recibían secretos avisos de
ue se iba a practicar un registro en su casa.

Sin embargo, los entendidos y prácticos en la
iateria comprendían que cualquier intentona a
iano armada en territorio gallego se quedaría en
gua de cerrajas, y que por más rumores que co-
riesen acerca de armamentos y organización en
'ortugal, venidas de tropa, nombramiento de ofi-
ialidad, etc., la verdadera batalla que allí se li-
rase no sería en los campos, sino en las urnas;
o por eso más incruenta. Gobernaban a la sazón
l país los dos formidables caciques, abogado el
no y secretario el otro del Ayuntamiento de Ce-
re; esta villita y su región comarcana temblaban
ajo el poder de entrambos. Antagonistas perpe-
uos, sin lucha, como la de los dictadores roma-
os, no debía terminarse sino con la pérdida y
a muerte del uno. Escribir la crónica de sus
azañas, de sus venganzas, de sus trapisondas,
uera cuento de nunca acabar. Para que nadie
iense que sus proezas eran cosa de risa, importa
dvertir que algunas de las cruces que encontra-
a el viajante por los senderos, algún techo car-
onizado, algún hombre sepultado en presidio
ara toda su vida, podían dar razón de tan encar-
izado antagonismo.

Conviene saber que ninguno de los dos adver-
arios tenía ideas políticas, dándoseles un bledo
le cuanto entonces se debatía en España; mas,
or necesidad estratégica, representaba y encar-

naba cada cual una tendencia y un partido: Ba
bacana, moderado antes de la revolución, se d
claraba ahora carlista; Trampeta, unionista ba
O'Donnell, avanzaba hacia el último confín d
liberalismo vencedor.

Barbacana era más grave, más autoritario, m
obstinado e implacable en la venganza persona
más certero en asestar el golpe, más ávido e h
pócrita, encubriendo mejor sus alevosas traza
para desmantecar al desventurado colono; er
además, hombre que prefería servirse de medic
legales y manejar el Código, diciendo que no ha
seguro medio de acabar con un enemigo com
empapelarle; si no guarnecían tantas cruces lo
caminos por culpa de Barbacana, las cárceles h
diondas del distrito antaño, y hogaño las muralla
de Ceuta y Melilla, podían revelar hasta dónde s
extendía su influencia. En cambio, Trampeta,
justificando su apodo no desdeñaba los enredo
jurídicos, solía proceder con más precipitación
violencia que Barbacana, asegurando la retirad
menos hábilmente; así es que su adversario l
tuvo varias veces cogido entre puertas, y por pur
to no le aniquiló. Trampeta poseía, en desquit
gran fertilidad de ingenio, suma audacia, expe
dientes impensados con que salir de los más gr
ves compromisos. Barbacana servía mejor par
preparar desde su habitación una emboscad
hurtando el cuerpo después; Trampeta, para eje
cutarla en persona y con fortuna. La comarc
aborrecía a entrambos; pero Barbacana inspirab
más terror por su genio sombrío. En aquella oca
sión, Trampeta, encargado de representar la
ideas dominantes y oficiales, se creía seguro de l
impunidad, aunque quemase a medio Cebre,
apalease, encausase y embargase al otro medic
Barbacana, con la superioridad de su inteligenci
y aun de su instrucción, comprendía dos cosas
primera, que se había arrimado a pared más só

lida, a gente que no desamparaba a sus amigos;
segunda, que cuando se le antojase pasarse con
armas y bagajes al campo opuesto, conseguiría
siempre hundir a *Trampeta*. Ya había tirado sus
líneas para el caso próximo de la elección de di-
putados.

Trampeta, con actividad vertiginosa, hacía la
cama al candidato del Gobierno. Muy a menudo
iba a la capital de provincia a conferenciar con el
gobernador. En tales ocasiones, el secretario, calculando que hombre prevenido vale por dos, ni
olvidaba las pistolas ni omitía hacerse escoltar
por sus seides más resueltos, pues no ignoraba
que *Barbacana* tenía a sus órdenes mozos de pelo
en pecho; verbigracia: el temible *Tuerto de Castrodorna*. Cada viaje era una viña para el bueno
del secretario, y muy beneficioso para los suyos;
poco a poco, las hechuras de *Barbacana* iban cayendo, y estancos, alguacilatos, guardianía de la
cárcel, peones camineros, toda la plantilla oficial
de Cebre, quedando a gusto de *Trampeta*. Sólo no
pudo meterle el diente al juez, protegido de altas
regiones por un pariente de la señora jueza, persona de viso. Obtuvo también que se hiciese la
vista gorda en muchas cosas, que se cerrasen los
ojos en otras y que respecto a algunos sobrevi-
niese ceguera total; y con esto, y con las facultades natas de que se hallaba investido, declaró,
puesta la mano en el pecho, que respondía de la
elección de Cebre.

Durante este período, *Barbacana* se hacía el
muerto, limitándose a apoyar débilmente, como
por compromiso, al candidato propuesto por la
Junta carlista orensana, y recomendado por el arcipreste de Loiro y los curas más activos, como
el de Boán, el de Naya, el de Ulloa. Bien se dejaba comprender que *Barbacana* no tenía fe en el
éxito. El candidato era una excelente persona de
Orense, instruido, consecuentísimo tradicionalis-

ta, pero sin arraigo en el país y con fama de poca malicia política. Sus mismos correligionarios no estaban a bien con él, por conceptuarle más hombre de bufete que de acción o intriga.

Así las cosas, empezó a notarse que Primitivo, el montero mayor de los pazos, venía a Cebre muy a menudo, y como allí se repara en todo, se observó también que, además de las acostumbradas estaciones en las tabernas, Primitivo se pasaba largas horas en casa de *Barbacana*. Este vivía casi bloqueado en su domicilio, porque *Trampeta*, envalentonado con la embriaguez del poder, profería amenazas, asegurando que *Barbacana* recibiría su pago en una *corredoira* (camino hondo). No obstante, el abogado se arriesgó a salir en compañía de Primitivo, y viéronse ir y venir curas influyentes y caciques subalternos, muchos de los cuales fueron también a los pazos: unos, a comer; otros, por la tarde. Y como no hay secreto bien guardado entre tres, y menos entre tres docenas, el país y el Gobierno supieron pronto la gran noticia: el candidato de la Junta se retiraba de buen grado, y, en su lugar, *Barbacana* apoyaba, con el nombre de independiente, a don Pedro Moscoso, conocido por el marqués de Ulloa.

Desde que se enteró del complot, *Trampeta* pareció atacado del baile de San Vito. Menudeó viajes a la capital; eran de oír sus explicaciones y comentarios en el despacho del gobernador.

—Todo lo arma —decía él— ese cerdo cebado del arcipreste, unido al faccioso del cura de Boán e instigando al usurero del mayordomo de los pazos, el cual, a su vez, mete en danza al malcriado del señorito, que está enredado con su hija. ¡Vaya un candidato —exclamó frenético—, vaya un candidato que los neos escogen! ¡Siquiera el otro era persona honrada!— y alzaba mucho la voz al llegar a esto de la honradez.

Viendo el gobernador que el cacique perdía ab-

solutamente la sangre fría, comprendió que el
negocio andaba malparado, y le preguntó severamente:

—¿No ha respondido usted de la elección con
cualquier candidato que se presentase?

—Sí, señor; sí, señor... —repuso, apresuradamente, *Trampeta*—. Sino que considérese: ¿quién
contaba con semejante cosa del otro mundo?

Atropellándose al hablar, de pura rabia y despecho, insistió en que nadie imaginaría que el
marqués de Ulloa, un señorito que sólo pensaba
en cazar, se echase a político, que, a pesar de la
gran influencia de la casa y de ejercer su nombre
bastante prestigio entre los labriegos, la aristocracia montañesa y los curas, la tentativa impor-
taría un comino si no la hubiese tomado de su
cuenta *Barbacana* y no le ayudase un poderoso
cacique subalterno, que antes fluctuaba entre el
partido de *Barbacana* y el de *Trampeta*; pero en
esta ocasión se había decidido, y era el mismo
mayordomo de los pazos, hombre resuelto y sutil
como un zorro, que disponía de numerosos votos
seguros, pues muchísima gente le debía cuartos;
que tenía esquilmada la casa de Ulloa, a cuyas
expensas se enriquecía con disimulo, y que este
solemne bribón, al arrimo del gran encausador
Barbacana, se alzaría con el distrito si no llevaba
el asunto a raja tabla y sin contemplaciones.

Quien conozca poco o mucho el mecanismo
electoral, no dudará que el gobernador hizo jugar
el telégrafo, para que sin pérdida de tiempo, y
por más influencias que se atravesasen, fuere re-
movido el juez de Cebre y las pocas hechuras de
Barbacana que en el distrito resaltaban ya. Deseaba el gobernador triunfar en Cebre sin apelar a
recursos extraordinarios y arbitrariedades de
monta, pues sabía que si no era probable que jamás se levantasen allí partidas, en cambio la sangre humana manchaba a menudo mesas y urnas

electorales; pero la nueva combinación le obligaba a no reparar en medios y conferir al insigne *Trampeta* poderes ilimitados.

Mientras el secretario se prevenía, el abogado no se dormía en las pajas. La aceptación del señorito, al pronto le había vuelto loco de contento. No tenía don Pedro ideas políticas, aun cuando se inclinaba al absolutismo, creyendo inocentemente que con él vendría el restablecimiento de cosas que lisonjeaban su orgullo de raza, como, por ejemplo, los vínculos y mayorazgos; fuera de esto, compartía el escepticismo indiferente de los labriegos, y era capaz de soñar, como el caballeresco hidalgo de Limioso, en la quijotada de entrar por la frontera del Miño a la cabeza de doscientos hombres. Mas a falta de pasión política, le impulsó a aceptar la diputación su vanidad. El era la primera persona del país, la más importante, la de origen más ilustre: su familia, desde tiempo inmemorial, figuraba al frente de la nobleza comarcana; en esto hizo hincapié el arcipreste de Loiro para convencerle de que le correspondía la representación del distrito. Primitivo no desarrolló mucha elocuencia para apoyar la demostración del arcipreste; limitóse a decir, empleando un expresivo plural y cerrando el puño:

—Tenemos al país así.

Desde que corrió la noticia, comenzó el señorito a sentirse halagado por la especie de pleito homenaje que se presentaron a rendirle infinidad de personas, todo el señorío de los contornos, el clero casi unánime y los muchos adictos y partidarios de *Barbacana*, capitaneados por este mismo. A don Pedro se le ensanchaba el pulmón. Bien entendía que Primitivo estaba entre bastidores; pero, al fin y al cabo, el incensado era él. Mostró aquellos días gran cordialidad y humor excelente y campechano. Hizo caricias a su hija y ordenó se le pusiese un traje nuevo, con bordados, para que la viesen así las señoritas de Molende, que se proponían no contribuir con menos de cien votos al triunfo del representante de la aristocracia montañesa. El también —porque los candidatos noveles tienen su época de cortejos, en que rondan a la diputación como se ronda a las muchachas, y se afeitan con esmero y tratan de lucir sus prendas físicas— cuidó algo más de su persona, lamentablemente desatendida desde el regreso a los pazos; y como estaba entonces en el apogeo de su belleza, más bien masculina que varonil, las muñidoras electorales se ufanaban de enviar tan guapo mozo al Congreso. Por entonces la pasión política sacaba partido de la estructura, del color del pelo, de la edad.

Desde que empezó a hervir la olla, hubo en los pazos mesa franca: corrían Filomena y Sabel por los salones adelante, llevando y trayendo bandejas con tostado, jerez y bizcochos; oíase el retintín de las cucharillas en las tazas de café y el choque de los vasos. Abajo, en la cocina, Primitivo obsequiaba a sus gentes con vino del Borde y tarterones de bacalao, grandes fuentes de berzas y cerdo. A menudo se juntaban ambas mesas, la de abajo y la de arriba, y se discutía, y se reía, y se contaban cuentos subidos de color, y se despellejaba a azadonazos —porque no cabe nombrar el escalpelo— a *Trampeta* y a los de su bando, removiendo, entre risotadas, cigarros e interjecciones, el inmenso detrito de trampas mayores y menores en que descansaba la fortuna del secretario de Cebre.

—De esta vez —decía el cura de Boán, viejo terne y firme, que echaba fuego por los ojos y gozaba fama del mejor cazador del distrito, después de Primitivo—, de esta vez los fastidiamos, ¡*quoniam!*

Nucha no asistía a las sesiones del comité. Se

presentaba únicamente cuando las visitas eran tales que lo requerían; atendía a suministrar las cosas indispensables para el perenne festín, pero huía de él. Tampoco Julián bajaba sino rara vez a las asambleas, y en ellas apenas descosía los labios, mereciendo por esto que el cura de Ulloa se ratificase en su opinión de que los capellanes atildados no sirven para nada de provecho. No obstante, apenas averiguó el comité que Julián tenía bonita letra cursiva y ortografía asaz correcta, se echó mano de él para misivas de compromiso. Además, le cayó otra ocupación.

Sucedió que el arcipreste de Loiro, que había conocido y tratado mucho a la señora doña Micaela, madre de don Pedro, quiso ver otra vez toda la casa y también la capilla, donde algunas veces había dicho misa en vida de la difunta, «que esté en gloria». Don Pedro se la mostró de mala gana, y el arcipreste se escandalizó al entrar. Estaba la capilla casi a tejavana; la lluvia corría por el retablo bajo; las vestiduras de las imágenes parecían harapos; todo respiraba el mayor abandono, el frío y la tristeza especial de las iglesias descuidadas. Julián ya se encontraba cansado de soltar indirectas al marqués sobre el estado lastimoso de la capilla, sin obtener resultado alguno; mas el asombro y las lamentaciones del arcipreste arañaron en la vanidad del señor de Ulloa, y consideró que sería de buen efecto, en momentos tales, lavarle la cara, repararla un poco. Se retejó con bastante celeridad, y con la misma un pintor, pedido a Orense, pintó y doró el retablo y los altares laterales, de suerte que la capilla parecía otra, y don Pedro la enseñaba con orgullo a los curas, a los señoritos, a la caciquería barbacanesca. Sólo faltaba ya trajear decentemente a los santos y recoger ornamentos y mantelillos. De esta faena se encargó Nucha, bajo la dirección de Julián. Con tal motivo, refugiados

en la capilla solitaria, no llegaba hasta ellos el
barullo del club electoral. Entre el capellán y la
señorita desnudaban a San Pedro, peinaban los
rizos de la Purísima, ribeteaban el sayal de San
Antonio, fregoteaban la aureola del Niño Jesús.
Hasta la boeta de las ánimas del Purgatorio fue
cuidadosamente lavada y barnizada de nuevo, y
las ánimas, en pelota, larguiruchas, acongojadas,
rodeadas de llamas de almazarrón, salieron a luz
en toda su edificante fealdad. Era semejante ocupación dulcísima para Julián; corrían las horas
sin sentir en el callado recinto, que olía a pintura fresca y a espadaña, traída por Nucha para
adornar los altares; mientras armaba en un tallo
de alambre una hoja de papel plateado o pasaba
un paño húmedo por el vidrio de una urna, no
necesitaba hablar; satisfacción interior y apacible le llenaba el alma. A veces, Nucha no hacía
más que mandar la maniobra, sentada en una silleta baja, con su niña en brazos —no quería
apartarla de sí un instante—. Julián trabajaba
por dos: tenía una escala y se encaramaba a lo
más alto del retablo. No se atrevía a preguntar
nada acerca de asuntos íntimos, ni a inquirir si
la señorita había tenido con su esposo conversación decisiva respecto a Sabel; pero notaba el
aire abatido, las denegridas ojeras, el frecuente
suspirar de la esposa, y sacaba de estos indicios
la natural consecuencia. Otros síntomas percibió
que le acaloraron la fantasía, dándole no poco en
qué cavilar. Nucha mostraba vehemente exaltación del cariño maternal de algún tiempo a esta
parte. Apenas se separaba de la chiquita cuando,
desasosegada e inquieta, salía a buscarla a ver
qué le sucedía. En una ocasión, no encontrándola
donde pensaba, comenzó a exhalar gritos desga-
rradores, exclamando:

—¡Me la roban..., me la roban!

Por fortuna, el ama se acercaba ya, trayendo a

la pequeña en brazos. A veces la besaba con tal frenesí, que la criatura rompía en llanto. Otras se quedaba embelesada, mirándola con dulce e inefable sonrisa, y entonces Julián recordaba siempre las imágenes de la Virgen Madre, atónita de su milagrosa maternidad. Mas los instantes de amor tranquilo eran breves, y continuos los sobresaltos y dolorosa ternura. No consentía a Perucho acercarse por allí. Su fisonomía se alteraba al divisar al niño; y éste, arrastrándose por el suelo, olvidando sus travesuras diabólicas, sus latrocinios, su afición al establo, se emboscaba a la entrada de la capilla para ver salir a la nena y hacerle mil garatusas, que ella pagaba con risas de querubín, con júbilo desatinado, con impulso de todo su cuerpecillo proyectado hacia adelante, impaciente por lanzarse de brazos del ama a los de Perucho.

Un día notó Julián en Nucha algo más serio aún: no ya expresión de melancolía, sino hondo decaimiento físico y moral. Sus ojos se hallaban encendidos y abultados, como de haber llorado mucho tiempo seguido; su voz era desmayada y fatigosa; sus labios estaban resecos, tostados por la calentura y el insomnio. Allí no se veía ya la espina del dolor, que lentamente va hincándose, pero sí el puñal clavado de golpe hasta el pomo. Semejante espectáculo dio al traste con la prudencia del capellán.

—Usted está mala, señorita. A usted le pasa algo hoy.

Nucha meneó la cabeza, intentando sonreír.

—No tengo nada.

Lo doliente y debilitado del acento la desmentía.

—¡Por Dios, señorita, no me responda que no!... ¡Si lo estoy viendo! Señorita Marcelina... ¡Válgame mi patrono San Julián! ¡Que no he de poder yo servirle de algo, prestarle ayuda o con-

suelo! Soy una persona humilde, inútil; pero con
la intención, señorita, soy grande como una montaña. ¡Quisiera, se lo digo con el corazón, que me
mandase, que me mandase!

Hacía estas protestas esgrimiendo un paño un-
tado de tiza contra las sacras, cuyo cerco de metal limpiaba con denuedo, sin mirarlo.

Alzó Nucha los ojos, y en ellos lució un rayo
instantáneo, un impulso de gritar, de quejarse, de
pedir auxilio... Al punto se apagó la llamarada,
y, encogiéndose de hombros levemente, la señorita repitió:

—No tengo nada, Julián.

En el suelo había una cesta llena de hortensias
y rama verde, destinada al adorno de los floreros;
Nucha empezó a colocarla con la destreza y la
delicadeza graciosa que demostraba en el desempeño de todos su domésticos quehaceres. Julián,
entre embelesado y afligido, seguía con la vista el
arreglo de las azules flores en los tarros de loza,
el movimiento de las manos enflaquecidas al través de las hojas verdes. Notó que caía sobre ellas
una gota de agua, gruesa, límpida, no procedente
de la humedad del rocío que aún bañaba las hortensias. Y casi al tiempo mismo advirtió una cosa
que le cuajó la sangre de horror: en las muñecas
de la señora de Moscoso se percibía una señal
circular, amoratada, oscura... Con lucidez repentina, el capellán retrocedió dos años, escuchó de
nuevo los quejidos de una mujer maltratada a
culatazos; recordó la cocina, el hombre furioso...
Completamente fuera de sí, dejó caer las sacras
y tomó las manos de Nucha para convencerse de
que, en efecto, existía la siniestra señal...

Entraban a la sazón por la puerta de la capilla
muchas personas: las señoritas de Molende, el
juez de Cebre, el cura de Ulloa, conducidos por
don Pedro, que los traía allí con objeto de que
admirasen los trabajos de restauración. Nucha se

volvió precipitadamente; Julián, trastornado, contestó balbuciendo al saludo de las señoritas. Primitivo, que venía a retaguardia, clavaba en él su mirada directa y escrutadora.

Veinticinco

Si unas elecciones durasen mucho acabarían con quien las maneja, a puro cansancio, molimiento y tensión del cuerpo y del espíritu, pues los odios enconados, la perpetua sospecha de traición, las ardientes promesas, las amenazas, las murmuraciones, las correrías y cartas incesantes, los mensajes, las intrigas, la falta de sueño, las comidas sin orden, componen una existencia vertiginosa e inaguantable. Acerca de los inconvenientes prácticos del sistema parlamentario estaban muy de acuerdo la yegua y la borrica, que con el caballo, recio y joven, nuevamente adquirido por el mayordomo para su uso privado, completaban las caballerizas de los pazos de Ulloa. ¡Buenas cosas pensaban ellos de las elecciones allá en su mente asnal y rocinesca, mientras jadeaban exánimes de tanto trotar y husmeaban su pobre cuerpo bañado en sudor!

¡Pues qué diré de la mulita en que *Trampeta* solía hacer sus excursiones a la capital! Ya las costillas le agujereaban la piel, de tan flaca como se había puesto. Día y noche estaba el insigne cacique atravesado en la carretera, y a cada viaje la elección de Cebre se presentaba más dudosa, más peliaguda, y *Trampeta*, desesperado, vociferaba en el despacho del gobernador que importaba desplegar fuerza, destituir, colocar, asustar, prometer y, sobre todo, que el candidato cunero del Gobierno aflojase la bolsa, pues de otro modo el distrito se largaba, se largaba, se largaba de entre las manos.

—¿Pues no decía usted —gritó un día el gobernador con vehementes impulsos de mandar al infierno al gran secretario —que la elección no sería muy costosa; que los adversarios no podían gastar nada; que la Junta carlista de Orense no soltaba un céntimo; que la casa de los pazos no soltaba un céntimo tampoco, porque, a pesar de sus buenas rentas, está siempre a la quinta pregunta?

—Ahí verá usted, señor —contestó *Trampeta*—. Todo eso es mucha verdad; pero hay momentos en que el hombre..., pues..., cambia sus acciones, como usted me enseña —*Trampeta* tenía esta muletilla—. El marqués de Ulloa...

—¡Qué marqués ni qué calabazas! —interrumpió con impaciencia el gobernador.

—Bueno; es una costumbre que hay de llamarle así... Y mire usted que llevo un mes de proclamar en todos lados que no hay semejante marqués, que el Gobierno le ha sacado el título para dárselo a otro más liberal, y que ese título de marqués quien se lo ha ofrecido es Carlos Siete, para cuando venga la Inquisición y el diezmo, como usted me enseña...

—Adelante, adelante —exclamó el gobernador, que aquel día debía de estar nervioso—. Decía usted que el marqués, o lo que sea..., en vista de las circunstancias...

—No reparará en un par de miles de duros más o menos, señor.

—Si no los tenía, ¿los habrá pedido?

—¡Catá! Los ha pedido a su suegro de Santiago; y como el suegro de Santiago no tiene tampoco una peseta disponible, como usted me enseña..., héteme aquí que se los ha dado el suegro de los pazos.

—¿Se le cuentan dos suegros a ese candidato carlista? —preguntó el gobernador, que, a su pesar se divertía con los chismes del secretario.

—No será el primero, como usted me enseña —dijo *Trampeta*, riéndose de la chuscada—. Ya entiende por quién hablo..., ¿eh?

—¡Ah! Sí; la muchacha esa que vivía en la casa antes que Moscoso se casase, y de la cual tiene un hijo... Ya ve usted cómo me acuerdo.

—El hijo..., el hijo será de quien Dios disponga, señor gobernador... Su madre lo sabrá, si es que lo sabe.

—Bien; eso para la elección importa un rábano... Al grano: los recursos de que Moscoso dispone...

—Pues se los ha facilitado el mayordomo, el Primitivo, el suegro de ocultis.... Y usted me preguntará: ¿Cómo un infeliz mayordomo tiene miles de duros? Y yo respondo: Prestando a réditos del ocho por ciento al mes, y más los años de hambre, y metiendo miedo a todo el mundo para que le paguen bien y no le nieguen una miserable deuda de un duro... Y usted dirá: ¿De dónde saca ese Primitivo, o ese ladrón, el dinero para prestar? Y yo replico: Del bolsillo de su mismo amo, robándole en la venta del fruto, dándolo a un precio y abonándoselo a otro, engañándole en la administración y en los arriendos, pegándosela, como usted me enseña, por activa o por pasiva... Y usted dirá...

Este modo de dialogado era un recurso de la oratoria trampetil, del cual echaba mano cuando quería persuadir al auditorio. El gobernador le interrumpió:

—Con permiso de usted, lo diré yo mismo. ¿Qué cuenta le tiene a ese galopín prestarle a su amo los miles de duros que tan trabajosamente le ha cogido?

—¡Me caso!... —votó el secretario—. Los miles de duros, como usted me enseña, no se prestan sin hipoteca, sin garantías de una clase o de otra, y el Primitivo no ha nacido en el año de los tontos. Así queda seguro el capital y el amo sujeto.

—Comprendo, comprendo —articuló con viveza el gobernador, y, queriendo dar una muestra de su penetración, añadió—: Y le conviene sacar diputado al señorito para disponer de más influencia en el país y poder hacer todo cuando le acomode...

Trampeta miró al funcionario con la mezcla de asombro y de gozosa ironía que las personas de educación inferior muestran cuando oyen a las más elevadas decir una simpleza gorda.

—Como usted me enseña, señor gobernador —pronunció—, no hay nada de eso... Don Pedro, diputado de oposición o independiente, o conforme les dé la gana de llamarle, servirá de tanto a los suyos como la carabina de Ambrosio... Primitivo, arrimándose a un servidor de usted o al judío, con perdón de *Barbacana*, conseguiría lo que quisiese, ¿eh?, sin necesidad de sacar diputado al amo... Y Primitivo, hasta que le dio la ventolera, siempre fue de los míos... Zorro como él no le hay en toda provincia... Ese ha de acabar por envolvernos a *Barbacana* y a mí.

—Y entonces, ¿*Barbacana* por qué se ha declarado a favor del señorito?

—Porque *Barbacana* va con los curas a donde le lleven. Ya sabe lo que hace... Usted, un suponer, está ahí hoy y se larga mañana; pero los curas están siempre, y lo mismo el señorito..., los Limiosos, los Méndez...

Y dando suelta al torrente de su rencor, el cacique añadió, apretando los puños:

—¡Me caso con Dios! Mientras no hundamos a *Barbacana*, no se hará nada en Cebre.

—¡Corriente! Pues facilítenos usted la manera de hundirle. Ganas no faltan.

Trampeta se quedó un rato pensativo, y con la cuadrada uña del pulgar, quemada del cigarro, se rascó la perilla.

—Lo que yo cavilo es: ¿qué rayo de cuenta le tendrá al raposo de Primitivo esta diputación del amo?... Ahora se aprovecha de dos cosas: lo que le pilla como hipoteca y lo que le manda corriendo con los gastos electorales, y presentándole luego, como usted me enseña, las cuentas del Gran Capitán... Pero si vencen y me hacen diputado a mi señor don Pedro, y éste vuela para Madrid, y allí pide cuartos por otro lado, que sí pedirá, y abre el ojo para ver las picardías de su mayordomo, y no se vuelve a acordar de la moza ni del chiquillo..., entonces...

Tornó a rascarse la perilla, suspenso y meditabundo, como el que persigue la solución de un problema muy intrincado. Sus agudísimas facultades intelectuales estaban todas en ejercicio. Pero no daba con el cabo de la madeja.

—Al caso —insistió el gobernador—. De lo que se trata es de que no nos derroten vergonzosamente. El candidato es primo del ministro; hemos respondido de la elección.

—Contra el candidato de la Junta de Orense.

—¿Piensa usted que allá admiten esas discusiones? Estamos a triunfar contra cualquiera. No andemos con circunloquios: ¿cree usted que vamos a salir con el rabo entre las piernas, sí o no?

Trampeta permanecía indeciso. Al cabo levantó la faz con el orgullo de un gran estratégico, seguro siempre de inventar algún ardid para burlar al enemigo.

—Mire usted —dijo—: hasta la fecha *Barbacana* no ha podido acabar con este cura, aunque me ha jugado dos o tres buenas... Pero a jugarlas no me gana él ni ninguno... Sólo que a mí no se me ocurren las mejores tretas hasta que tocan a romper el fuego... Entonces, ni el diablo discurre lo que discurro. Tengo aquí —y se dio una puñada en la negruzca frente —una cosa que rebulle, pero que aún no sale por más que hago...

Saldrá, como usted me enseña, cuando llegue el mismísimo punto refinado de la ocasión.

Y blandiendo el brazo derecho repetidas veces de arriba abajo, como un sable, añadió en voz hueca:

—Fuera miedo. ¡Se gana!

Mientras el secretario cabildeaba con la primera autoridad civil de la provincia, *Barbacana* daba audiencia al arcipreste de Loiro, que había querido ir en persona a tomar noticias de cómo andaban los negocios en Cebre, y se arrellanaba en el despacho del abogado, sorbiendo por fusique de plata polvos de un rapé Macuba, que acaso nadie gastaba ya sino él en toda Galicia, y que le traían de contrabando, con gran misterio y cobrándole un dineral.

El arcipreste, a quien en Santiago conocían por el apodo de *Sobres de Envelopes*, a causa de una candorosa pregunta en mal hora formulada en una tienda, había sido en otro tiempo, cuando se le conocía por el abad de Anles, el mejor instrumento electoral conocido. Dijéronle una vez que iba perdida la elección que él manejaba; gritó furioso: «¿Perder el cura de Anles una elección?», y, al gritar, dio el más soberano puntapié a la urna, que era un puchero, haciéndola volar en miles de pedazos, desparramando las cédulas y logrando con tan sencillo expediente que su candidato triunfase. La hazaña le valió la gran cruz de Isabel la Católica. En el día, obesidad, años y sordera le impedían tomar parte activa; pero quedábanle la afición y el compás, no habiendo para él cosa tan gustosa como un electoral cotarro.

Siempre que el arcipreste venía a Cebre pasaba un ratito en el estanco y cartería, donde se charlaba de política por los codos, se leían papeles de Madrid y se enmendaba la plana a todos los gobernantes y estadistas habidos y por haber, oyéndose a menudo frases del corte siguiente: «Yo, presidente del Consejo de ministros, arreglo eso de una plumada.» «Yo que Prim, no me arredro por tan poco.» Y aún solía levantarse la voz de algún tonsurado, exclamando: «Pónganme a mí donde está el Papa y verán cómo lo resuelvo mucho mejor en un periquete.»

Al salir de la casa de *Barbacana* encontró el arcipreste en la cartería al juez y escribano, y a la puerta a don Eugenio, desatando su yegua de una argolla y dispuesto a montar.

—Aguárdate un poco, Naya —le dijo familiarmente, dándole, según costumbre en los curas, el nombre de su parroquia—. Voy a ver los partes de los periódicos, y después nos largamos juntos.

—Yo tomo hacia los pazos.

—Yo también. Di allá en la posada que me traigan aquí la mula.

Cumplió don Eugenio el encargo diligentemente, y a poco ambos eclesiásticos, envueltos en cumplidos montecristos, y atados los sombreros por debajo de la barba con un pañuelo para que no se los llevase el viento fuerte que corría, bajaban el repecho de la carretera al sosegado paso de sus monturas. Naturalmente, hablaban de la batalla próxima, del candidato y de otras particularidades referentes a la elección. El arcipreste lo veía todo de color de rosa, y estaba tan cierto de vencer, que ya pensaba en llevar la música de Cebre a los pazos para dar la serenata al diputado electo. Don Eugenio, aunque animado, no se las prometía tan felices. El Gobierno dispone de mucha fuerza, ¡qué diantre!, y cuando ve la cosa malparada recurre a la coacción, haciendo las elecciones por medio de Guardia Civil. Todo eso de Cortes era, según dicho del abad de Boán, una solemnísima farsa.

—Pues por esta vez —contestaba el arcipreste, manoteando y bufando para desenredarse de la

esclavina del montecristo, que el viento le envolvía alrededor de la cara—, por esta vez, les hemos
de hacer tragar saliva. Al menos, el distrito de
Cebre enviará al Congreso una persona decente,
hijo del país, jefe de una casa respetable y antigua, que nos conoce mejor que esos pillastres
venidos de fuera.

—Eso es muy cierto —respondió don Eugenio,
que rara vez contradecía de frente a sus interlocutores—; a mí me gusta, como al que más, que
la casa de los pazos de Ulloa represente a Cebre;
y si no fuese por cosas que todos sabemos...

El arcipreste, muy grave, sorbió el fusique o
cañuto. Amaba entrañablemente a don Pedro, a
quien, como suele decirse, había visto nacer, y
además profesaba el principio de respetar la alcurnia.

—Bien, hombre, bien —gruñó—; dejémonos
de murmuraciones... Cada uno tiene sus defectos
y sus pecados, y a Dios dará cuenta de ellos. No
hay que meterse en vidas ajenas.

Don Eugenio, como si no entendiese, insistió,
repitiendo cuanto acababa de oír en la cartería
de Cebre, donde se bordaban con escandalosos
comentarios las noticias dadas por *Trampeta* al
gobernador de la provincia. Todo lo refería gritando bastante, a fin de que el punto de sordera
del arcipreste, agravado por el viento, no le impidiese percibir lo más sustancial del discurso.
El travieso y maleante clérigo gozaba lo indecible
viendo al arcipreste sofocado, abotargado, con la
mano en la oreja a guisa de embudo, o introduciendo rabiosamente el fusique en las narices.
Cebre, según don Eugenio, hervía de indignación
contra don Pedro Moscoso; los aldeanos le querían bien; pero en la villa, dominada por gentes
que protegía *Trampeta*, se contaban horrores de
los pazos. De algunos días acá, justamente desde
la candidatura del marqués, se había despertado

en la población de Cebre un santo odio al pecado,
una reprobación del concubinato y la bastardía,
un sentimiento tan exquisito de rectitud y mora-
lidad, que asombraba; siendo de advertir que este
acceso de virtud se notaba únicamente en los satélites del secretario, gente en su mayoría de la
cáscara amarga, nada edificante en su conducta.
Al enterarse de tales cosas, el arcipreste se amo-
rataba de furor.

—¡Fariseos, escribas! —refutaba—. ¡Y luego
nos llamarán a nosotros hipócritas! ¡Miren ustedes qué recato, qué decoro y qué vergüenza les
ha entrado a los incircuncisos de Cebre! —en
boca del arcipreste, «incircunciso» era tremenda
injuria—, como si el que más y el que menos de
ese hatajo de tunantes no tuviesen hechos méritos para ir a presidio..., ¡y al palo, sí señor; al
palo!

Don Eugenio no podía contener la risa.

—Hace siete años, la friolera de siete años
—tartamudeó el arcipreste, calmándose un poco,
pero respirando trabajosamente a causa del mucho viento—; siete añitos que en los pazos sucede... eso que tanto les asusta ahora..., y maldito
si se han acordado de decir esta boca es mía.
Pero con las elecciones... ¡Qué condenado de
aire! Vamos a volar, muchacho.

—Pues aún murmuran cosas peores —gritó el
de Naya.

—¿Eh? Si no se oye nada con este vendaval.

—Que aún dicen cosas más serias —voceó don
Eugenio, pegando su inquieta yegüecilla a la re-
verenda mula del arcipreste.

—Dirán que nos van a fusilar a todos... Lo que
es a mí, ya me amenazó el secretario con formar-
me siete causas y meterme en chirona.

—¿Qué causas ni qué...? Baje usted la cabeza... Así... Aunque estamos solos, no quiero gritar mucho...

Agarrado don Eugenio al montecristo de su compañero, le explicó desde cerca algo que las alas del nordeste se llevaron aprisa, con estridente y burlón silbido.

—¡Caramelos! —rugió el arcipreste, sin que se le ocurriese una sola palabra más.

Tardó aún cosa de dos minutos en recobrar la expedición de la lengua y en poder escupir al ventarrón, cada vez más desencadenado y furioso, una retahíla de injurias contra los infames calumniadores del partido de *Trampeta*. El granuja de don Eugenio le dejó desahogar, y luego añadió:

—Aún hay más, más.

—¿Y qué más puede haber? ¿Dicen también que el señorito don Pedro sale a robar a los caminos? ¡Canalla de incircuncisos esos, sin más Dios ni más ley que su panza!

—Aseguran que la noticia viene por persona de la misma casa.

—¿Eeeh? Cargue el diablo con el viento...

—Que la noticia viene por persona de la misma casa de los pazos... ¿Ya me entiende usted? —y don Eugenio guiñó el ojo.

—Ya entiendo, ya... ¡Corazones de perro, lenguas de escorpión! ¡Una señorita que es la honradez en persona, de una familia tan buena, no despreciando a nadie..., y calumniarla, y para más con un ordenado de misa! ¡Liberaluchos indecentes, de estos de por aquí, que se venden tres al cuarto! Pero ¡cómo está el mundo, Naya, cómo está el mundo!

—Pues también añaden...

—¡Caramelos! ¿Acabarás hoy? ¡Qué tormenta se prepara, María Santísima! ¡Qué viento..., qué viento!

—Atiéndame, que esto no lo dicen ellos, sino *Barbacana*. Que esa persona de la casa..., Primitivo, vamos..., nos va a hacer una perrería gorda en la elección.

—¿Eeeh? ¿Tú, *seque* chocheas? Para, mula, a ver si oigo mejor. ¿Que Primitivo...?

—No es seguro, no es seguro, no es seguro —vociferó el abad de Naya, que se divertía más que en un sainete.

—¡Por vida de lo que malgasto, que esto ya pasa de raya! Hazme el favor de no volverme loco, ¿eh?, que para eso tengo bastante con el viento maldito. ¡No quiero oír, no quiero oír más! —declaró esto en ocasión en que su montecristo se alzaba rápidamente a impulsos de una ráfaga mayor y se volvía todo hacia arriba, dejando al arcipreste como suelen pintar a Venus en la concha. Así que logró remediar el percance, hizo trotar a su mula, y no se oyó en el camino más voz que la del nordeste, que allá a lo lejos, sacudiendo castañares y robledales, entonaba majestuosa sinfonía.

Veintiséis

Amortiguada la primera impresión, no se atrevía Julián a interrogar a Nucha sobre lo que había visto. Hasta recelaba ir al cuarto de la señorita. Algún fundamento tenía este recelo. Aunque de suyo confiado, creía notar el capellán que le espiaban. ¿Quién? Todo el mundo: Primitivo, Sabel, la vieja bruja, los criados. Como sentimos de noche, sin verla, la niebla húmeda que nos penetra y envuelve, así sentía Julián la desconfianza, la malevolencia, la sospecha, la odiosidad, que iban espesándose en torno suyo. Era cosa indefinible, pero patente. En dos o tres funciones a que asistió, figurósele que los curas le hablaban con acento hostil, que el arcipreste le examinaba frunciendo el entrecejo, y que únicamente don Eugenio le manifestaba la acostumbrada cordialidad. Pero acaso fuesen éstas vanas cavilaciones,

y quizá también el imaginarse que, a la mesa,
don Pedro seguía continuamente la dirección de
sus ojos y acechaba sus movimientos. Esto le
fatigaba, tanto más cuanto que un irresistible
anhelo le obligaba a mirar a Nucha a menudo,
reparando a hurtadillas si estaba más delgada, si
comía con buen apetito, si notaba algo nuevo en
sus muñecas. La señal, oscura el primer día, fue
verdeando y desapareciendo.

La necesidad de ver a la niña acabó por poder
más que las cavilaciones de Julián.

Arreglada ya la capilla, sólo podía verla en la
habitación de su madre, y allí fue, no bastándole
el beso robado en el pasillo, cuando el ama lo
cruzaba con la nena en brazos. Iba la criatura
saliendo de esa edad en que los niños parecen un
lío de trapos, y sin perder la gracia y atractivo
del ser indefenso y débil, tenía el encanto de la
personalidad, de la soltura, cada vez mayor, de
sus movimientos y conciencia de sus actos. Ya
adoptaba posturas de ángel de Murillo; ya cogía
un objeto y acertaba a llevarlo a la cálida boca,
en la impaciencia de la dentición retrasada; ya
ejecutaba con indecible monería ese movimiento,
cautivador entre todos los niños pequeños, de
tender no sólo los brazos, sino el cuerpo entero,
con abandono absoluto, hacia la persona que les
es simpática; actitud que las nodrizas llaman
«irse con la gente». Hacía tiempo que la pequeña
redoblaba la risa, y su carcajada, melodiosa, repentina y breve, era sólo comparable al gorjeo
de pájaro. Ningún sonido articulado salía aún de
su boca; pero sabía expresar divinamente, con
las onomatopeyas, que según ciertos filólogos fueron base del lenguaje primitivo, todos sus afectos
y antojos; en su cráneo, que empezaba a solidifi-
carse, por más que en el centro latiese aún la
abierta mollera, se espesaba el pelo, de día en
día más oscuro, suave aún como piel de topo:

sus piececitos se desencorvaban, y los dedos, antes retorcidos, el pulgar vuelto hacia arriba, los
otros botoncillos de rosa hacia abajo, se habitua-
ban a la estación horizontal que exige el andar
humano. Cada uno de estos grandes progresos
en el camino de la vida era sospecha y placer inefable para Julián, confirmando su dedicación pa-
ternal al ser que le dispensaba el favor insigne
de tirarle de la cadena del reloj, manosearle los
botones del chaleco, ponerle como nuevo de baba
y leche. ¡Qué no haría él por scrvir de algo a la
nenita idolatrada! A veces, el cariño le inspiraba
ideas feroces, como agarrar un palo y moler las
costillas a Primitivo; coger un látigo y dar el
mismo trato a Sabel. Pero, ¡ay!, nadie puede
usurpar el puesto del amo de la casa, del jefe de
la familia; y el jefe... Al capellán le pesaba en
el alma la fundación de aquel hogar cristiano.
Recta había sido la intención y amargo el fruto.
¡Sangre del corazón daría él por ver a Nucha en
un convento!

   ¿Qué arbitrio adoptar ya? Julián presentía los
inmensos inconvenientes de su intervención directa. Seguro de la teoría, firme en el terreno del
derecho, capaz de resistir pasivamente hasta morir, faltábale la vigorosa palanca de los actos
humanos: la iniciativa. En aquella casa es indu-
dable que andaban muchas cosas desquiciadas,
otras torcidas y fuera de camino; el capellán asistía al drama, temía un desenlace trágico, sobre
todo desde la famosa señal en las muñecas, que
no le salía de la acalorada imaginación; mostrá-
base taciturno; su color sonrosado se trocaba en
amarillez de cera; rezaba más aún que de costumbre; ayunaba; decía misa con el alma elevada, como la diría en tiempos de martirio; deseaba ofrecer la existencia por el bienestar de la
señorita; pero, a no ser en uno de esos momentos de arrechucho puramente nervioso, no podía,

no acertaba a dar un paso, a adoptar una medida —aunque ésta fuese tan fácil y hacedera como escribir cuatro renglones a don Manuel Pardo de la Lage, informándole de lo que ocurría a su hija—. Siempre encontraba pretextos para aplazar toda acción, tan socorridos como éste, verbigracia: «Dejemos que pasen las elecciones.»

Las elecciones le infundían esperanzas de que si el señorito, elegido diputado, salía de la huronera, de entre la gente inicua que le prendía en sus redes, era posible que Dios le tocase en el corazón y mudase de conducta.

Una cosa preocupaba mucho al buen capellán: ¿el señorito se iría solo a Madrid, o llevaría a su mujer y la pequeña? Julián ponía a Dios por testigo de que deseaba esto último, si bien, al pensar que podía suceder, le entraba una hipocondría mortal. La idea de no ver más a «nené» durante meses o años, de no tenerla en las rodillas montada a caballito, de quedarse allí, frente a frente con Sabel, como en oscuro pozo habitado por una sabandija, le era intolerable. Duro le parecía que se marchase la señorita, pero lo de la niña..., lo de la niña...

«Si me dejasen —pensaba—, la cuidaría yo perfectamente.»

Acercábase la batalla decisiva. Los pazos eran un jubileo, un ir y venir de adictos y correveidiles, un entrar y salir de mensajes, de órdenes y contraórdenes, que le daban semejanza con un cuartel general. Siempre había en las cuadras caballos o mulas forasteros, masticando abundante pienso, y en los anchos salones se oía crujir incesante de botas altas, pisadas de fuertes zapatos, cuando no pateo de zuecos. Julián se tropezaba con curas sofocados, respirando bélico ardor, que le hablaban de los trabajos, pasmándose de ver que no tomaba parte en nada... ¡En tan solemne y crítica ocasión, el capellán de los pazos no tenía derecho a dormir ni a comer!

Seguía reparando que algunos abades se mostraban con él así como airados o resentidos, en especial el arcipreste, el más encariñado con la casa de Ulloa; pues mientras el cura de Boán, y aun el de Naya, atendían sobre todo al triunfo político, el arcipreste miraba principalmente al esplendor del hidalgo solar, al buen nombre de los Moscosos.

Todo anunciaba que el señor de los pazos se llevaría el gato al agua, a pesar del enorme aparato de fuerza desplegado por el Gobierno. Se contaban los votos, se hacía un censo, se sabía que la superioridad numérica era tal, que las mayores diabluras de *Trampeta* no la echarían abajo. No disponía el Gobierno en el distrito sino de lo que, pomposamente hablando, puede llamarse el elemento oficial. Si es verdad que éste influye mucho en Galicia, merced al carácter sumiso de los labriegos, allí, en Cebre, no podía contrapesar la acción de curas y señoritos reunidos en torno del formidable cacique *Barbacana*. El arcipreste resoplaba de gozo. ¡Cosa rara! *Barbacana* mismo era el único que no se las contaba felices. Preocupado y de peor humor a cada instante, torcía el gesto cuando algún cura entraba en su despacho, frotándose las manos de gusto, a notificarle adhesiones, caza de votos.

¡Qué elecciones aquellas, Dios eterno! ¡Qué lid reñidísima, qué disputar el terreno pulgada a pulgada, empleando todo género de zancadillas y ardides! *Trampeta* parecía haberse convertido en media docena de hombres para trampetear a la vez en media docena de sitios. Trueques de papeletas, retrasos y adelantos de hora, falsificaciones, amenazas, palos, no fueron arbitrios peculiares de esta elección, por haberse ensayado en otras muchas; pero uniéronse a las estratagenas usuales algunos rasgos de ingenio sutil, enteramente inéditos. En un colegio, las capas de los electores del marqués se rociaron de aguarrás y se les prendió fuego disimuladamente por medio de un fósforo, con que los infelices salieron dando alaridos y no aparecieron más. En otro se colocó la mesa electoral en un descanso de la escalera; los votantes no podían subir sino de uno en uno, y doce paniaguados de *Trampeta*, haciendo fila, tuvieron interceptado el sitio durante toda la mañana, moliendo muy a su sabor a puñadas y coces a quien intentaba el asalto. Picardía discreta y mañosa fue la practicada en Cebre mismo.

Acudían allí los curas, acompañando y animando al rebaño de electores, a fin de que no se dejasen dominar por el pánico en el momento de depositar el voto. Para evitar que se la jugasen, don Eugenio, valiéndose del derecho de intervención, sentó en la mesa a un labriego de los más adictos suyos, con orden terminante de no separar la vista un minuto de la urna. «¿Tú entendiste, Roque? No me apartes los ojos de ella, así se hunda el mundo.» Instalóse el payo, apoyando los codos en la mesa y las manos en los carrillos, contemplando de hito en hito la misteriosa olla, tan fijamente como si intentase alguna experiencia de hipnotismo. Apenas alentaba, ni se movía más que si fuese hecho de piedra. *Trampeta* en persona, que daba sus vueltas por allí, llegó a impacientarse viendo al inmóvil testigo, pues ya otra olla rellena de papeletas, cubiertas a gusto del alcalde y del secretario de la Mesa, se escondía debajo de ésta, guardando ocasión propicia de sustituir a la verdadera urna. Destacó, pues, un seide encargado de seducir al vigilante, convidándole a comer, a echar un trago, recurriendo a todo género de insinuaciones halagüeñas. Tiempo perdido; el centinela ni siquiera miraba de reojo para ver a su interlocutor; su cabeza, redonda, peluda; sus salientes mandíbulas; sus ojos, que no pestañeaban, parecían imagen de la misma obstinación. «Y era preciso sacarle de allí, porque se acercaba la hora sacramental, las cuatro, y había que ejecutar el escamoteo de la olla.» *Trampeta* se agitó, hizo a sus *a láteres* preguntas referentes a la biografía del vigilante, y averiguó que tenía un pleito de tercería en la Audiencia, por lo cual le habían embargado los bueyes y los frutos. Acercóse a la mesa disimuladamente, púsole una mano en el hombro, y gritó: «¡Fulano..., ganaste el plcito!» Saltó el labriego, electrizado: «¡Qué me dices, hombre!» «Se falló en la Audiencia ayer.» «Tú loqueas.» «Lo que oyes.» En este intervalo el secretario de la Mesa verificaba el trueque de pucheros, ni visto ni oído. El alcalde se levantó con solemnidad: «¡Señores..., se va a proceder al *discutinio!*» Entra la gente en tropel; comienza la lectura de papeletas; míranse los curas atónitos al ver que el nombre de su candidato no aparece. «¿Tú te moviste de ahí?», pregunta el abad de Naya al centinela. «No, señor», responde éste, con tal acento de sinceridad, que ninguna sospecha cabe. «Aquí alguien nos vende», articula el abad de Ulloa en voz bronca, mirando desconfiadamente a don Eugenio. *Trampeta*, con las manos en los bolsillos, ríe a socapa.

Tales amaños mermaron de un modo notable la votación del marqués de Ulloa, dejando circunscrita la lucha, en el último momento, a disputarse un corto número de votos, del cual dependía la victoria. Llegado el instante crítico, cuando los ulloístas se juzgaban ya dueños del campo, inclinaron la balanza del lado del Gobierno defecciones completamente impensadas, por no decir abominables traiciones, de personas con quienes se contaba en absoluto, habiendo respondido de ellas la misma casa de los pazos por boca de su mayordomo. Golpe tan repentino y alevoso no pudo prevenirse ni evitarse. Primitivo, desmintiendo su acostumbrada impasibilidad, manifestó una cólera furiosa, desatándose en amenazas absurdas contra los tránsfugas.

Quien se mostró estoico fue *Barbacana*. La tarde que se supo la pérdida definitiva de la elección, el abogado estaba en su despacho, rodeado de tres o cuatro personas. Ahogándose como ballena encallada en una playa y a quien el mar dejó en seco, entró el arcipreste, morado de despecho y furor. Desplomóse en un sillón de cuero; echó ambas manos a la garganta; arrancó el alzacuello, los botones de camisa y almilla, y trémulo, con los espejucos torcidos y el fusique oprimido en el crispado puño izquierdo, se enjugó el sudor con un pañuelo de hierbas. La serenidad del cacique le sacó de tino.

—¡Me pasmo, caramelos! ¡Me pasmo de verle con esa flema! ¿O no sabe lo que pasa?

—Yo no me apuro por cosas que están previstas. En materia de elecciones, no se me coge a mí de susto.

—¿Usted se esperaba lo que ocurre?

—Como si lo viera. Aquí está el abad de Naya, que puede responder de que se lo profeticé. No atestiguo con muertos.

—Verdad es —corroboró don Eugenio, harto compungido.

—Y entonces, santo Dios, ¿a qué tenernos embromados?

—No le íbamos a dejar el distrito por suyo, sin disputárselo siquiera. ¿Les gustaría a ustedes? Legalmente, el triunfo es nuestro.

—Legalmente... ¡Toma, caramelos! ¡Legalmente, sí; pero vénganos con legalidades! ¡Y esos Judas condenados, que nos faltaron cuando precisamente pendía de ellos la cosa! ¡El herrero de Gondás, los Ponlles, el albéitar!...

—Esos no son Judas, no sea inocente, señor arcipreste; ésa es gente mandada, que acata una consigna. El Judas es otro.

—¿Eeeh? Ya entiendo, ya... ¡Hombre, si es cierta esa maldad, que no puedo convencerme, que se me atraganta, aún sería poco para el traidor el castigo de Judas! Pero usted, santo, ¿por qué no le atajó? ¿Por qué no avisó? ¿Por qué no le arrancó la careta a ese pillo? Si el señor marqués de Ulloa supiese que tenía en casa al traidor, con atarle al pie de la cama y cruzarle a latigazos... ¡Su propio mayordomo! No sé cómo pudo usted estarse así, con esa flema.

—Se dice luego; pero mire usted: cuando la elección estriba en una persona y no cabe cerciorarse de si está de buena o mala fe, de poco sirve revelar sospechas... Hay que aguardar el golpe atado de pies y manos...; son cosas que se ven a la prueba, y si salen mal, se debe callar y... guardarlas...

Al pronunciar la palabra «guardarlas», el cacique se daba una puñada en el pecho, cuya concavidad retumbó sordamente, lo mismo que debía de retumbar la de San Jerónimo cuando el santo la hería con el famoso pedrusco.

Y algo se asemejaba *Barbacana* al tipo de los San Jerónimos de escuela española, amojamados y huesudos, caracterizados por la luenga y enmarañada barba y el sombrío fuego de las pupilas negras.

—De aquí no salen —añadió con torvo acento—, y aquí no pierde el tiempo, que todavía nadie se la hizo a *Barbacana* sin que algún día se la pagasen. Y respecto del Judas, ¿cómo quería usted que lo pudiésemos desenmascarar, si ahora, lo mismo que en tiempo de la Pasión de nuestro Señor Jesucristo, tenía la bolsa en la mano? A ver, señor arcipreste: ¿quién nos ha facilitado las municiones para esta batalla?

—¿Que quién las ha facilitado? En realidad de verdad, la casa de Ulloa.

—¿Las tenía disponibles? ¿Sí o no? Ahí está el toque. Como esas casas no son más que vanidad y vanidad, por no confesar que le faltaban los cuartos y no pedirlos a una persona de conocida honradez..., pongo por ejemplo, un servidor..., va y los recibe de un pillastre, de una sanguijuela, que le está chupando cuanto posee.

—Buenas cosas van a decir de nosotros los badulaques de la Junta de Orense. Que somos unos estafermos y que no servimos para nada. ¡Perder una elección! Es la primera vez de mi vida.

—No. Que escogimos un candidato muy simple. Hablando en plata, eso es lo que dirá la Junta de Orense.

—Poco a poco —exclamó el arcipreste, dispuesto a romper lanzas por su caro señorito—. No estamos conformes...

Aquí llegaban de su plática, y el auditorio, que se componía, además del abad de Naya, del de Boán y del señorito de Limioso, guardaba el silencio de la humillación y la derrota. De repente, un espantoso estruendo, formado por los más discordantes y fieros ruidos que pueden desgarrar el tímpano humano, asordó la estancia. Sartenes rascadas con tenedores y cucharas de hierro; tiestos de cocina tocados como címbalos; cacerolas, dentro de las cuales se agitaba en vertiginoso remolino un molinillo de batir chocolate; peroles de cobre, en que tañían broncas campanadas; fuertes manos de almirez; latas atadas a un cordel y arrastradas por el suelo; trébedes repicadas con varillas de hierro, y, por cima de todo, la lúgubre y ronca voz del cuerno, y la horrenda vociferación de muchas gargantas humanas, con esa cavernosidad que comunica a la laringe el exceso de vino en el estómago. Realmente, acababan los bienaventurados músicos de agotar

una redonda corambre que en la Casa Consisto-
rial les había brindado la munificencia del secretario. Por entonces aún ignoraban los electores
campesinos ciertos refinamientos, y no sabían pedir del «vino que hierve y hace espuma», como
algunos años después, contentándose con buen
tinto empecinado del Borde. Al través de las vidrieras de *Barbacana* penetraba, junto con el sonido de los hórridos instrumentos y descompa-
sada gritería, vaho vinoso, el olor tabernario de
aquella patulea, ebria de algo más que del triunfo. El arcipreste se enderezaba los espejuelos;
su rostro congestionado revelaba inquietud. El
cura de Boán fruncía el cano entrecejo. El señorito de Limioso, resuelto y tranquilo, se aproximó
a la ventana, alzó un visillo y miró.

La cencerrada proseguía, implacable, frenética,
azotando y arañando el aire como una multitud
de gatos en celo el tejado donde pelean; súbitamente, de entre el alboroto grotesco se desató un
clamor que en España siempre tiene mucho de
trágico: un «muera».

—¡Muera el *Terso*!

Un enjambre de «mueras» y «vivas» salió tras
el primero.

—¡Mueran los curas!

—¡Muera la tiranía!

—¡Viva Cebre y nuestro diputado!

—¡Viva la soberanía nacional!

—¡Muera el marqués de Ulloa!

Más enérgico, más intencionado, más claro que
los restantes, brotó este grito:

—¡Muera el ladrón faucioso *Barbacana*!

Y el vocerío, unánime, repitió:

—¡Mueraaa!

Instantáneamente apareció junto a la mesa del
abogado un hombre de siniestra catadura, hasta
entonces oculto en un rincón. No vestía como
los labriegos, sino como persona de baja condi-

ción en la ciudad: chaqueta de paño negro, faja roja y hongo gris; patillas cortas, de boca de hacha, redoblaban la dureza de su fisonomía, abultada de pómulos y ancha de sienes. Uno de sus hundidos ojuelos verdes relucía felinamente; el otro, inmóvil y cubierto con gruesa nube blanca, asemejaba hecho de cristal cuajado.

Abriendo *Barbacana* el cajón de su pupitre, sacaba de él dos enormes pistolas de arzón, prehistóricas sin duda, y las reconocía para cerciorarse de que estaban cargadas. Mirando al aparecido fijamente, pareció ofrecérselas con leve enarcamiento de cejas. Por otra respuesta, el *Tuerto de Castrodorna* hizo asomar al borde de su faja el extremo de una navaja de cachas amarillas, que volvió a ocultar al punto. El arcipreste, que había perdido los bríos con la obesidad y los años, sobresaltóse mucho.

—Déjese de calaveradas, mi amigo. Por si acaso, me parece oportuno salir por la puerta de atrás. ¿Eh? No es cosa de aguardar a que esos incircuncisos vengan aquí a darle a uno tósigo.

Mas ya el cura de Boán y el señorito de Limioso, unidos al *Tuerto*, formaban un grupo lleno de decisión. El señorito de Limioso, no desmintiendo su vieja sangre hidalga, aguardaba sosegadamente, sin fanfarronería alguna, pero con impávido corazón; el abad de Boán, nacido con más vocación de guerrillero que de misacantano, apretaba con júbilo la pistola, olfateaba el peligro, y, a ser caballo, hubiera relinchado de gozo; el *Tuerto*, encogido y crispado como un tigre, se situaba detrás de la puerta, a fin de destripar a mansalva al primero que entrase.

—No tenga miedo, señor arcipreste... —murmuró, gravemente, *Barbacana*—. Perro que ladra, no muerde. Ni a romperme un vidrio se atreverán esos bocalanes. Pero conviene estar dispuesto, por si acaso, a enseñarles los dientes.

Resonaban nutridos y feroces los «mueras»;
mas, en efecto, ni una piedra sola venía a herir
los cristales. El señorito de Limioso se acercó
otra vez, levantó el visillo y llamó a don Eugenio.

—Mire, Naya; mire por aquí... Buena gana tienen de subir ni de tirar piedras... Están bailando.

Don Eugenio se llegó a la vidriera y soltó la
carcajada. Entre la patulea de beodos, dos seides
de *Trampeta*, carcelero el uno, el otro alguacil,
trataban de calentar a algunos de los que chillaban más fuerte para que atacasen la morada del
abogado; señalaban a la puerta, indicaban, con
ademanes elocuentes, lo fácil que sería echarla
abajo y entrar. Pero los borrachos, que no por
estarlo perdían la cautelosa prudencia, el saluda-
dable temor que inspira el cacique al labriego,
se hacían los desentendidos, limitándose a be-
rrear, a herir cazos y sartenes con mayor furia.
Y en el centro del corro, al compás de los almireces y cacerolas, brincaban como locos los más
tomados de la bebida, los verdaderos pellejos.

—Señores —dijo en grave y enronquecida voz
Ramón Limioso—: Es siquiera una mala vergüenza que esos pillos nos tengan aquí sitiados...
Me dan ganas de salir y pegarles una corrida, que
no paren hasta el Ayuntamiento.

—Hombre —gruñó el abad de Boán—, usted
poco habla, pero bueno. ¡Vamos a meterles miedo, *quoniam!* Estornudando solamente, espanto
yo media docena de esos pellejones.

No pronunció el *Tuerto* palabra; únicamente
su ojo verdoso se encendió con fosfórica luz, y
miró a *Barbacana*, como pidiéndole permiso de
tomar parte en la empresa. *Barbacana* hizo con
la cabeza señal afirmativa, pero le indicó al mismo tiempo que guardase la navaja.

—Tiene razón —exclamó el hidalgo de Limioso,
enderezando la cabeza y dilatando las ventanillas
de la nariz con altanera expresión, muy desusada

en su lánguida y triste faz—. A esa gente, a palos
y latigazos se les sacude el polvo. No ensuciar un
arma que uno usa para el monte, para las perdices y las liebres, que valen más que ellos, fuera
el alma.

Y al decir «fuera el alma», persignóse el señorito.

—Tengan miramiento, hombres, tengan miramiento —murmuraba el arcipreste difícilmente,
extendiendo las manos como para calmar los ánimos irritados.

¡Cuán lejos estaban los tiempos belicosos en
que se aseguraba una elección a puntapiés!

Barbacana no se opuso a la hazaña; al contrario, pasó a otra estancia y volvió con un haz de
junquillos, palos y bastones. El cura de Boán no
quiso más garrote que el suyo, que era formidable; Ramón Limioso, fiel a su desdén de la grey
villana, asió el látigo más delgado, un latiguillo
de montar. El *Tuerto* empuñó una especie de
tralla, que, manejada por su diestra vigorosa,
surtiría terrible efecto.

Bajaron cautelosamente la escalera, cuidando
de no zapatear, previsión que el endiablado estrépito de la cencerrada hacía de todo punto
ociosa. Tenía la puerta su tranca y los cerrojos
corridos, medida de precaución adoptada por la
cocinera del abogado así que oyó estruendo de
motín. El abad de Boán los descorrió impetuosamente, el *Tuerto* sacó la tranca, giró la llave en
la cerradura, y clérigos y seglares se lanzaron
contra la canalla, sin avisar ni dar voces, con los
ojos, blandiendo látigos y esgrimiendo garrotes.

No habrían transcurrido cinco minutos cuando
Barbacana, que por detrás de los visillos regis-
traba el teatro del combate, sonrió silenciosamente, o más bien regañó los labios, descubriendo la
amarilla dentadura, y apretó con nerviosa violencia la barandilla de la ventana. En todas di-

recciones huían los despavoridos borrachos, chillando, como si los cargase un regimiento de Caballería al galope; algunos tropezaban y caían de bruces, y la tralla del *Tuerto* se les enroscaba alrededor de los lomos, arrancándoles alaridos de dolor. Fustigaba el hidalgo de Limioso con menos crueldad, pero con soberano desprecio, como fustigaría a una piara de marranos. El cura de Boán sacudía estacazo limpio, con regularidad y energía infatigables. El de Naya, incapaz de mantenerse dentro de los límites de su papel justiciero, insultaba, reía y vapuleaba a un mismo tiempo a los beodos.

—¡Anda, tinaja, cuba, mosquito! ¡Toma, toma, para que vuelvas otra vez, pellejo, odre! ¡Ve a dormir la mona, cuero! ¡A la taberna con tus huesos, larpán, tonel de mosto! ¡A la cárcel, borrachos, a vomitar lo que tenéis en esas tripas!

Limpia estaba la calle; más limpia ya que una patena; silencio profundo había sustituido al vocerío, a los «mueras» y a la cencerrada feroz. Por el suelo quedaban esparcidos despojos de la batalla: cazos, almireces, cuernos de buey. En la escalera se oía el bullicio de los vencedores, que subían celebrando su fácil triunfo. Delante de todos entró don Eugenio, que se echó en una butaca, partiéndose a carcajadas y palmoteando. El cura de Boán le seguía, limpiándose el sudor. Ramón Limioso, serio y aun melancólico, se limitó a entregar a *Barbacana* el latiguillo, sin despegar los labios.

—¡Van... buenos! —tartamudeó el abad de Naya, reventando de risa.

—Yo mallé en ellos... como quien malla en centeno —exclamó, respirando con placer, el de Boán.

—Pues yo —explicó el hidalgo—, si supiese que habían de ser tan cobardes y echar a correr, sin volvérsenos siquiera, a fe que no me tomo el trabajo de salir.

—No se fíen —observó el arcipreste—. Ahora, en el Ayuntamiento, los avergüenza *Trampeta,* y capaz es de venir acá en persona, con los incircuncisos, a darle un susto al señor licenciado —así llaman a *Barbacana* familiarmente sus amigos—. Por si acaso, es prudente que estos señores pasen aquí la noche. Yo tengo que misar mañana en Loiro, y mi hermana estará muerta de miedo..., que si no...

—Nada de eso —replicó perentoriamente *Barbacana*—. Estos señores se vuelven cada uno a su casa. No hay cuidado ninguno. A mí... me basta con este mozo —añadió, señalando al *Tuerto,* agazapado otra vez en su rincón.

No fue posible reducir al cacique a que aceptase la guardia de honor que le ofrecían. Por otra parte, no se notaba síntoma alguno de que hubiese de alterarse el orden nuevamente. Ni se oían a lo lejos vociferaciones de electores victoriosos. El soñoliento silencio de los pueblecillos pequeños y sin vida pesaba sobre la villa de Cebre. Tres héroes de la gran batida, y el arcipreste con ellos, salieron a caballo hacia la montaña. No iban cabizbajos, a fuer de muñidores electorales derrotados, sino llenos de regocijo, con gran cháchara y broma, celebrando, a más y mejor, la somanta administrada a los borrachines cencerreadores. Don Eugenio estaba inspirado, oportuno, bullanguero, ocurrentísimo; en una palabra, había que oírle remedar los aullidos y la caída de los ebrios en el lodo de la calle, y el gesto que ponía el cura de Boán al majar en ellos.

Barbacana se quedó solo con el *Tuerto.* Si alguno de los molidos músicos de la cencerrada se atreviese a asomar la cabeza y mirar hacia las ventanas del cacique, vería que, por fanfarronada o por descuido, no estaban cerradas las maderas,

y podrían distinguir, al través de los visillos y
destacándose sobre el fondo de la habitación,
alumbrada por el quinqué, las cabezas del abogado y de su feroz defensor y seide. Sin duda, hablaban de algo importante, porque la plática fue
larga. Una hora o algo más corrió desde que en-
cendieron la luz hasta que las maderas se cerraron, quedando la casa silenciosa, torva y sombría,
como quien oculta algo negro y secreto.

Veintisiete

La persona en quien se notó mayor sentimiento
por la pérdida de las elecciones fue Nucha. Desde
la derrota se desmejoró más de lo que estaba y
creció su abatimiento físico y moral. Apenas salía
de su habitación, donde vivía esclava de su niña,
cosida a ella día y noche. En la mesa, mientras
comía, poco y sin gana, guardaba silencio, y a
veces Julián, que no apartaba los ojos de la señorita, le veía mover los labios, cosa frecuente en
las personas poseídas de una idea fija, que hablan
para sí, sin emitir la voz. Don Pedro, huraño como
nunca, no se tomaba el trabajo de intentar un
asomo de conversación. Mascaba firme, bebía
seco y tenía los ojos fijos en el plato, cuando no
en las vigas del techo; jamás en sus comensales.

Tan deshecha y acabada le parecía al capellán
la señorita, que un día se atrevió, venciendo recelos inexplicables, a llamar aparte a don Pedro,
preguntándole, en voz entrecortada, si no sería
bueno avisar al señor Juncal para que viese...

—¿Está usted loco? —respondió don Pedro,
fulminándole una mirada despreciativa—. Llamar
a Juncal..., ¿después de lo que trabajó contra mí
en las elecciones? Máximo Juncal no atravesará
más las puertas de esta casa.

No replicó el capellán; pero pocos días después, volviendo de Naya, se tropezó con el médico. Este detuvo su caballejo, y, sin apearse, contestó a las preguntas de Julián.

—Puede ser grave... Quedó muy débil del parto, y necesitaba cuidados exquisitos... Las mujeres nerviosas sanan del cuerpo cuando se las tranquiliza y se les distrae el espíritu... Mire, Julián: tendríamos que hablar para seis horas si yo le dijese todo lo que pienso de esa infeliz señorita y de esos pazos... Punto en boca... Bonito diputado quería usted enviar a las Cortes. Más valdría que sus padres le hubiesen mandado a la escuela.

—«Puede ser grave...» Esto, principalmente, se clavó en el pensamiento de Julián. Sí que podía ser grave; y... ¿de qué medios disponía él para conjurar la enfermedad y la muerte? De ninguno. Envidió a los médicos. El sólo tenía facultades para curar el espíritu; ni aun ésas le servían, pues Nucha no se confesaba con él; y hasta la idea de que se confesase, de ver desnuda un alma tan hermosa, le confundía y le turbaba.

Muchas veces había pensado en semejante probabilidad: cualquier día era fácil que Nucha, por necesidad de desahogo y de consuelo, viniera a echársele a los pies en el tribunal de la penitencia, solicitando consejos, fuerza, resignación. «¿Y quién soy yo —se decía Julián— para guiar a una persona como la señorita Marcelina? Ni tengo edad, ni experiencia, ni sabiduría suficiente; y lo peor es que también me falta virtud, porque yo debía aceptar gustoso todos los padecimientos de la señorita, creer que Dios se los envía para probarla, para acrecentar sus méritos, para darle mayor cantidad de gloria en el otro mundo...; y soy tan malo, tan carnal, tan ciego, tan inepto, que me paso la vida dudando de la bondad divina, porque veo a esta pobre señora entre adversidades y tribulaciones pasajeras... Pues no ha de ser así —resolvía el capellán con esfuerzo—. He

de abrir los ojos, para eso tengo la luz de la fe,
negada a los incrédulos, a los impíos, a los que
están en pecado mortal. Si la señorita me viene a
pedir que la ayude a llevar la cruz, enseñémosla a
que la abrace amorosamente. Es necesario que
comprenda ella, y yo también, lo que significa
esa cruz. Con ella se va a la felicidad única y verdadera. Por muy dichosa que fuese la señorita
aquí, en el mundo, vamos a ver: ¿cuánto tiempo
y de qué manera podría serlo? Aunque su marido
la... estimase como merece y la pusiese sobre las
niñas de sus ojos, ¿se libraría por eso de contra-
riedades, enfermedades, vejez y muerte? Y cuando llega la hora de la muerte, ¿qué importa ni de
qué sirve haber pasado un poco más alegre y
tranquila esta vidilla, perecedera y despreciable?»
    Tenía Julián siempre a mano un ejemplar de la
Imitación de Cristo; era la modesta edición de la
Librería Religiosa, y castiza y admirable traduc-
ción del padre Nieremberg. Al frente de la portada había un grabado, bien ínfimo como obra de
arte, que proporcionaba al capellán mucho alivio
cada vez que fijaba sus ojos en él. Representaba
una colina: el Calvario; y por el estrecho sendero que conducía al lugar del suplicio iba subiendo
lentamente Jesús, con la cruz a cuestas y el rostro vuelto hacia un fraile que allá, en lontananza,
se echaba otra cruz al hombro. Aunque malo el
dibujo y peor el desempeño, respiraba aquel grabado una especie de resignación melancólica, ade-
cuada a la situación moral del presbítero. Y después de haberlo contemplado despacio, parecíale
sentir en los hombros una pesadumbre, abruma-
dora y dulcísima a la vez, y una calma honda,
como si se encontrase —calculaba él para sí—
sepultado en el fondo del mar y el agua le rodea-
se por todas partes, sin ahogarle. Entonces leía
párrafos del libro de oro, que se le entraban en

el alma a manera de hierro enrojecido en la
carne:

«¿Por qué temes, pues, tomar la cruz, por la
cual se va al reino? En la cruz está la salud, en
la cruz está la vida, en la cruz está la defensa de
los enemigos, en la cruz está la infusión de la
suavidad soberana, en la cruz está el gozo del espíritu, en la cruz está la perfección de la santi-
dad... Toma, pues, tu cruz y sigue a Jesús... Mira
que todo consiste en la cruz, y todo está en morir; y no hay otro camino para la vida y para la
verdadera paz que el de la santa cruz y continua
mortificación... Dispón y ordena todas las cosas
según tu querer, y no hallarás sino que has de
padecer algo, o de grado o por fuerza; y así siempre hallarás la cruz, porque o sentirás dolor en
el cuerpo o padecerás tribulación en el espíritu...
Cuando llegares al punto de que la aflicción te sea
dulce y gustosa, por amor de Cristo, piensa entonces que te va bien, porque hallaste el paraíso
en la Tierra...»

—¡Cuándo llegaré yo a este estado de biena-
venturanza, Señor! —murmuraba Julián, poniendo una señal en el libro.

Había oído algunas veces que Dios concede lo
que se le pide mentalmente en el acto de consagrar la Hostia, y con muchas veras le pedía
llegar al punto de que su cruz, no la de la pobre
señorita, le fuese dulce y gustosa, como decía
Kempis.

A la misa, en la capilla remozada, asistía siempre Nucha, oyéndola toda de rodillas, y retirán-
dose cuando Julián daba gracias. Sin volverse ni
distraerse en la oración, Julián conocía el instante en que se levantaba la señorita y el ruido imperceptible de sus pisadas sobre el entarimado
nuevo. Cierta mañana lo oyó. Este hecho tan sen-

cillo le privó de rezar con sosiego. Al alzarse vio
a Nucha también en pie, con el índice sobre los
labios. Perucho, que ayudaba a misa con desem-
barazo notable, se dedicaba a apagar los cirios
valiéndose de una luenga caña. La mirada de la
señorita decía elocuentemente: «Que se vaya ese
niño.»

El capellán ordenó al acólito que despejase.
Tardó éste algo en obedecer, deteniéndose en
doblar la toalla del lavatorio. Al fin se fue, no
muy de su grado. Llenaba la capilla olor de flores
y barniz fresco; por las ventanas entraba una luz
caliente que cernía visillos de tafetán carmesí; y
las carnes de los santos del altar adquirían apariencia de vida, y la palidez de Nucha artificial-
mente se sonrosaba.

—¿Julián? —preguntó con imperioso acento,
extraño en ella.

—Señorita... —respondió él en voz baja, por
respeto al lugar sagrado. Tembláronle los labios,
y las manos se le enfriaron, pues creyó llegado el
terrible momento de la confesión.

—Tenemos que hablar. Y ha de ser aquí, por
fuerza. En otras partes no falta quien aceche.

—Es verdad que no falta.

—¿Hará usted lo que le pida?

—Ya sabe que...

—¿Sea lo que sea?

—Yo...

Su turbación crecía; el corazón le latía con
sordo ruido. Se recostó en el altar.

—Es preciso —declaró Nucha, sin apartar de
él sus ojos, más que vagos, extraviados ya —que
me ayude usted a salir de aquí. De esta casa.

—A..., a... salir... —tartamudeó Julián, atur-
dido.

—Quiero marcharme. Llevarme a mi niña. Volverme con mi padre. Para conseguirlo, hay que
guardar el secreto. Si lo saben aquí, me encerra-

rán con llave. Me apartarán de la pequeña. Sé de
fijo que la matarán.

El tono, la expresión, la actitud, eran como de
quien tiene perturbadas sus facultades mentales;
de mujer impulsada por excitación nerviosa que
raya en desvarío.

—Señorita... —articuló el capellán, no menos
alterado—, no esté en pie; no esté en pie... Sién-
tese en este banquito... Hablemos con tranquilidad... Ya conozco que tiene disgusto, señorita...
Se necesita paciencia, prudencia... Cálmese.

Nucha se dejó caer en el banco. Respiraba fa-
tigosamente, con sobrealiento penoso. Sus orejas,
blanquecinas y despegadas del cráneo, transpa-
rentaban la luz. Habiendo tomado aliento, habló
con cierta serenidad.

—¡Paciencia y prudencia! Tengo cuanto cabe
en una mujer. Aquí no viene al cabo disimular;
ya sabe usted cuándo empezó a clavárseme la espina; desde aquel día me propuse averiguar la
verdad, y... no me costó gran trabajo. Digo, sí;
me costó un..., un combate... En fin, eso es lo
que menos importa. Por mí no pensaría en irme,
pues no estoy buena y se me figura que... duraré
poco...; pero... ¿y la niña?

—La niña...

—La van a matar, Julián, esas... gentes. ¿No
ve usted que les estorba? Pero ¿no lo ve usted?

—Por Dios le pido que se sosiegue... Hablemos
con calma, con juicio...

—¡Estoy harta de tener calma! —exclamó con
enfado Nucha, como el que oye una gran simpleza—. He rogado, he rogado... He agotado todos
los medios... No aguardo, no puedo aguardar
más. Esperé a que se acabasen las elecciones di-
chosas, porque creía que saldríamos de aquí, y
entonces se me pasaría el miedo... Yo tengo miedo en esta casa, ya lo sabe usted, Julián; miedo
horrible... Sobre todo de noche.

A la luz del sol que tamizaban los visillos carmesí, Julián vio las pupilas dilatadas de la señorita, sus entreabiertos labios, sus enarcadas cejas, la expresión de mortal terror pintada en su rostro.

—Tengo mucho miedo —repitió, estremeciéndose.

Renegaba Julián de su sosera. ¡Cuánto daría por ser elocuente! Y no se le ocurría nada, nada. Los consuelos místicos que tenía preparados y atesorados, la teoría de abrazarse a la cruz..., todo se le había borrado ante aquel dolor voluntarioso, palpitante y desbordado.

—Ya desde que llegué..., esta casa tan grande y tan antigua... —prosiguió Nucha— me dio frío en el corazón... Sólo que ahora..., no son tonterías de chiquilla mimada, no... Me van a matar a la pequeña... ¡Usted lo verá! Así que la dejo con el ama, estoy en brasas... Acabemos pronto... Esto se va a resolver ahora mismo. Acudo a usted porque no puedo confiarme a nadie más... Usted quiere a mi niña.

—Lo que es quererla... —balbució Julián, casi afónico de puro enternecido.

—Estoy sola, sola... —repitió Nucha, pasándose la mano por las mejillas; su voz sonaba entrecortada por lágrimas que contenía—. Pensé en confesarme con usted; pero... buena confesión te dé Dios... No obedecería si usted me mandase quedarme aquí... Ya sé que es mi obligación: la mujer no debe apartarse del marido. Mi resolución cuando me casé era...

Detúvose de pronto, y, careándose con Julián, le preguntó:

—¿No le parece a usted, como a mí, que este casamiento tenía que salir mal? Mi hermana Rita ya era casi novia del primo cuando él me pidió... Sin culpa mía, quedamos reñidas Rita y yo desde entonces... No sé cómo fue aquello; bien sabe Dios que no puse nada de mi parte para que Pedro

se fijase en mí. Papá me aconsejó que, de todos
modos, me casase con el primo... Yo seguí el consejo... Me propuse ser buena, quererle mucho,
obedecerle, cuidar de mis hijos... Dígame usted,
Julián: ¿he faltado en algo?

Julián cruzó las manos. Sus rodillas se dobla-
ban, y a punto estuvo de hincarlas en tierra. Pronunció con entusiasmo:

—Usted es un ángel, señorita Marcelina.

—No... —replicó ella—, ángel, no; pero no me
acuerdo de haber hecho daño a nadie. He cuidado mucho a mi hermanito Gabriel, que era delicado de salud y no tenía madre...

Al pronunciar esta frase, la ola rebosó: las lágrimas corrieron por fin; Nucha respiró mejor,
como si aquellos recuerdos de la infancia tem-
plasen sus nervios y el llanto le diese alivio.

—Y por cierto que le tomé tal cariño, que pensaba para mí: «Si tengo hijos algún día, no es
posible quererlos más que a mi hermano.» Después he visto que esto es un disparate; a los hijos
se los quiere muchísimo más.

El cielo se nublaba lentamente, y se oscurecía
la capilla. La señorita hablaba con sosiego melancólico.

—Cuando mi hermano se fue al Colegio de Artillería, yo no pensé más que en dar gusto a papá
y en que se notase poco la falta de la pobre
mamá... Mis hermanas preferían ir a paseo, porque como son bonitas, les gustaban las diversiones. A mí me llamaban feúcha y bizca, y me ase-
guraban que no encontraría marido.

—¡Ojalá! —exclamó Julián, sin poder repri-
mirse.

—Yo me reía. ¿Para qué necesitaba casarme?
Tenía a papá y a Gabriel con quien vivir siempre.
Si ellos se me morían, podía entrar en un con-
vento; el de las Carmelitas, en que está la tía

Dolores, me gustaba mucho. En fin, no he tenido
culpa ninguna del disgusto de Rita. Cuando papá
me enteró de las intenciones del primo, le dije
que no quería quitarle el novio a mi hermana, y
entonces papá... me besuqueó mucho en los carrillos, como cuando era pequeña, y..., me parece
que le estoy oyendo..., me respondió así: «Rita
es una tonta..., cállate.» Pero ¡por mucho que
dijese papá..., al primo le seguía gustando Rita! ...

Continuó, después de algunos minutos de silencio:

—Ya ve usted que no tenía mucho por qué envi-
diarme mi hermana... ¡Cuánta hiel he tragado, Julián! Cuando lo pienso, se me pone un nudo
aquí...

El capellán pudo, al fin, expresar parte de sus
sentimientos.

—No me extraña que se le ponga ese nudo...
Soy yo y lo tengo también... Día y noche estoy
cavilando en sus males, señorita... Cuando vi
aquella señal... La lastimadura de la muñeca.

Por primera vez durante la conversación se
encendió el descolorido rostro de Nucha, y sus
ojos se velaron, cubriéndolos la caída de las pestañas. No respondió directamente.

—Mire usted —murmuró con asomos de amarga sonrisa— que siempre me suceden a mí des-
gracias por cosas de que no tengo culpa... Pedro
se empeñaba en que yo le reclamase a papá la
legítima de mamá, porque papá le negó un dinero
que le hacía falta para las elecciones. También
se disgustó mucho porque la tía Marcelina, que
pensaba instituirme heredera, creo que va a dejarle a Rita los bienes... Yo no tengo que ver con
nada de eso... ¿Por qué me matan? Ya sé que
soy pobre: no hay necesidad de repetírmelo... En
fin, esto es lo de menos... Me dolió bastante más
que mi marido me dijese que por mí se ve sin

sucesión la casa de Moscoso... ¡Sin sucesión! ¿Y mi niña? ¡Angelito de mis entrañas!

Lloraba la infeliz señora, lentamente, sin sollozar. Sus párpados tenían ya el matiz rojizo que dan los pintores a los de las Dolorosas.

—Lo mío —añadió— no me importa. Lo mío lo aguantaría hasta el último instante. Que me... traten de un modo... o de otro, que..., que la criada... sea..., ocupe mi sitio..., bien..., bien, paciencia; sería cuestión de tener paciencia, de sufrir, de dejarse morir... Pero está de por medio la niña..., hay otro niño, otro hijo, un bastardo... La niña estorba... ¡La matarán!

Repitió solemnemente y muy despacio:

—La matarán. No me mire usted así. No estoy loca, sólo estoy excitada. He determinado marcharme e irme a vivir con mi padre. Me parece que esto no es ningún pecado, ni tampoco el llevarme a la pequeña. Y si peco, no me lo diga, Julianciño... Es resolución irrevocable. Usted vendrá conmigo, porque sola no conseguiría realizar mi plan. ¿Me acompañará?

Julián quiso objetar algo: ¿qué? No lo sabía él mismo. El diminutivo cariñoso usado por la señorita, la febril resolución con que hablaba, le vencieron. ¿Negarse a ayudar a la desdichada? Imposible. ¿Pensar en lo que el proyecto tenía de extraño, de inconveniente? Ni se le ocurrió un minuto. A fuer de criatura candorosa, una fuga tan absurda le pareció hasta fácil. ¿Oponerse a la marcha? También él había tenido y tenía a cada instante miedo, miedo cerval, no sólo por la niña, sino por la madre. ¿Acaso no se le había ocurrido mil veces que la existencia de las dos corría inminente peligro? Además, ¿qué cosa en el mundo dejaría él de intentar por secar aquellos ojos puros, por sosegar aquel anheloso pecho, por ver de nuevo a la señorita segura, honrada, respetada, cercada de miramientos, en la casa paterna?

Se representaba la escena de la escapatoria. Sería al amanecer. Nucha iría envuelta en muchos abrigos. Él cargaría con la niña, dormidita y arropadísima también. Por si acaso, llevaría en el bolsillo un tarro con leche caliente. Andando bien, llegarían a Cebre en tres horas escasas. Allí se podían hacer sopas. La nena no pasaría hambre. Tomarían en el coche la berlina, el sitio más cómodo. Cada vuelta de la rueda los alejaría de los tétricos pazos.

Muy quedito, como quien se confiesa, empezaron a debatir y resolver estos pormenores. Otro rayo del sol entreabría las nubes, y los santos, en sus hornacinas, parecían sonreír benévolamente al grupo del banquillo. Ni la Purísima de sueltos tirabuzones y traje blanco y azul, ni el San Antonio que hacía fiestas a un Niño Jesús regordete, ni el San Pedro con la tiara y las llaves, ni siquiera el Arcángel San Miguel, el caballero de la ardiente espada, siempre dispuesto a rajar y hendir a Satanás, revelaban en sus rostros pintados de fresco el más leve enojo contra el capellán, ocupado en combinar los preliminares de un rapto en toda regla, arrebatando una hija a su padre y una mujer legítima a su dueño.

Veintiocho

Al llegar aquí la narración, es preciso acudir, para completarla, a las reminiscencias que grabaron para siempre en la imaginación del lindo rapazuelo, hijo de Sabel, los sucesos de la memorable mañana en que por última vez ayudó a misa al bonachón de don Julián, el cual, por más señas, solía darle dos cuartos una vez acabado el oficio divino.

El primer recuerdo que Perucho conserva es que, al salir de la capilla, quedóse muy triste, arrimado a la puerta, porque aquel día el capellán no le había dado cosa alguna. Chupándose el dedo y en actitud meditabunda permaneció unos instantes, hasta que la misma falta de los dos cuartos acostumbrados le descubrió un rayo de luz: su abuelo le había prometido otros dos si le avisaba cuando la señora se quedase en la capilla después de oída la misa. Raciocinando con sorprendente rigor matemático, calculó que, pues perdía dos cuartos por un lado, era urgente ganarlos por otro; apenas concibió tan luminosa idea, sintió que las piernas le bailaban, y echó a correr, con toda la velocidad posible, en busca de su abuelo.

Atravesando la cocina, colóse en la habitación baja donde despachaba Primitivo, y, empujando la puerta, le vio sentado ante una gran mesa antigua, sobre la cual se encrespaba un *mare magnum* de papelotes cubiertos de cifras engarrapatadas, de apuntes escritos con letra jorobada y escabrosa por mano que no debía de ser diestra ni aun en palotes. La mesa y el cuarto, en general, atraían a Perucho con el encanto que posee para la niñez lo desordenado y revuelto, los sitios en que se acumulan muchas cosas variadas, pues imaginan ellos que cada montón de objetos es un mundo desconocido, un depósito de tesoros inestimables. Rara vez entraba allí Perucho; su abuelo acostumbraba echarle para que no sorprendiese ciertas operaciones financieras que el mayordomo gustaba de realizar sin testigos. Cuando el nieto entró, la cara dura y metálica de Primitivo podía confundirse con el tono bronceado de un acervo de calderilla o montaña de cobre, de la cual iban saliendo columnitas que el mayordomo alineaba en correcta formación... Perucho se quedó deslumbrado ante tan fabulosa riqueza. ¡Allí estaban sus dos cuartos! ¡Menuda pepita de aquel gran criadero de monedas! Lleno de esperanza, alzó la voz cuanto pudo y dio su recado. Que la señora estaba en la capilla con el señor capellán... Que le habían despedido de allí.

Iba a añadir: «Y que se me deben dos cuartos o cosa análoga, por la noticia»; pero no le dio lugar a ello su abuelo, alzándose del sillón con la agilidad de bicho montés que caracterizaba sus movimientos todos, no sin que al hacerlo produjese un tempestuoso remolino en el mar de calderilla y la caída de algunas torres, que con sonoro estrépito se rindieron a su gran pesadumbre. Primitivo salió corriendo hacia el interior de la casa. El chiquillo se quedó allí, solicitado por las dos tentaciones más fuertes que en su vida había sufrido. Era una la de comerse las obleas, que con su provocativa blancura y encendido rojo le estaban convidando desde un bote de hojalata; y aun cuando sería más glorioso para nuestro héroe vencer el goloso capricho, la sinceridad obliga a declarar que alargó el dedo humedecido en saliva, y fue pescando una, dos, tres, hasta zamparse cuantas encerraba el bote. Satisfecha esta concupiscencia, le apremió otra, incitándole nada menos que a cobrarse por su mano los dos cuartos prometidos, tomándolos del montón que tenía allí delante, a su disposición y albedrío. No sólo apetecía cobrarse del debido salario, sino que le seducían principalmente unos ochavos roñosos, llamados «de la fortuna» en el país, y que, merced a consideraciones muy lógicas en su mente infantil, le parecían preferibles a las piezas gordas. Las adquisiciones y placeres de Perucho las representaba, generalmente, un ochavo. Por un ochavo le daba la rosquillera, en ferias y romerías, caramelos de alfeñique o rosquillas bastantes; por un ochavo le vendían bramante suficiente para el trompo y le surtía el cohetero de pólvora en cantidad con que hacer regueritos; por un ochavo se procuraba tiras de mixtos de cartón, groseras aleluyas impresas en papel amarillo, gallos de barro con un pito en parte no muy decorosa. Y todo esto lo tenía al alcance de su mano, como las obleas; ¡y nadie le veía ni podía delatarle! El angelote se empinó en la punta de los pies para alcanzar mejor el dinero, alargó a la vez ambas palmas y las sumergió en el mar de cobre... Las paseó mucho rato por la superficie sin osar cerrarlas... Por fin hizo presa en un puñado de ochavos, y entonces apretó el puño fortísimamente, con la intensidad propia de los niños, que temen siempre se les escape la dicha por la mano abierta... Y así se mantuvo inmóvil sin atreverse a retraer aquella diestra pecadora y cargada de botín al seguro rincón del seno, donde almacenaba siempre sus latrocinios. Porque es de advertir que Perucho tenía bastante de caco, y con la mayor frescura se apropiaba huevos, fruta y, en general, cuantos objetos codiciaba; pero, con respeto supersticioso de aldeano, que sólo juzga propiedad ajena el dinero, jamás había tocado una moneda. En el alma de Perucho se verificaba una de esas encarnizadas luchas entre el deber y la pasión, cantadas por la musa dramática; el ángel bueno y el malo le tiraban cada uno de una oreja, y no sabía a cuál atender; ¡tremendo conflicto! Pero regocíjense el cielo y los hombres, pues venció el espíritu de luz. ¿Fue el primer despertar de ese sentimiento de honor que dicta al hombre heroicos sacrificios? ¿Fue una gota de la sangre de Moscoso, que realmente corría por sus venas, y que, con la misteriosa energía de transmisión hereditaria, le guió la voluntad como por medio de una rienda? ¿Fue temprano fruto de las lecciones de Julián y Nu-

cha? Lo cierto es que el rapaz abrió la mano,
separando mucho los dedos, y los ochavos apre-
sados cayeron entre los restantes con sonoro retintín.

No por eso hay que figurarse que Perucho renunciaba a sus dos cuartos, los ganados honra-
damente con la agilidad de sus piernas. ¡Renunciar! ¡A buena parte! Aquel mismo embrión de
conciencia que en el fondo de su ser, donde todos
tenemos escrita desde *ab initio* gran parte del
Decálogo, le gritaba: «No hurtarás», le dijo con
no menor energía: «Tienes derecho a reclamar
lo que te han ofrecido.» Y, obedeciendo a la impulsión, la criatura echó a correr en la misma
dirección que su abuelo.

Casualmente tropezó con él en la cocina, donde preguntaba algo a Sabel en queda voz. Acercóse Perucho, y, asiéndole de la chaqueta, exclamó:

—¡Mis dos cuartos!

No hizo caso Primitivo. Dialogaba con su hija,
y, a lo que Perucho pudo comprender, ésta explicaba que el señorito había salido de madrugada a tirar a los pollos de perdiz, y suponía
que anduviese hacia la parte del camino de Cebre. El abuelo soltó un juramento que usaba a
menudo, y que Perucho solía repetir por fanfarronada, y, sin más conversación, se alejó.

Aseguró Perucho después que le había llamado la atención ver salir al abuelo sin tomar la
escopeta y el sombrero de alas anchas, prendas
que no soltaba nunca. Semejante idea debió de
ocurrírsele al chiquillo más tarde, en vista de
los sucesos. Al pronto sólo pensó en alcanzar a
Primitivo, y lo logró en lo alto del camino que
desciende a los pazos. Aunque el cazador iba
como el pensamiento, el rapaz también corría en
regla.

—¡Anda el demonio! ¿Qué se te ofrece? —gruñó Primitivo al conocer a su nieto.

—¡Mis dos cuartos!

—Te doy cuatro en casa si me ayudas a buscar por el monte al señorito, y le dices, en cuanto
le veas, lo que me dijiste a mí, ¿entiendes? Que
el capellán está con la señorita encerrado en la
capilla y que te echaron de allí para quedar solos.

El angelón fijó sus pupilas límpidas en los
fascinadores ojuelos de víbora de su abuelo; y,
sin esperar más instrucciones, abriendo mucho
la boca, salió a galope hacia donde, por instinto,
juzgaba él que el señorito podría encontrarse.
Volaba, con los puños apretados, haciendo saltar
guijarros y tierra al golpe de sus piececillos en-
callecidos por la planta. Cruzaba por encima de
los tojos sin sentir las espinas, hollando las flores del rosado brezo, salvando matorrales casi
tan altos como su persona, espantando la liebre
oculta detrás de un madroñero, o la pega posada
en las ramas bajo el pino. De repente oyó el
andar de una persona, y vio al señorito salir
de entre el robledal... Loco de júbilo, se acercó
a darle su recado, del cual esperaba albricias.
Estas fueron la misma palabrota inmunda y atroz
que había expectorado su abuelo en la cocina;
y el señorito salió disparado en dirección de los
pazos, como si un torbellino le arrebatase.

Perucho se quedó algunos instantes atortolado
y suspenso; él afirma que al poco rato volvió
a embargar su ánimo el deseo de los cuartos
ofrecidos, que ya ascendían a la respetable suma
de cuatro. Para obtenerlos era menester buscar
a su abuelo y avisarle del encuentro con el señorito; no lo tuvo por fácil, pues sólo recordaba
aproximadamente el punto del bosque donde Primitivo quedaba; y por atajos y vericuetos sólo
practicables para los conejos y para él, Perucho
se lanzó tras la pista del mayordomo. Trepaba

por un murallón medio deshecho ya, amparo de un viñedo colgado, por decirlo así, en la falda abrupta del monte, cuando del otro lado del baluarte que escalaba creyó sentir rumor de pisadas, que la finura de su oído no confundía con las del cazador; y con el instinto cauteloso de los niños hijos de la Naturaleza y entregados a sí propios, se agachó, quedando cubierto por el murallón, de modo que sólo rebasase la frente. No podía dudarlo; eran pisadas humanas, bien distintas de la corrida de la liebre por entre las hojas, o de los golpecitos secos y reiterados que sacuden las patas unguladas del zorro o del perro. Pisadas humanas eran, aunque sí recelosas, apagadas y lentísimas. Parecían de alguien que procuraba emboscarse. Y, en efecto, poco tardó el niño en ver asomar, gateando entre los matorrales, a un hombre cuya descripción acaso había oído mil veces en las veladas, en las deshojas, acompañada de exclamaciones de terror. El hongo gris, la faja roja, las recortadas patillas destacándose sobre el rostro color de sebo, y, sobre todo, el ojo blanco, sin vista, frío como un pedazo de cuarzo de la carretera —en suma, la desapacible catadura del *Tuerto de Castrodorna*—, dejaron absorto al chiquillo. Apretaba el *Tuerto* contra su pecho corto y ancho trabuco, y después de hacer girar hacia todas partes el único lucero de su fea cara, de aguzar el oído, de olfatear, por decirlo así, el aire, arrimóse al murallón, medio arrodillándose tras de un seto de zarzas y brezos que lo guarnecía. Perucho, cuyos pies descansaban en las anfractuosidades del muro, se quedó como incrustado en él, sin osar respirar, ni bajarse, ni moverse, porque aquel hombre desconocido, malcarado y en acecho, le infundía el pavor irracional de los niños, que adivinan peligros cuya extensión ignoran. Por mucho que le aguijonease el deseo de sus

cuatro cuartos, no se atrevía a descolgarse del
murallón, temiendo hacer ruido y que le apun-
tase con el cañón de aquella arma, cuya boca
debía de seguro vomitar fuego y muerte... Así
transcurrieron diez segundos de angustia para
el angelote. Antes que pudiese entrar a cuentas
con el miedo, ocurrió un nuevo incidente. Sintió
otra vez pasos, no recelosos, como de quién se
oculta, sino precipitados, como de quien va a
donde le importa llegar presto; y por el camino
hondo que limitaba el murallón divisó a su abuelo, que avanzaba en dirección de los pazos; sin
duda, con su vista de águila había divisado al
señorito y le seguía, intentando darle alcance.
Iba Primitivo distraído, con el propósito de reunirse con don Pedro, y no miraba a parte alguna. Llegó a atravesar por delante del muro. El
niño entonces vio una cosa terrible, una cosa
que recordó años después y aun toda su vida:
el hombre emboscado se incorporaba, con su
único ojo centelleante y fiero; se echaba a la cara
la formidable tercerola negra; flotaba un borrón
de humo, que el aire disipó instantáneamente,
y a través de sus últimos tules grises, el abuelo
giraba sobre sí mismo como una peonza y caía
boca abajo, mordiendo, sin duda, en suprema
convulsión, la hierba y el lodo del camino.

Aseguraba Perucho que no había sabido jamás
si fue miedo o su propia voluntad lo que le obligó a descolgarse del murallón y descender, más
bien que a saltos, rodando, los atajos conocidos,
magullándose el cuerpo, poniéndose en tripas la
ropa, sin hacer caso de lo uno ni de lo otro. Re-
botó como una pelota por entre las nudosas
cepas; brincó por cima de los muros de piedra
que la sostenían; salvó, como una flecha, sembrados de maíz; metióse de patas en los regatos,
mojándose hasta la cintura, por no detenerse a
seguir las pasaderas de piedra; salvó vallados

tres veces más altos que su cuerpo; cruzó setos,
saltó hondonadas y zanjas, no comprendió por
dónde ni cómo; pero el caso es que, arañado,
ensangrentado, sudoroso, jadeante, se encontró
en los pazos, y maquinalmente volvió al punto
de partida, la capilla, donde entró, enteramente
olvidado de los cuatro cuartos, primer móvil de
sus aventuras todas.

Estaba escrito que aquella mañana había de
ser fecunda en extraordinarias sorpresas. En la
capilla acostumbraba Perucho notar que se hablaba bajito, se andaba despacio, se contenía hasta la respiración; el menor desliz en tal materia
solía costarle un severo regaño de don Julián;
de modo que, sobreponiéndose el instinto y el
hábito al azaramiento y trastorno, penetró en el
sagrado lugar con actitud respetuosa. En él sucedía algo que le causó un asombro casi mayor
que la catástrofe de su abuelo. Recostada en el
altar se encontraba la señora de Moscoso, con
un color como una muerta, los ojos cerrados, las
cejas fruncidas, temblando con todo su cuerpo;
frente a ella, el señorito vociferaba muy de prisa,
y en ademán amenazador, cosas que no entendió
el niño, mientras el capellán, con las manos cruzadas y la fisonomía revelando un espanto y dolor
tales que nunca había visto Perucho en rostro
humano expresión parecida, imploraba, imploraba al señorito, a la señorita, al altar, a los santos..., y de repente, renunciando a la súplica, se
colocaba, encendido y con ojos chispeantes, dando cara al marqués, como desafiándole... Y Perucho comprendía, a medias, frases indignadas, frases donde se desbordaba la cólera, el furor, la
indignación, la ira, el insulto, y, sin saber la causa de alboroto semejante, deducía que el señorito estaba atrozmente enfadado, que iba a pegar
a la señorita, a matarla quizá, a deshacer a don

Julián, a echar abajo los altares, a quemar tal
vez la capilla...

El niño recordó entonces escenas análogas,
pero cuyo teatro era la cocina de los pazos, y
las víctimas su madre y él; el señorito tenía entonces la misma cara, idéntico tono de voz. Y
en medio de la confusión de su tierno cerebro,
de los terrores que se reunían para aturdirle,
una idea superior a todas se levantó triunfante.
No cabía duda de que el señorito se disponía a
acogotar a su esposa y al capellán; también acababan de matar a su abuelo en el monte; aquel
día, según indicios, debía de ser el de la general
matanza. ¿Quién sabe si, luego que acabase con
su mujer y con don Julián, se le ocurriría al
señorito quitar la vida a la «nené». Semejante
pensamiento devolvió a Perucho toda la actividad
y energía que acostumbraba desplegar para el
logro de sus azarosas empresas en corrales, gallineros y establos.

Escurrióse bonitamente de la capilla, resuelto
a salvar a toda costa la vida de la heredera de
Moscoso. ¿Cómo haría? Faltábale tiempo de madurar el plan; lo que importaba era obrar con
celeridad y no arredrarse ante obstáculo alguno.
Se deslizó, sin ser visto, por la cocina y subió la
escalera a escape. Llegado que hubo a las habitaciones altas, residencia de los señores, de tal
manera supo amortiguar el ruido de sus pisadas,
que el oído más fino lo confundiría con el susurro del aire al agitar una cortina. Lo que él
temía era encontrar cerrada la puerta del dormitorio de Nucha. El corazón le dio un brinco de
alegría al verla entornada.

La empujó con suavidad de gato que esconde
las uñas... Tenía la maldita puerta el vicio de
rechinar; pero tan sutil fue el empuje, que apenas gimió sordamente. Perucho se colocó en la
habitación, ocultándose tras el biombo. Por uno

de los muchos agujeros que éste lucía miró al otro lado, hacia donde estaba la cuna. Vio a la niña dormida y al ama de bruces sobre el lecho de Nucha, roncando sordamente. No era de temer que se despabilase la marmota; el rapaz podía a mansalva realizar sus propósitos.

Sin embargo, convenía no despertase la chiquilla, no fuese a alborotar la casa lloriqueando. Perucho la tomó como quien toma un muñeco de cristal muy rompedizo y precioso; sus palmas, llenas de callos, y sus brazos, hechos a disparar certeras pedradas y a descargar puñetazos en el testuz de los bueyes, adquirieron de golpe delicadeza exquisita, y la «nené», envuelta en el pañolón de calceta, ni gruñó siquiera al trocar la cama por los brazos de su precoz raptor. Este, sosteniendo hasta el respirar, andando con paso furtivo, rápido y cauteloso —el andar de la gata que lleva a sus cachorros entre los dientes, colgados de la piel del pescuezo—, se dirigió a buscar la salida por el claustro, pues de cruzar la cocina era probable una sorpresa.

En el claustro se paró obra de diez segundos para meditar. ¿Dónde escondería su tesoro? ¿En el pajar, en el *herbeiro*, en el hórreo, en el establo? Optó por el hórreo —el lugar menos frecuentado y más oscuro—; bajaría la escalera, se escurriría por el claustro, se colaría por las cuadras, salvaría la era, y después nada más sencillo que ocultarse en el escondrijo. Dicho y hecho.

Arrimada al hórreo estaba la escala. Perucho comenzó a subir, operación difícil, atendido el estorbo que le hacía la chiquilla. Lo estrecho y vertical de los travesaños imponía la necesidad de agarrarse con manos y pies al ir ascendiendo: Perucho no disponía de las manos; la energía de la voluntad se le comunicó al dedo gordo del pie, que semejaba casi prensil a fuerza de adaptarse y adherirse a las barras de palo, bruñidas ya con el uso. En mitad de la ascensión pensó que rodaba al pie del hórreo, y apretó contra el pecho a la niña, que, despertándose, rompió en llanto. ¡Que llorase! Allí no la oía alma viviente; por la era sólo vagaban media docena de gallinas disputando a dos gorriones las hojas de una col. Perucho entró triunfante por la puerta del hórreo...

Las espigas de maíz no lo llenaban hasta el techo, dejando algún espacio suficiente para que dos personas minúsculas, como Perucho y su protegida, pudiesen acomodarse y revolverse. El rapaz se sentó sin soltar a la nena, diciéndole mil chuscadas y zalamerías a fin de acallarla, abusando del diminutivo, que tan cariñosa gracia adquiere en brazos del aldeano.

—Reiniña, mona, ruliña; calla, calla, que te he de dar cosas bunitas, bunitas, bunitiñas... ¡Si no callas, viene el cocón y te come! ¡Velo, ahí viene! ¡Calla, soliño, paloma blanca, rosita!

No por virtud de las exhortaciones, pero sí por haber conocido a su amigo predilecto, la niña callaba ya. Mirábale, y, sonriendo regocijadamente, le pasaba las manos por la cara, gorjeaba, se bababa y miraba con curiosidad alrededor. Extrañaba el sitio. Enfrente, alrededor, debajo, por todos lados, la rodeaba un mar de espigas de oro, que al menor movimiento de Perucho se derrumbaban en suaves cascadas, y donde el sol, penetrando por los intersticios del enrejado del hórreo, tenía galones más claros, movibles listas de luz. Perucho comprendió que poseía en las espigas un recurso inestimable para divertir a la pequeña. Tan pronto le daba una de la mano como alzaba con muchas una especie de pirámide; la «nené» se entretenía en derribarla o forjarse la ilusión de que la derribaba, pues realmente una patada de Perucho hacía el milagro.

Reía ella lo mismo que una loca, y pedía, impaciente, por señas, que renovase el juego.

Pronto se cansó de él. Con todo, estaba de buen humor, gracias a la compañía de Perucho. Su mirada, risueña y dulce, fija en la de su compañero, parecía decirle: «¿Qué mejor juego que estar juntos? Disfrutemos de este bien, que siempre nos han dado con tasa.» En vista de tan cariñosas disposiciones, Perucho se entregó al placer de halagarla a su sabor. Ya le apoyaba un dedo en el carrillo, para provocarla a risa; ya remedaba a un lagarto, arrastrando la mano por el cuerpo de la «nené» arriba, e imitando los culebreos del rabo; ya se fingía encolerizado, espantaba los ojos, hinchaba los carrillos, cerraba los puños y resoplaba fieramente; ya, tomando a la nena en peso, la subía en alto y figuraba dejarla caer de golpe sobre las espigas. Por último, recelando cansarla, la cogió en brazos, se sentó a la turca y comenzó a mecerla y arrullarla blandamente, con tanta suavidad, precaución y ternura como pudiera su propia madre.

¡Qué ganas, qué violentos antojos se le pasaban!... ¿De qué? En las veces que fue admitido a la intimidad de la habitación de Nucha y se le consintió aproximarse a la «nené» y vivir su vida, jamás osara hacerlo... Miedo de que le riñesen o echasen; vago respeto religioso que se imponía a su alma de pilluelo diabólico; vergüenza, falta de costumbre de sus labios, que a nadie besaban; todo se unía para impedirle satisfacer una aspiración que él juzgaba ambiciosa y punto menos que sacrílega... Pero ahora era dueño del tesoro; ahora la «nené» le pertenecía, la había ganado en buena lid, la poseía por derecho de conquista, ¡ese derecho que comprenden los mismos salvajes! Adelantó mucho el hocico, igual que si fuese a catar alguna golosina, y tocó la frente y los ojos de la pequeña... Después desenvolvió los pliegues del mantón y descubrió las piernas, calentitas como chicharrones, que apenas se vieron libres del envoltorio comenzaron a bailar, sacudiendo sus favoritas patadas de júbilo. Perucho alzó hasta la boca un pie, luego otro, y así, alternando, se pasó un rato regular; sus besos hacían cosquillas a la niña, que soltaba repentinas carcajadas y se quedaba luego muy seria; pero en breve empezó a sentir frío, y con la rapidez que presentan en los niños muy chicos los cambios de temperatura, los piececillos se le quedaron casi helados. Al punto lo advirtió Perucho, y echándole repetidas veces el aliento, como había visto hacer a la vaca con sus recentales, los envolvió en mantillas y pañolón, y nuevamente llevó a sí a la criatura, meciéndola.

El más glorioso conquistador no sobrepujaría en orgullo y satisfacción en tales momentos a Perucho, cuando juzgaba evidente que había salvado a la «nené» de la degollación segura y puéstola a buen recaudo, donde nadie daría con ella. Ni un minuto recordó al duro y bronceado abuelo tendido allá, junto al paredón... A menudo se ve al niño deshecho en lágrimas, al pie del cadáver de su madre, consolarse con un juguete o un cartucho de dulces; quizá vuelvan más adelante la tristeza y el recuerdo, pero la impresión capital del dolor ya se ha borrado para siempre. Así Perucho. La ventura de poseer a su «nené» adorada, la gloria de defender su vida, le distraía de los trágicos acontecimientos recientes. No se acordaba del abuelo, no; ni del trabucazo que le había tumbado como él tumbaba las perdices.

Con todo, velo medroso y tétrico debía de envolver su imaginación, según el cuento que empezó a referir, en voz hueca, a la «nené», lo mismo que si ella pudiese comprender lo que le hablaban. ¿De dónde procedía este cuento, variante de la leyenda del ogro? ¿Lo oiría Perucho en alguna velada, junto al lar, mientras hilaban las viejas y pelaban castañas las mozas? ¿Sería creación de su mente, excitada por los terrores de un día tan excepcional? «Una vez —empezaba el cuento— era un rey muy malo, muy galopín, que se comía la gente y las *presonas* vivas... Este rey tenía una 'nené' *bunita, bunita* como la flor de mayo..., y pequeñita, pequeñita como un grano de millo (maíz quería decir Perucho). Y el malo bribón del rey quería comerla, porque era el coco, y tenía una cara más fea, más fea que la del *diaño* —Perucho hacía horribles muecas, a fin de expresar la fealdad extraordinaria del rey—. Y una noche dijo él, dice: 'Heme de comer mañana, por la mañanita *trempano*, a la 'nené'..., así, así' —abría y cerraba la boca, haciendo chocar las mandíbulas, como los papamoscas de las catedrales—. Y había un *pagarito* sobre un *árbole,* y oyó al rey, y dijo, dice: 'comer, no la has de comer, coco feo.' Y va y... ¿qué hace el *pagarito*? Entra por la ventana..., y el rey estaba durmiendo —recostaba la cabeza en las espigas de maíz y roncaba estrepitosamente para representar el sueño del rey—. Y va el *pagarito* y con el *bico* le saca un ojo, y el rey queda *chosco* —guiñaba el ojo izquierdo, mostrando cómo el rey se halló tuerto—. Y el rey a despertar y a llorar, llorar, llorar —imitación de llanto— por su ojo, y el *pagarito* a *se reír* muy puesto en *árbole...* Y va y salta y dijo, dice: 'Si no comes a la 'nené' y me la regalas, te doy el ojo...' Y va el rey y dice: 'Bueno...' Y va el *pagarito* y se casó con la 'nené', y estaba siempre cantando unas cosas muy preciosas, y tocando la gaita —solo de este instrumento—; y *entré* por una *porta* y salí por otra, y manda el rey que te lo cuente otra vez.»

La «nené» no oyó el final del cuento... La música de las palabras, que no le despertaban idea alguna; el haber vuelto a entrar en calor, la misma satisfacción de estar con su favorito, le trajeron insensiblemente el sueño anterior, y Perucho, al armar la algazara acostumbrada cuando terminaba los cuentos de cocos, la vio con los ojos cerrados... Acomodó lo mejor que pudo el lecho de espigas; llególe el mantón al rostro, como hacía Nucha, para que no se le enfriase el hociquito, y muy denodado y resuelto a hacer de centinela, se arrimó a la puerta del hórreo en una esquina, reclinándose en un montón de maíz. Pero fuese la inmovilidad, o el cansancio, o la reacción de tantas emociones consecutivas, también a él la cabeza le pesaba y se le entornaban los párpados. Se los frotó con los dedos, bostezó, luchó algunos minutos con el sueño invasor... Este venció al cabo. Los dos ángeles refugiados en el hórreo dormían en paz.

Entre las representaciones de una especie de pesadilla angustiosa que agitaba a Perucho, veía el muchacho un animalazo de desmesurado grandor, bestión indómito que se acercaba a él rugiendo, bramando y dispuesto a zampárselo de un bocado o deshacerlo de una uñada... Se le erizó el cabello, le temblaron las carnes y un sudor frío le empapó la sien... ¡Qué monstruo tan espantoso! Ya se acerca... Ya cierra con Perucho...; sus garras se hincan en las carnes del rapaz; su cuerpo descomunal le cae encima lo mismo que inmensa roca... El chiquillo abre los ojos...

Sofocada y furiosa, vociferando, moliéndole a su sabor a pescozones y cachetes, arrancándole el rizado pelo y pateándolo, estaba el ama, más enorme, más brutal que nunca. No hay que omitir que Perucho se condujo como un héroe. Bajando la cabeza, se atravesó en la entrada del hórreo, y por espacio de algunos minutos defendió su presa, haciéndola muralla con el cuerpo.

Pero el enorme volumen del ama pesó sobre él
y le redujo a la inacción, comprimiéndole y pa-
ralizándole. Cuando el mísero chiquillo, medio
ahogado, se sintió libre de aquella estatua de
plomo, que a poco más le convierte en oblea,
miró hacia atrás... La niña había desaparecido.
Perucho no olvidará nunca el desesperado llanto
que derramó por más de media hora, revolcán-
dose entre las espigas.

Veintinueve

Tampoco Julián olvidará el día en que ocurrie-
ron acontecimientos tan inesperados; día dramá-
tico entre todos los de su existencia, en que le
sucedió lo que no pudo imaginar jamás: ser acu-
sado, por un marido de inteligencias culpables
con su mujer; por un marido que se quejaba de
ultrajes mortales, que le amenazaba, que le expul-
saba de su casa ignominiosamente y para siempre;
y ver a la infeliz señorita, a la verdaderamente
ofendida esposa, impotente para desmentir la ri-
dícula y horrenda calumnia.

¿Y qué sería si hubiesen realizado su plan de
fuga al día siguiente? Entonces sí que tendrían
que bajar la cabeza, darse por convictos... ¡Y
decir que cinco minutos antes no se le prevenía
siquiera la posibilidad de que don Pedro y el
mundo lo interpretasen así!

No, no lo olvidará Julián. No olvidará aquellas
inesperadas tribulaciones, el valor repentino, y ni
aun de él mismo sospechado, que desplegó en
momentos tan críticos para arrojar a la faz del
marido cuanto le hervía en el alma: la reprobación, la indignación contenida por su habitual
timidez; el reto provocado por el bárbaro insulto; los calificativos furiosos, que acudían por vez
primera a su boca, avezada únicamente a las pa-

labras de paz; el reto airado, de hombre a hombre, que lanzó al salir de la capilla... No olvidará, no, la escena terrible, por muchos años que pesen sobre sus hombros y por muchas canas que le enfríen las sienes. Ni olvidará tampoco su partida precipitada, sin dar tiempo a recoger el equipaje; cómo ensilló con sus propias inexpertas manos la yegua; cómo, desplegando una maestría debida a la urgencia, había montado, espoleado, salido a galope, ejecutando todos estos actos mecánicamente, cual entre sueños, sin aguardar a que se disipase el corto hervor de la sangre, sin querer ver a la niña ni darle un beso, porque comprendía, estaba seguro de que, si lo hiciera, sería capaz de postrarse a los pies del señorito, rogándole humildemente que le permitiese quedarse allí, en los pazos, aunque fuese de pastor de ganado o jornalero...

No olvidará tampoco la salida de la casa solariega, la ascensión por el camino que el día de su llegada le pareció tan triste y lúgubre... El cielo está nublado; ciernen la claridad del sol pardos crespones, cada vez más densos; los pinos, juntando sus copas, susurran de un modo penetrante, prolongado y cariñoso; las ráfagas del aire traen el olor sano de la resina y el aroma de miel de los retamares. El crucero, a poca distancia, levanta sus brazos de piedra manchados por el oro viejo del liquen... La yegua, de improviso, respinga, tiembla, se encabrita... Julián se agarra instintivamente a las crines, soltando la rienda... En el suelo hay un bulto, un hombre, un cadáver; la hierba, el derredor suyo, se baña en sangre, que empieza ya a cuajarse y ennegrecerse. Julián permanece allí clavado, sin fuerzas, anonadado por una mezcla de asombro y gratitud a la Providencia, que no puede razonar, pero le subyuga... El cadáver tiene la faz contra tierra; no importa: Julián ha reconocido a Primitivo, el traidor. El capellán no investiga, no cavila en quién le habrá matado. ¡Cualquiera que sea el instrumento, lo dirige la mano de Dios! Desvía la yegua, se persigna, se aparta, se aleja definitivamente, volviendo de cuando en cuando la cabeza para ver el negro bulto, sobre el fondo verde de la hierba y la blancura gris del paredón...

¡Ah! No, no olvida nada Julián. No olvida en Santiago, donde su llegada se glosa, donde su historia en los pazos adquiere proporciones legendarias, donde el éxito de las elecciones, la partida del capellán, el asesinato del mayordomo, se comentan, se adornan, entretienen al pueblo casi todo un mes, y donde las gentes le paran en la calle, preguntándole qué ocurre por allá, qué sucede con Nucha Pardo, si es cierto que su marido la maltrata, y que está muy enferma, y que las elecciones de Cebre han sido un escándalo gordo. No olvida cuando el arzobispo le llama a su cámara, a fin de inquirir qué hay de verdad en todo lo ocurrido, y él, después de arrodillarse, lo cuenta, sin poner ni quitar una sílaba, encontrando en la sincera confesión inexplicable alivio, y besando, con el corazón desahogado ya, la amatista que brilla sobre el anular del prelado. No olvida cuando éste dispone enviarle a una parroquia apartadísima, especie de destierro, donde vivirá completamente alejado del mundo.

Es una parroquia de montaña, más montaña que los pazos, al pie de una sierra fragosa, en el corazón de Galicia. No hay en toda ella, ni en cuatro leguas a la redonda, una sola casa señorial; en otro tiempo, en épocas feudales, se alzó, fundado en peñasco vivo, un castillo roquero, hoy ruina comida por la hiedra y habitada por murciélagos y lagartos. Los feligreses de Julián son pobres pastores; en víspera de fiesta y tiempo de oblata le obsequian con leche de vaca, queso de oveja, manteca en orzas de barro. Hablan dialecto cerradísimo, arduo de comprender; visten de somonte y usan greñas largas, cortadas sobre la frente, a la manera de los antiguos siervos.

En invierno cae la nieve y aúllan los lobos en las inmediaciones de la rectoral; cuando Julián tiene que salir a las altas horas de la noche para llevar los sacramentos a algún moribundo, se ve obligado a cubrirse con coraza de paja y calzar zuecos de palo; el sacristán va delante, alumbrando con un farol, y entre la oscuridad nocturna las encinas parecen fantasmas...

Corrido medio año, recibe una esquela, una papeleta orlada de negro; la lee, sin entenderla al pronto; después se entera bien del contenido, y, sin embargo, no llora, no da señal alguna de pena... Al contrario, aquel día y los siguientes experimenta como un sentimiento de consuelo, de bienestar y de alegría, porque la señorita Nucha, en el cielo, estará desquitándose de lo sufrido en esta tierra miserable, donde sólo martirios recoge un alma como la suya... La doctrina resignada de la *Imitación* ha vuelto a reinar en su espíritu. Hasta el efecto de la noticia se borra pronto, y una especie de insensibilidad apacible va cauterizando el espíritu de Julián: piensa más en lo que le rodea, se interesa por la iglesia desmantelada, trata de enseñar a leer a los chiquillos de la parroquia, funda una congregación de Hijas de María, para que las mozas no bailen los domingos... Y así pasa el tiempo, con uniformidad, sin dichas ni amarguras, y la placidez de la Naturaleza penetra por el alma de Julián, y se acostumbra a vivir como los labriegos, pendiente de la cosecha, deseando la lluvia o el buen tiempo como el mayor beneficio que Dios puede otorgar al hombre, calentándose en el lar, diciendo misa muy temprano y acostándose antes de encender la luz, conociendo por las estrellas si se prepara agua o sol, recogiendo castaña y patata; entrando

en el ritmo acompasado, narcótico perenne, de
la vida agrícola, tan inflexible como la vuelta de
las golondrinas en primavera y el girar eterno de
nuestro globo, describiendo la misma elipse a través del espacio...

Y, sin embargo, no olvida. Y en aquel rincón
viene a sorprenderle el ascenso, la traslación a la
parroquia de Ulloa, especie de desagravio del arzobispo. La mitra alterna con los señores de Ulloa
en la presentación del curato, y el arzobispo quiere manifestar así al humilde párroco, enterrado
diez años hace en la montaña más fiera de la dió-
cesis, que la calumnia puede empañar el cristal
de la honra, no mancharlo.

Treinta

Diez años son una etapa, no sólo en la vida del
individuo, sino en la de las naciones. Diez años
comprenden un período de renovación; diez años
rara vez corren en balde, y el que mira hacia atrás
suele sorprenderse del camino que se anda en una
década. Mas así como hay personas, hay lugares
para los cuales es insensible el paso de una déci-
ma parte del siglo. Ahí están los pazos de Ulloa,
que no me dejarán mentir. La gran huronera,
desafiando al tiempo, permanece tan pesada, tan
sombría, tan adusta como siempre. Ninguna inno-
vación útil o bella se nota en su moblaje, en su
huerto, en sus tierras de cultivo. Los lobos del
escudo de armas no se han amansado; el pino
no echa renuevos; las mismas ondas simétricas
de agua petrificada bañan los estribos de la puente señorial.

En cambio, la villita de Cebre, rindiendo culto
al progreso, ha atendido a las mejoras morales y
materiales, según frase de un cebreño ilustrado,
que envía correspondencia a los diarios de Oren-

se y Pontevedra. No se charla ya de política solamente en el estanco: para eso se ha fundado un círculo de instrucción y recreo, artes y ciencias —lo reza su reglamento—, y se han establecido algunas tiendecillas, que el cebreño susodicho denomina bazares. Verdad que los dos caciques aún continúan disputándose el mero y mixto imperio; mas ya parece seguro que *Barbacana*, representante de la reacción y la tradición, cede ante *Trampeta*, encarnación viviente de las ideas avanzadas y de la nueva edad.

Dicen algunos maliciosos que el secreto del triunfo del cacique liberal está en que su adversario, hoy canovista, se encuentra ya extremadamente viejo y achacoso, habiendo perdido mucha parte de sus bríos e indomable, al par que traicionera, condición. Sea comoquiera, el caso es que la influencia barbanesca anda maltrecha y mermada.

Quien ha envejecido bastante, de un modo prematuro, es el antiguo capellán de los pazos. Su pelo está estriado de rayitas argentadas; su boca se sume; sus ojos se empañan; se encorvan sus lomos. Avanza despaciosamente por el carrero angosto que serpea entre viñedos y matorrales conduciendo a la iglesia de Ulloa.

¡Qué iglesia tan pobre! Más bien parecía la casuca de un aldeano, conociéndose únicamente su sagrado destino en la cruz que corona el tejadillo del pórtico. La impresión es de melancolía y humedad: el atrio, herboso, está a todas horas, aun a las meridianas, muy salpicado y como empapado de rocío. La tierra del atrio sube más alto que el peristilo de la iglesia, y ésta se hunde, se sepulta entre el terruño, que lentamente va desprendiéndose del collado próximo. En una esquina del atrio, un pequeño campanario aislado sostiene el rajado esquilón; en el centro, una cruz baja, sobre tres gradas de piedra, da al cuadro un toque poético, pensativo. Allí, en aquel rincón del Universo, vive Jesucristo... Pero ¡cuán solo! ¡Cuán olvidado!

Julián se detuvo ante la cruz. Estaba viejo realmente y también más varonil: algunos rasgos de su fisonomía delicada se marcaban, se delineaban con mayor firmeza; sus labios, contraídos y palidecidos, revelaban la severidad del hombre acostumbrado a dominar todo arranque pasional, todo impulso esencialmente terrestre. La edad viril le había enseñado y dado a conocer cuál es el mérito y debe ser la corona del sacerdote puro. Habíase vuelto muy indulgente con los demás, al par que severo consigo mismo.

Al pisar el atrio de Ulloa notaba una impresión singularísima. Parecíale que alguna persona muy querida, muy querida para él, andaba por allí, resucitada, viviente, envolviéndole en su presencia, calentándole con su aliento. ¿Y quién podía ser esa persona? ¡Válgame Dios! ¡Pues no daba ahora en el dislate de creer que la señora de Moscoso vivía, a pesar de haber leído su esquela de defunción! Tan rara alucinación era, sin duda, causada por la vuelta a Ulloa, después de un paréntesis de dos lustros. ¡La muerte de la señora de Moscoso! Nada más fácil que cerciorarse de ella... Allí estaba el cementerio. Acercarse a un muro coronado de hiedra, empujar una puerta de madera y penetrar en su recinto.

Era un lugar sombrío, aunque le faltasen los lánguidos sauces y cipreses, que tan bien acompañan, con sus actitudes teatrales y majestuosas, la solemnidad de los camposantos. Limitábanlo, de una parte, las tapias de la iglesia; de otra, tres murallones revestidos de hiedra y plantas parásitas; y la puerta fronteriza a la de entrada por el atrio la formaba un enverjado de madera, a través del cual se veía diáfano y remoto horizonte de montañas, a la sazón color violeta, por

la hora, que era aquella en que el sol, sin calentar mucho todavía, empieza a subir hacia el cenit,
y en que la Naturaleza se despierta, como saliendo de un baño, estremecida de frescura y frío
matinal. Sobre la verja se inclinaba añoso olivo,
donde nidaban mil gorriones alborotadores, que
a veces azotaban y sacudían el ramaje con su vo-
leteo apresurado; y hacíale frente una enorme
mata de hortensia, mustia y doblegada por las
lluvias de la estación, graciosamente enfermiza,
con sus mazorcas de desmayadas flores azules
y amarillentas. A esto se reducía todo el ornato
del cementerio, mas no su vegetación, que por lo
exuberante y viciosa ponía en el alma repugnancia y supersticioso pavor, induciendo a fantasear
si en aquellas robustas ortigas, altas como la mitad de una persona; en aquella hierba crasa; en
aquellos cardos vigorosos, cuyos pétalos ostenta-
ban matices flavos de cirio, se habrían encarnado,
por misteriosa transmigración, las almas, vegeta-
tivas también en cierto modo, de los que allí dormían para siempre, sin haber vivido, sin haber
amado, sin haber palpitado jamás por ninguna
idea elevada, generosa, puramente espiritual y
abstracta, de las que agitan la conciencia del pen-
sador y del artista. Parecía que era sustancia humana —pero de una humanidad ruda, atávica,
inferior, hundida hasta el cuello en la ignorancia
y en la materia— la que nutría y hacía brotar con
tan enérgica pujanza y savia tan copiosa aquella
flora lúgubre por su misma lozanía. Y, en efecto,
en el terreno, repujado de pequeñas eminencias,
que contrastaba con la lisa planicie del atrio, advertía a veces el pie durezas de ataúdes mal cubiertos y blanduras y molicies que infundían gri-
ma y espanto, como si se pisaran miembros flác-
cidos de cadáver. Un soplo helado, un olor pe-
culiar de moho y podredumbre, un verdadero
ambiente sepulcral se alzaba del suelo lleno de

altibajos, rehenchidos de difuntos amontonados unos encima de otros; y entre la verdura húmeda, surcada del surco brillante que dejan tras de sí el caracol y la babosa, torcíanse las cruces de madera negra fileteadas de blanco, con rótulos curiosos, cuajados de faltas de ortografía y peregrinos disparates. Julián, que sufría la inquietud, el hormigueo en la planta de los pies que nos causa la sensación de hollar algo blando, algo viviente o que, por lo menos, estuvo dotado de sensibilidad y vida, experimentó de pronto gran turbación: una de las cruces, más alta que las demás, tenía escrito en letras blancas un nombre. Acercóse y descifró la inscripción, sin pararse en deslices ortográficos: «Aquí hacen las cenizas de Primitivo Suárez; sus parientes y amijos rueguen a Dios por su alma...» El terreno en aquel sitio estaba turgente, formando una eminencia. Julián murmuró una oración; desvióse aprisa, creyendo sentir bajo sus plantas el cuerpo de bronce de su formidable enemigo. Al punto mismo se alzó de la cruz una mariposilla blanca, de esas últimas mariposas del año que vuelan despacio, como encogidas por la frialdad de la atmósfera, y se paran en seguida en el primer sitio favorable que encuentran. La siguió el nuevo cura de Ulloa, y la vio posarse en un mezquino mausoleo, arrinconado entre la esquina de la tapia y el ángulo entrante que formaba la pared de la iglesia.

Allí se detuvo el insecto, y allí también Julián, con el corazón palpitante, con la vista nublada y el espíritu, por vez primera después de largos años, trastornado y enteramente fuera de quicio, al choque de una conmoción tan honda y extraordinaria que él mismo no hubiera podido explicarse cómo le invadía, avasallándole y sacándole de su natural ser y estado, rompiendo diques, salvando vallas, venciendo obstáculos, atropellando por todo, imponiéndose con la sobrehumana

potencia de los sentimientos largo tiempo com-
primidos y al fin dueños absolutos del alma, porque rebosan de ella, porque la inundan y sumer-
gen. No echó de ver siquiera la ridiculez del
mausoleo, construido con piedras y cal, decorado
con calaveras, huesos y otros emblemas fúnebres
por la inexperta mano de algún embadurnador de
aldea; no necesitó deletrear la inscripción, porque sabía de seguro que donde se había detenido
la mariposa, allí descansaba Nucha, la señorita
Marcelina, la santa, la víctima, la virgencita siempre cándida y celeste. Allí estaba, sola, abando-
nada, vendida, ultrajada, calumniada, con las muñecas heridas por mano brutal y el rostro
marchito por la enfermedad, el terror y el dolor... Pensando en esto, la oración se interrumpió
en labios de Julián, la corriente del existir retrocedió diez años, y en un transporte de los que en
él eran poco frecuentes, pero súbitos e irresisti-
bles, cayó de hinojos, abrió los brazos, besó ar-
dientemente la pared del nicho, sollozando como
un niño o mujer, frotando las mejillas contra la
fría superficie, clavando las uñas en la cal, hasta
arrancarla...

Oyó risas, cuchicheos, jarana alegre, impropia
del lugar y la ocasión. Se volvió y se incorporó,
confuso. Tenía delante una pareja hechicera, ilu-
minada por el sol, que ya ascendía, aproximán-
dose a la mitad del cielo. Era el muchacho el más
guapo adolescente que puede soñar la fantasía;
y si de chiquitín se parecía al Amor antiguo, la
prolongación de líneas que distingue a la puber-
tad de la infancia le daba ahora semejanza notable con los arcángeles y ángeles viajeros de los
grabados bíblicos, que unen a la lindeza feme-
nina y a los rizados bucles rasgos de graciosa
severidad varonil. En cuanto a la niña, espiga-
dita para sus once años, hería el corazón de Julián por el sorprendente parecido con su pobre

madre a la misma edad: idénticas largas trenzas
negras, idéntico rostro pálido, pero más mate
más moreno, de óvalo más correcto, de ojos más
luminosos y mirada más firme. ¡Vaya si conocía
Julián a la pareja! ¡Cuántas veces la había tenido
en brazos!

Sólo una circunstancia le hizo dudar, de si aquellos dos muchachos encantadores eran en realidad el bastardo y la heredera legítima de Moscoso. Mientras el hijo de Sabel vestía ropa de buen paño, de hechura como entre aldeano acomodado y señorito, la hija de Nucha, cubierta con un traje de percal, asaz viejo, llevaba los zapatos tan rotos, que pudiera decirse que iba descalza.

Indice